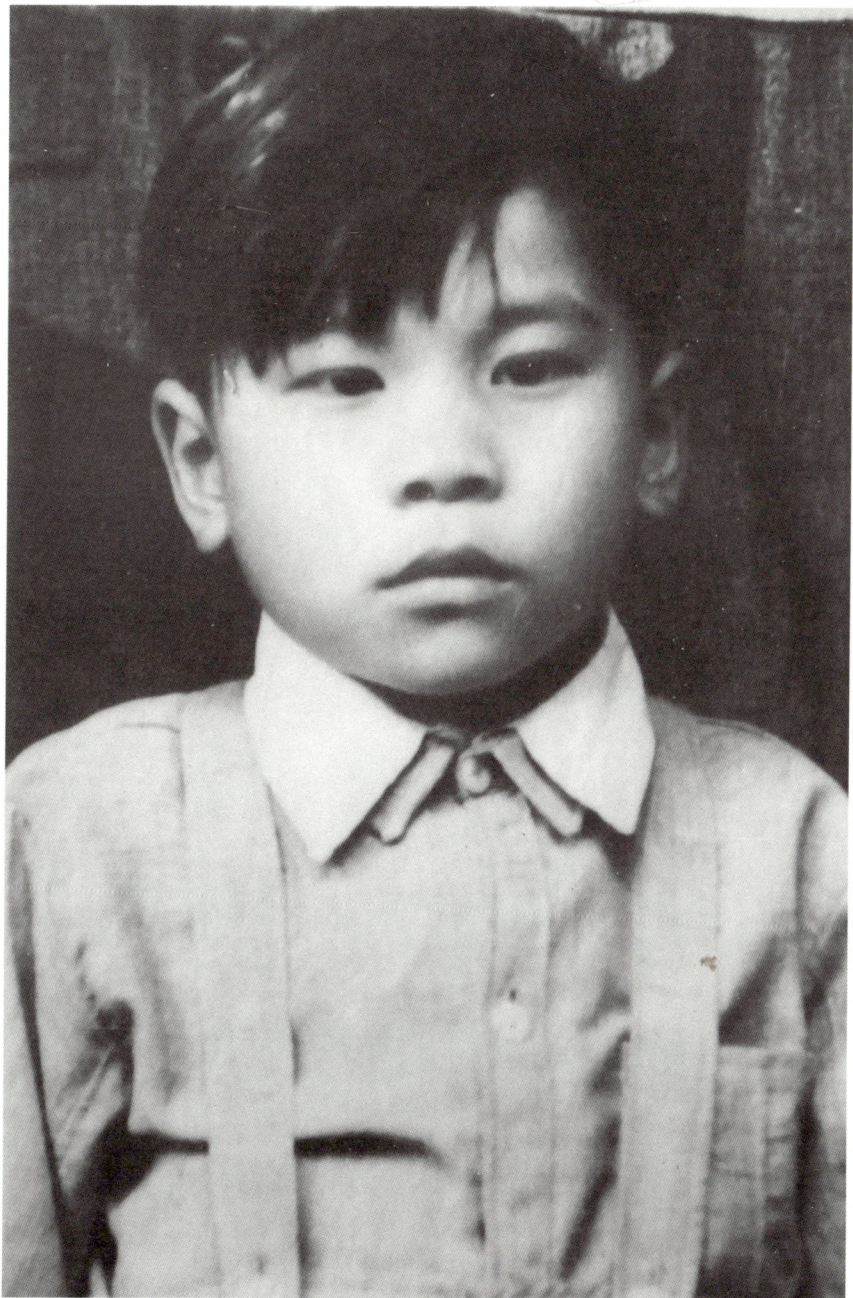

▲ 好奇（1947 的刘心武）

▲ 1972 年刘心武一家

▲ 在诞生地成都育婴堂街留影（2006 年）

▲ 大笑（2007 年的刘心武）

刘心武文存40

[1958-2010]

自述卷
我是刘心武

刘心武◎著

江苏人民出版社

图书在版编目(CIP)数据

我是刘心武 / 刘心武著. —南京：江苏人民出版
社，2012.11

（刘心武文存；40.自述卷）

ISBN 978-7-214-08509-2

Ⅰ.①我 … Ⅱ.①刘… Ⅲ.①刘心武-回忆录 Ⅳ.
①K825.6

中国版本图书馆CIP数据核字(2012)第152288号

书　　　名	我是刘心武	
著　　　者	刘心武	
责 任 编 辑	刘 焱	
统 筹 编 辑	李 丹	
特 约 编 辑	朱 鸿	
文 字 校 对	陈晓丹 郭慧红	
装 帧 设 计	门乃婷工作室	
出 版 发 行	凤凰出版传媒股份有限公司	
	江苏人民出版社	
出版社地址	南京湖南路1号A楼 邮编：210009	
出版社网址	http://www.book-wind.com	
经　　　销	凤凰出版传媒股份有限公司	
印　　　刷	三河市金元印装有限公司	
开　　　本	700毫米×1000毫米 1/16	
印　　　张	23.25	
字　　　数	384千字	
彩　　　插	4	
版　　　次	2012年11月第1版 2012年11月第1次印刷	
标 准 书 号	ISBN 978-7-214-08509-2	
定　　　价	65.00元	

（江苏人民出版社图书凡印装错误可向本社调换）

《刘心武文存》出版说明

　　《刘心武文存》收录刘心武自1958年16岁至2010年68岁公开发表的文字约900万字。《文存》共40卷，按文章门类收录，计有长篇小说5卷、中篇小说4卷、短篇小说5卷、小小说1卷、儿童文学1卷、建筑评论2卷、《红楼梦》研究4卷、散文随笔11卷、杂文1卷、海外游记1卷、多品种（图文交融文本、报告文学、诗歌、剧本、足球评论、译述）1卷、创作谈1卷、理论批评1卷、早期（1958年至1976年）作品1卷、自述1卷。因跨越时间达半个世纪以上，收录定有遗漏，但其此期间的主要作品，相信均已收入。

　　《刘心武文存》各卷均附有《刘心武文学活动大事记》及《刘心武著作书目》，可备检索。

　　编辑出版《刘心武文存》的目的，意在供各方面人士阅读欣赏、分析研究、批评批判、收藏保存。

刘心武文存

40

——

目录

自序：是的，这就是我·001

我是个最平常不过的人·001

祖父、父亲和我——挣不脱的链环·007

炸出一个我·012

父亲脊背上的痱子·019

能够善良·023

免费午餐·025

远去了，母亲放飞的手·029

神圣的沉静·041

美丽的藩篱·043

归来时，已万家灯火矣·046

隆福寺的回忆·051

楸树花·059

跟陌生人说话·062

我的元记忆·066

童年：火的记忆·069

小颗颗·074

硬木棍·078

瓜菜代·小球藻·082

我是一个"新北京"·087

哄堂大笑中的领悟·091

白石的乳汁·095

面对二十岁·100

恐　怖·104

少年的心，天上的云·108

从"豆腐块"开始·116

我为什么写作·119

我的处女作·121

我的写作导师·124

关于《班主任》的回忆·127

风正一帆悬·133

人生不能缺此情·139

姐弟读书乐·142

妻子晓歌·144

与妻子重游北海·147

看儿子慢慢长大·149

五十自戒·153

我的平民朋友·157

惜别老罗·162

我爱夜凝珠·166

我的生命消费方式·169

消化自卑·171

不应忘记的人·176

凌乱一点才是家·181

我的"绿宝石"·184

这里叶子常绿·186

90年代的"边缘生活"·189

《红楼梦》系列讲座的自白·193

附:关于《红楼梦》的问答·197

我看《金瓶梅》·209

感念茅盾·214

我与古典文学·217

外国文学对我的影响·222

我是怎样一个瓶子·229

我的鼻子·233

我的功夫·235

我爱看旧照片·238

我有一段软心肠·246

我的读书习惯·248

狼·蟒·牛·猫·250

只求随缘而处·253

羞　涩·256

一件亏心事·259

有时何妨保守·264

走进私人空间·269

渴望平静·273

附录一　刘心武文学活动大事记·275

附录二　刘心武著作书目·284

附录三　刘心武文存总目·305

自序：是的，这就是我

估计愿意看这本书的，主要是两种人。

一种是早就知道了我的。多半是在 1978 年前后，读了我的短篇小说《班主任》等作品后，就一路追踪阅读我那以后的作品：长篇小说《钟鼓楼》、纪实小说《5·19 长镜头》……但是，进入上世纪最后十年，我的生活和写作都边缘化了，这些读者随着年龄增长，也都遇到了人生当中许多的关坎儿，没有那么多时间阅读文学作品，我后来又写了些什么，生活得怎么样，他们就不大清楚了。但是，2005 年，我忽然出现在中央电视台的《百家讲坛》，连续讲了 23 讲《揭秘〈红楼梦〉》，跟着又出了两本共 36 讲的书，引出了不亚于当年《班主任》那样的社会性轰动，有人甚至认为比那时候还更热闹。我的这些老读友或兴奋，或惊讶，因此，他们或者就想了解：你是怎么走到这一步来的？

另一种是非常年轻的一代。我发表《班主任》，甚至因《钟鼓楼》获得茅盾文学奖，以及担任《人民文学》杂志主编的时候，他们或者根本还没诞生，或者还是没上小学的幼童。他们上到中学，或刚考进大学，对早已边缘化的我，完全不知道，或者只是模模糊糊有点印象，也是因为《揭秘〈红楼梦〉》，我才引起了他们的注意。这人是谁呀？什么？以前写过《班主任》，还有《钟鼓楼》？哪儿能找到这些古董？他们开始有了对我揭秘的兴趣。

那么，这本书，就主要是奉献给这些读者的。

这还不是一本自传。我还没到 70 岁，也许过了 70 岁我会静下心来写一部"从头说起"的自传。但这本由许多篇不是一个时间段里写成的文章组成的书，确实又有自传性因素。

这也还不是一本回忆录，回忆录跟自传是两种文体。自传是把自己的一生展现出来，回忆录可以不去完整地交代自己的生平，而把重点放在写出自己所经历的社会变迁、所见所闻，往往会较多地写到别人别事。那么，这本书却也具有一定的回忆录的因素。

我是怎么活过来的？我有什么比较重要的值得一说的所见所闻、所感所思？

总之，这就是我。我面对大家，有些羞涩，却也坦然。

我的命运一贯如此：还真有喜欢我的，总在关注、支持、鞭策我，这些人士对我的理解、谅解、指正、宽容、善意、爱护，是我生命赖以存活、前行的宝贵动力。我对他们总是充满了难以言喻的感激之情，我希望通过这本书，能跟他们更加亲近。也真有讨厌我的，以至讨厌到咬牙切齿的地步。这本书当然首先是奉献给喜欢我的人士，但如果有讨厌我的人士愿意翻翻，我会高兴。因为，我总觉得，讨厌我的人士里，其中有一些恐怕是对我还缺乏全面的了解。如果读了这些文字，能多少增进些对我的了解，减轻些因讨厌我而生发出的痛苦烦恼，那么，对我来说是大福气，对他们来说岂不也有利身心健康？当然，无论如何还是要讨厌我的人，总会存在，那么，我祝他们幸福，祝他们能在所喜欢的人士那里，获得快乐。毕竟，人活着应该把更多的情感赋予喜欢，而不是讨厌。爱比恨，肯定更有利于我们自身生命的良性运转。

感谢出版社，他们对我所提供的素材，进行了细心的编辑，才形成了这样一本书。

2006 年 7 月 8 日绿叶居

我是个最平常不过的人

我 1942 年 6 月 4 日出生于四川省成都市。母亲生我前，已有三子一女，最小的女儿已经八岁。当时家庭生活困窘，母亲不想再添累赘，便遍求偏方，想在孕中把我打掉，但那些偏方统统不灵，最后还是只好把我生了下来。

当时正处于抗日战争最艰苦的阶段。父亲出于爱国热情，给我取名"心武"。"心"是排行，"武"是要以武力驱逐日寇的意思。

后来母亲一度带我回到老家安岳县。我的祖籍是安岳县龙台场高石梯，那是一个极其偏僻的村落。我始终没有回到过那个村落，尽管后来我不止一次回过安岳县城，并且有一次还回到过龙台场。老家安岳县永远能在我心中唤起一种难以言喻的亲切感，我记得它的一家理发馆中，有着一面用四排二十四把蒲扇连缀而成的大扇子，用滑轮和绳索构成一种机关，理发师傅给顾客理发时，可以用脚踩得它上下扇风。也许如今它早已被电风扇取代了吧，但故乡的那种特殊情调，既已储留心中，却是任何新奇的东西都不能淡化的。

再后来我家定居重庆。我们住在南岸，隔江与重庆城区相望。推开我家房舍的窗户，长江永无止息地流淌着，对岸是密密麻麻的"吊脚楼"，纤夫那悲壮的号子声一起一落地飘来，缝缀着大补丁的灰帆时隐时现地浮过……晴天很少，雾气常来，到了晚上，对岸的万家灯火仿佛无数只一眨一眨的眼睛，使我感到无比神秘。

我便在那雾蒙蒙的山城度过了我耽于幻想的童年。

1950年，我父亲被调往北京工作，我们全家随往。从此，我便一直生活在北京。

刚到北京，我是一个顽固的"小川佬"。因为错过了新学期的开始，住家附近只有一所私立小学愿意接收我当插班生。我插进去以后有很长一段时间坚持说四川话，其实我心里早就会说北京话了，可就是不好意思开口，弄得老师皱眉、同学取笑。我记得有一天同班一位同学不知为什么事同老师顶了嘴，那老师气恼之下，便把他从我们三年级教室拖拽到了二年级教室，当场宣布了他的降级。这件事给了我一个强刺激。我在生活经历中第一次体验到了对不公正的事情的义愤。我忍不住对同座的同学说："干吗？！"这大概是我第一次在公共场所说北京话。

那所私立学校从校长到教师概由一个家庭的成员充任，整个学校的气氛令人难以忍受。不等国家对它实行接收、改造，我的父母就让我转到了另一所公立学校。在那里我戴上了红领巾。我是一个平庸的学生，最令我难忘的业绩，是有一回学校举行讲故事比赛，我竟被推选为班上的参赛者之一。经过反复预习和试讲，我终于在众目睽睽下登上了赛台，但我刚站定便失去了原有的灵感与勇气，结结巴巴地支撑到故事的结尾，在同班同学责备的目光和啧议中走下了赛台。从那回起我就明白，在人生的途程中，我要想取得成功就必须付出比别人更多的代价，因为我太笨。

有一天下午，午睡后跑去上学，发现旁边的座位是空的，一直空到下午放学时。后来老师告诉大家，我的同座中午跑到城外窑坑游泳，淹死了。老师严肃地发表着由此派生出的训诫，我一句也没有听进去。我只想着那同学上午还活现于我眼前的声容笑貌。头天下午上课时，我还用指甲在他那黝黑的胳膊上划出过白道。可是他竟从此消失了。这是我头一回生动而具体地体验到死亡的含义。

后来我上了中学。我直到初中三年级才懂得用功。到了高中，我的成绩更好一些。可是我取得好成绩是不容易的。刚上高一，物理老师第一次提问我，我就答错了，而且错得很蠢，我把每1米等于3市尺记成每1米等于3.3市尺。物理老师自然给我记了一个2分。后来我比学习其他功课更加卖力地学习物理，但物理老师对我的印象很坏，他教了那么多年，连1米等于几市尺都记不清的学生似乎只碰上过我这么一个，这很伤他的自尊心。他再没有提问过我，但渐渐地他惊讶起来，因为在后来我每次的测验、期考都得的是5分。期末考试采用的是从苏联学来的抽签式面试。我抽到的题签是一道最难的力学题，又要讲出道理又要计算准确，我战战兢兢然而仔仔细细地完成了全部要求。物理老师瞪圆了眼睛望着我，他似乎是很不情愿地给我记下了一个5分。但最后的学期总评，他还是只给了我一个4分。这件事使我进一步认识到我并非聪慧之辈，我会在最简单的问题上失足，而为了挽回损失我往往要付出最大程度的努力。

当然，另一方面我又充满了幻想。我觉得从打破世界举重纪录到成为北京人民艺术剧院的著名导演，从成为一名考古学家到发明出一种新型的建筑材料，在我来说都无妨一试。生活似乎为我提供了无限丰富的可能性。

但是高中毕业以后出现了我以前未曾料到的局面。在高考中我遇到了挫折。不是没有考取，而是考上了一所排列在所有招生院校最末一名的北京师范专科学校。

一位高中同学，原来是近于崇拜我的，不仅是因为我学习成绩比他好，更因为他知道我常在《北京晚报》上登出文章，并且高考期间广播电台所播出的一出儿童快板剧，便是由我改编的；可我竟同他一样只考取了北京师专，在到师专报到时我们遇上了，他毫不掩饰、淋漓尽致地当众倾泻了他对我的鄙夷——这个强刺激使我对人生有了更立体的看法。

可是我自己并不认为我一定得上北京大学。我从上师专起开始离开家独立生活。我渐渐觉得去当一个普通的中学教师也不错。我以优异的学习成绩毕业于北京师专，被分配到北京第十三中学教语文。我走上工作岗位以后，自然更明显地暴露出了我的种种缺点和弱点，但有一个优点似乎是谁都承认的——我安心教学工作，备课认真，讲授生动，学生们的反应总是不错。

我上学比同代人早，所以从师专毕业时我才十九岁。我一到北京十三中就教初二的语文课，只比我的学生大四岁。现在他们当然都早已走向生活，有的现在还能遇上，他们对我执弟子礼，使我很尴尬——因为我们实际上是同一代人。

从 1961 年夏天参加工作到 1966 年夏天"文化大革命"爆发，正是我从十九岁到二十四岁的青春岁月。我是一个默默无闻的、缺乏社会生活经验的、性格偏于内向的中学教师，但我觉得自己生活得问心无愧，而且精神上很充实。我读了不少书——不仅是文学书籍，也有不少哲学、历史、自然科学方面的书籍。我熟悉了不少人——不仅是学校的干部、教师和所教的学生，更吸引我的往往是学校扫地的工友和冬天来烧锅炉的临时工，以及那些处于北京社会生活最底层的学生家长——建筑工人、三轮车夫、电车售票员、小饭馆炸油饼的炊事员、处于并不重要的路口的交通民警……及至于以拣废纸、看守自行车为生的老头老太太。我从他们当中发现了许多令我惊愕的世态人心，更发现了强烈而持久的美。

那一阶段我的生活天地很小。学校就是那么大，平日能够延伸出去的生活领域也就是北京北城钟鼓楼、什刹海一带。中学教师几乎没有出差的机会，参加一次到天津兄弟学校的取经活动，对我来说便是生活当中的一桩大事。但就在那几年里，我成了一个地地道道的北京人，我的普通话说得别人绝听不出四川口音，还能以极够味的北京土腔同学校里的工友对话。例如天气闷热时，便会说："这天哪，盖了盖儿啦！老爷子烟高粱秆儿啊，邪乎！"语言还在其次，我觉得自己已能体会到"老北京"的种种特殊心境，我没有忘记祖籍安岳那些赭色的丘陵，没有忘记成都武侯祠的柏林，没有忘记嘉陵江畔的帆影，但我认为自己已经成了一个北京人——直到今天我写小说，从构思到落笔都使用北京话便是明证。1966 年夏天"文化大革命"的暴风雨袭来时，我在政治上还完全处于懵懂状态。解放后在此之前的历次政治活动，我因为年龄小都没赶上过。1957 年"反右"时我刚上高中，只知道校长和几位主任以及十多位教师都被划成"右派"了，后来陆续不见踪影，但那时教师搞运动单在一间不让学生进去的大屋子里挂大字报、开批判会，所以我和同学们照样悠游嬉戏，并不知道在那间大屋里出现了一些什么场面。我上师专时党内有过一次"反右倾"，但我连团员都不是，自然未受触及。参加工作以后，我才加入了共青团，但 1964 年以后搞"四清"运动，学校里虽然也抽了一些人去参加，我却一直留在教学岗位上教我的课。

"文化大革命"确实是以"迅雷不及掩耳"的气势一下子君临了我们那所小小的学校。我不可能是"革命造反派"，因为尽管我比那些"造反"的高中三年级"小将"大不了几岁，但已属天然应受冲击的教师群中的一员。我也不可能一开始就成为冲击对象，因为无论当"走资派"，还是当"反动权威"我都不够资格。我确确实实给吓坏了——因为几天之内，"造反"的"小将"就在校园里打死了好几个人，有他们认为"该死"的"臭流氓"，也有从校外拉来打死的"反动资本家"，学校的党员干部和一些老教师在武斗中被极其粗暴地践踏了人格。在那样一种狂热和恐怖交织的气氛中，我内心里既充斥着对理论的崇拜又充斥着对实践的怀疑，我的灵魂被煎熬得好苦。

后来冲击波渐渐逼近了我。我在《北京晚报》上发表的一些"豆腐块"就刊登在邓拓的《燕山夜话》旁边。其中一篇文章认为京剧改革虽好但不宜取消小生等行当、水袖等技巧，再加上我在课堂上所讲的也被回忆出不少"放毒"的成分，于是乎出现了揭发我"反动言行"的长篇大字报。后来有一天，"群众专政小组"便在校门内贴出了大幅告示，当天下午两点半于操场召开批斗我的全校大会，主要的罪名是"猖狂反对京剧革命"和恶毒攻击江青。

那天中午我照常到食堂吃了饭。胃口不大好，但也还吃得下去。回到宿舍，我躺在一把旧躺椅上，自己也感到吃惊——我何以这样镇静？我没有萌生自杀这类念头，只祈求挨斗时他们不至于把我打死或致残——所谓"群专小组"当时完全干得出这种事。后来我听见有人敲门，便本能地跳起来打开了门——门外是我教过的一个学生。

这件事至今回忆起来还令我战栗。那敲开我们门的学生是一个曾使我倾注过大量同情的弱者。他的父亲运动一开始便被本单位"遣返回乡"，并且据说一抵达乡里就被打死了。他的母亲和我一样也是中学教师，因为丈夫的问题处境维艰。他本人则被同学们视为"狗崽子"，不仅无资格参加"造反"，有时还要受到诟骂。我曾在他母亲情绪最低落时，壮着胆子去他家看望过他母亲和他们三个兄弟，在

"红五类"同学辱骂他时，给予过劝阻。但我万没想到那天中午是他来敲开了我的门，并且他脸上呈现出一种明白无误的恶意的好奇感，他那表情就像用文字书写出来一样，令我终生难忘——"啊，今天下午要斗你了，你中午待在这儿干吗呢？我可得喽戏喽戏（北京话"看看热闹"意思）……"是我理解错了吗？不，原来他后面还有几个具有同样好奇心的"红五类"；他看来不像是被逼迫着来打头阵的，因为他的表情松弛而生动——我一开门他便望着我得意地假装咳嗽。

我使劲撞上门，倒在躺椅上。我遍体清凉。我这才懂得世上有超越我个人悲剧的更大更深的悲剧——心灵沉沦的悲剧。

后来那次批斗我的会戏剧性地延期了——仅仅是因为"中央首长"发表了一个什么新的重要讲话，必须倾校而出去游行欢庆。而学校偏又进驻了新的"工宣队"，据说"工宣队"的区指挥部看了"群专组"上报的关于我的材料，认为我的"罪行"还不到"全校揪斗"的程度，我便被从轻发落——派到农村劳动去了。

后来我也算太太平平地经历完了整个"文化大革命"。就我个人而言，没有什么值得夸耀的，也没有多少值得特别惭愧的。我实在只是个最平常不过的人，所有的不过是些最平常不过的经历。

1984 年

祖父、父亲和我——挣不脱的链环

曾在四川成都出版的《晚霞》杂志（省委老干部局主办）上看到萧荑老人写的《难忘的记忆》一文。此文回忆到1927年大革命失败后，一些共产党人和国民党里的反蒋反汪人士，以及一些观点与他们相合的其他政治团体的人士，还有无党派人士，从武汉、四川流亡到上海，寻求一个落脚点。他们在上海遇到了辛亥革命的老前辈刘云门先生（又名刘正雅，笔名镏鱼山）。刘先生是四川安岳人（杂志上误为广安），清末最后一科举人，留学日本时进过两所大学，在东京参加孙中山的同盟会。大革命时期到广州，在中山大学任教授，与共产党人毕磊等组织"社会科学研究会"，任干事，北伐时以军医身份随军突进至武汉。在汪精卫宣布"分共"后逃至上海，著114句36韵长诗《哀江南》，痛诉"四一二"后的愤懑与悲怀。不仅抨击了蒋、汪，也对政治诡变中的各种屠夫、屠头、宵小，以及"卖人肉包子"的告密叛徒等鬼蜮进行了淋漓尽致的讥讽批判。气势磅礴，正义凛然，艺术上也相当成功。曾用"唯物社"名义自印散发，后又有"神州国光社"的印本面世。他在上海利用自己在国民革命中的威望，找到招商局督办赵铁桥（亦是老同盟会成员），于是赵把招商公学交给他，由他出任校长，以专门收容各路因不与蒋、汪合流而衣食无着的知识界人士。萧荑老当时二十来岁，也被庇护于此。1929年萧荑等自发组织了一个共产党招商公学支部，刘云门以党外人士身份参加支部活动。1930 年赵铁桥被刺身亡，南京派来的新督办下令关闭招商公学。1932年，上海"一·二八"事变爆发，日寇轰炸上海，刘云门牺牲于日寇炮火中，他的书稿《人类命运论》，同日亦与被炸的商务印书馆一起焚于敌焰。

萧英老文章中写到的刘云门，便是我的祖父。

我在祖父罹难十年后方出生。虽然我父亲经常给我们子女讲述祖父的事迹，例如 20 世纪 20 年代祖父在北京时就专门收留四川来的各路暂时落魄或需隐蔽一时的豪杰，朱德在离国赴德前就住在我祖父家中，并且为了避人耳目，还干脆让朱德住进我父亲的卧室，等等。但我们都不大在意，尤其是我，祖父我见都没见过，他的荣辱功过，跟我有多大的关系呢？

后来我们子女更得知，祖父在世时，对父亲并不怎么满意，他们父子之间，有着许多心灵上的隔阂与感情上的冲突。父亲对祖父，是又爱又怨，又尊又怪的。

回想我的少年时代，和父亲很有几次非常严重的冲突，我毫不留情地说了毫无根据的故意惹他伤心败他声誉的话，气得他浑身发抖，竟一反常态地挥手打起我来。结果我拼力反抗，他的手竟被震麻弄痛。这几次冲突都被母亲细致地记入她的日记，和那些年月她的家庭油盐柴米账记在一起。

如今我的父母也都故去了。我只是在年过半百之后，才在比如说一个阴雨绵绵的傍晚，一个万籁俱静的清夜，忽然痛心疾首，忆及我竟那样毫无妥协余地地伤害过父亲，并把伤痕一直延伸到母亲的心上。

我不知道父亲对我发怒时究竟是怎么想的，他在暴怒时一定视我为"弑父弑君"的大逆不道之徒。其实，仔细想来，我并不是真要妨碍他的继续存在，我只不过是想换一种跟他有区别的活法罢了。

当我翻看着母亲那已成为遗物的日记时，我才发现，其实这世上为我付出感情最多而且最浓又最持久以至能坚持到生命最后一刻的，是我的父亲和母亲。那不止是亲子之爱，也不仅有"不成钢"之恨，还有许许多多超过语言文字表达限度的复杂因素。那真是说不清道不明的。

如今我憬悟，这是没有办法，而且用不着想办法，不该去想办法的事——我的身上，流着父亲传给我的血，当然，那也是我祖父通过他再传给我的。

我是祖父刘云门、父亲刘天演的一个天然遗传物。

和许多中国人一样，我经历了许多次有时是很激烈的代间冲突。因为政治，因为经济，因为道德观，因为兴趣爱好分流，因为认识分歧，因为感情波动，因为性格的变异，因为无端的烦躁，因为单向或双向的误解，以及什么也不因为……有时是被时代、社会的大潮流所推动，有时迫于具体处境，有时完全是主动出击，有时似乎非常清醒，有时实在是浑浑噩噩，有时始于理性而终于非理性……代间的冲突酿成了一出出悲喜正闹的活剧。

我不是宗教徒。绝大多数中国人都和我一样，没有宗教信仰。我们不觉得有一个至高无上的上帝在我们的肉体和灵魂之上，而我们都面对着他，因此要对他负责。西方基督教文化的浸润，使大多数西方人觉得在人与人之上有一个上帝，因此在上帝面前人人平等，代间的差异冲突和个体生命与上帝的差异和冲突相比，因有质的不同，所以简直微不足道。人与人的关系是面对上帝的平行线。我们中国人，尤其汉族人，其绝大多数人，人与人之间是亲族的链环关系，一个人，只是这链中的一环。比如我，我没有上帝，我只能这样来确定我的位置：我是我祖父祖母的孙子、父母的儿子、妻子的丈夫、儿子的父亲，以及谁谁谁的朋友、谁谁谁的对头、谁谁谁的邻居，等等。我需对以上种种人际关系负责。现在我非常理解孔夫子提出的"仁"，这个字拆开了就是"二人"。是的，儒家学说的精髓就是让我们时刻意识到，我们没有单独的个人价值，我们个人的价值是建筑在起码两个人以上的关系上的。而在我们所置身的人际链环中，最重要的是：我们是谁的后代？我们是否令他们满意？

我不知道祖父如果看得到今日的我，他会有何观感。父亲没有等到我大踏步走入文坛，就过世了，他其实并不一定希望我成为一个作家。想起来常常发愣，为什么父子间的冲突，即使在最亲和的家庭中，也往往不能避免？

《红楼梦》里写到的贾政和贾宝玉的冲突，常被论家定性为封建与反封建的冲突。这诚然是一种很有道理的辨析，但其实贾宝玉何尝有"弑父弑君"之想？

他自己又何尝有明确的"反封建"理性？近年已有论家著文，说贾宝玉是个浪漫诗人，他要生活在诗境里，所以不断和现实发生矛盾。他的与蒋玉菡交厚，与金钏儿调情，都并非是针对君、父的，他那"下流痴病"纵使发展到极端，也不至于去参加农民起义军，掀翻王朝和贵族府第。他的"不肖"，在偶然事态的引发下，使得贾政恨不能把他"一发勒死了，以绝将来之患"。但事过境迁，虽然父子间的心灵取向仍然不同乃至愈加分歧，贾政也并不坚持"必欲除之而后快"，第三十三回写了"不肖种种大承笞挞"，到第七十八回，却又有"老学士闲征姽婳词"：贾政要宝玉写一首诗歌颂抵御"流寇"的林四娘，宝玉不但遵从，还积极到主动写出"长篇一首"的地步，而贾政此时对宝玉的看法，已修正为："虽不读书，竟颇能解此，细评起来，也还不算十分玷污了祖宗。"作为人际链环中直接相衔的两环，他们不管如何冲突，到头来，也还是"一荣俱荣，一损俱损"。按曹雪芹原来的构思，贾家遭劫，那贾政和贾宝玉是一起被"链拿"的，在那时，他们父子难道会互相"幸灾乐祸"吗？没有宗教，我们只能格外重视亲情。儒家学说有时被尊为"儒教"，但那其实不是宗教，因为那教义里没有上帝。孔夫子是"圣人"，不是神。"打倒孔老二"曾给予"五四"时的新青年们以革新乃至革命的激情，但中华古老的"族链"还是把中国人组织在了人际链环中。"单个的人"，还是难以存在，无论在哪样的阵营中。20 世纪 70 年代的"批孔"是为了"批林"，都说"文革"是造神，其实它的效应仍是圣人崇拜。20 世纪 80 年代就有"单个的人"在中国出现吗？我们看不清楚，20 世纪 90 年代呢？我们看到了许多脱离链环的无序现象，同时感受到一种普遍存在的"清理修复链条"的社会性呼吁。其实西方的基督教文化也是排斥混乱无序的，任何一种社会都不允许一盘散沙的状况长期存在，乃至短期的存在也不允许。无论哪儿的人类都需要良性共处的"游戏规则"，我不是根据理性而是凭着直觉，宣布中国人的社会到头来还是要用"理顺链环"来达到民族亲和，而第一步，可能就是祖、父、子三代间在冲突后的和解与妥协。

忽然想到王朔，不少人说他是"痞子作家"，没正形儿，把一切化为笑谈，可是他也写了《我是你爸爸》。这篇小说里有一种宿命的忧伤，我读的时候常常想到其作品以外。对于我们中国人来说，谁是我爸爸，谁是我儿子、孙子，或反过来，我是谁爸爸，我是谁的儿孙，实在是太重要了！以王朔为主策划出的电视连续剧，里面充满对上一代、老规矩的揶揄，有时甚至达到刻薄的程度。可它那主题歌，却又高唱"人字的结构，就是相互支撑"。这是典型的中国传统意识，只有汉字里的"人"才能引发这样的联想。我想这也未必是电视剧合作者们的"狡猾策略"，很可能恰是他们心灵深处无可逃逸的文化基因使然。又忽然想到电视剧《北京人在纽约》，这是一部让许多中国人败兴的戏。有人就问：纽约既然是那么可怕的一个"战场"，那为什么还有那么多去了那儿的人在"坚持战斗"？可见他们到头来还是舍不得什么。那究竟是什么？他们坚持战斗就能如数得到？那些企图挣脱中国链环的中国人，他们到头来还是脱不掉，或他们自以为脱掉了，却并不能成为西式"平行线"，或终于成为"平行线"了，却又并不那么舒服。这种中西文化冲突往往构成个别人乃至一定群体的大悲剧。这类悲剧的底蕴恐怕是一个永远的谜。我没有猜谜的能力，但我却无端地由此想到那牵着我们中国一代代祖、父、孙的神秘之链。这不是一个什么爱国不爱国的问题，这里面有一种超出政治、经济和一般意义上的道德、伦理范畴的无形力量。

我读了萧荑老人忆念我祖父的文章，竟浮想联翩。我心中充满一种莫可名状的大悲悯，为祖父、为父亲，并且为我自己。五十岁前，我也曾充满"审父"的激情，我珍惜那份情怀，我并不是要为此忏悔。我现在面对着我的儿子，我努力去做他的朋友，但我经常不能容忍他的忤逆，我和他有过多次相当惊心动魄的冲突。我认为我对他的训斥乃至于暴怒大体上都是对我，并且对他有益。我并不期待他年过半百时对我悲悯。但我铭心刻骨地意识到，正如我与祖父、父亲是紧紧相衔的链环一样，儿子也是和我紧紧相衔的一个链环。这链环应当延续下去，链中一环——这是我们中国人无可回避也毋庸逃遁的命运。

炸出一个我

商务印书馆的《东方》杂志复刊，易名《今日东方》，向我约稿。在《今日东方》第二期上，有《旷世大劫难——商务印书馆被毁记》，不读此文则已，读了此文，我思绪万千，竟一夜不能入睡。这段史实大家都是知道的：1932 年 1 月 28 日晚十一时许，日本陆战队突然进犯上海闸北，我十九路军奋起抵抗，是为著名的"一·二八"事变；日本轰炸机于次日凌晨从停泊在黄浦江的航空母舰上起飞，先到闸北地区盘旋示威，到天亮后，约十时许，竟特意选中了商务印书馆和附近的医院投弹，商务印书馆被六颗炸弹击中，引发大火，卷起的纸灰飞达数十里以外，所有库存图书和待印书稿全部在劫火中焚毁；而附近的医院，亦被炸成一片废墟，所有未及躲避的病人和医护人员都被杀害。把炸弹有意投向中国最大的文化机构，并投向两国交兵中最应得到战火豁免的医疗机构，日本军国主义那反文明反人类的法西斯气焰，其穷凶极恶真达到了史无前例的程度，至今思之，还令人不禁眦裂发竖！

这段史实，于我个人而言，不仅是难以忘怀的国恨，而且也是刻骨铭心的家仇。

我的祖父刘云门（又名刘正雅，笔名馏鱼山），就在那一天里，被日机炸死在医院里。他是因中风而住院的，身体已基本上瘫痪，不可能在日机肆虐的一刹那设法躲避。轰炸过后，只有我姑妈在上海，她急忙赶赴医院，只见一片冒着余火浓烟的废墟，蒸腾出枯焦炽热的气浪，她和若干也是寻访亲人的男女哭喊着去那废墟中翻查，希望能找到亲人的尸体；也不时有寻访者忽然发出凄厉的号哭声——那是终于翻出了尚可辨认的亲人遗骸；但我姑妈直翻检到双手冒血，硬是没能找到祖父的遗体；后来有轰炸时侥幸从医院里逃出的人士来扶持劝慰我姑妈和另一些痛不欲生的难属，他们证实，直到飞机的声音在头顶喧嚣时，他们还以为无论如何总不至于向医院投弹，虽然也进行了一些疏散，但进度缓慢，后来突然有炸弹投向医院，他们因为恰好不在楼体内，故而能够逃逸，据他们证实，凡在楼里的，没有生还的可能，有的病房被炸弹正面击中，人体和家具成为齑粉，加以大火燃烧，使寻找遗骸成为不可能之事……姑妈听了，当场晕死在劝慰者怀里。

祖父大约出生在 1885 年，他在清朝最后一次科举考试里得中最后一届举人。那一次中举的举人可以有两种选择，一是等候分派一个官职，一是公费留洋，祖父选择了第二种，他到日本留学，据说曾进过早稻田大学，又进过东京帝大，最后确定的专业是医疗，这也是那个时代许许多多中国知识分子的选择——以为可以通过这样的方式，改变自己民族"东亚病夫"的面貌。在日本时祖父与廖仲恺、何香凝过从颇密，也见过孙中山，加入了同盟会，思想趋向激进。回国后，祖父先在家乡（四川安岳县）开辟新学，自任体育教师，编制新式体操，还自写歌词自谱曲调，带领学生们边唱新歌边作新操，一时轰动乡里。后来祖父到北京任京官，是在蒙藏院任佥事（清末是否有这个官职，我生也晚，不甚清楚，但共和后他仍在蒙藏院，职务为佥事，则应无误）。在清末，他曾与汪精卫、黄复生等合谋在银锭桥预置炸弹，刺杀摄政王，事败后汪被捕，还曾有"引颈成一快，不负少年头"的豪语传世。那次谋刺，祖父以在鼓楼前大街开设的"真光照相馆"为掩护，事泄后汪、黄都没有说出他来，清廷也未侦查出他，他以后对此事也就讳莫如深，但某些最亲近的朋友，如李贞白、孙炳文等是知道的。共和后，孙中山在南方并不能充分施展抱负，而假意拥护共和的袁世凯越来越明显地暴露出其称帝的野心，祖父心情非常苦闷，曾多次作诗抒发其郁闷的情思，我在他遗留的极少墨迹中看到几首，其中一首是：

大江东下国中分，

北南悲歌南尚文；

金粉六朝余艳氛，

貂冠一代慕浮云。

未经鼗釜鱼游底，

不待烧兵鹊散群；

占有吴山人立马，

男儿若个愿从军。

可见他很害怕南方一些共和派成为"貂冠一代"，沉溺于"六朝金粉"，表示如果有人能领导北伐，他愿投军从战。后来袁世凯称帝失败，但北方更呈军阀割据的混乱局面，1924 年，孙中山在广州正式发动国民革命，祖父立即奔赴广州，投身其中。他先在广州中山大学任教授，和共产党员毕磊过从甚密；后来北伐军挺进，他以军医身份一直在战地医院忘我救治伤员，一直跟随大部队打到武汉。没想到 1927 年发生了国民党以"清党"名义杀害共产党员的事变，祖父的挚友孙炳文和年轻的友人毕磊等都遇害，这使祖父陷入了更大的苦闷，他作成长诗《哀江南》，倾泻出一腔悲愤。1928 年他来到上海，当年同盟会老战友赵铁桥在上海有个比较显赫的职务，赵支持他成立了"上海公学"，收容了不少在国共分裂后处境险恶的共产党员和国民党左派，大都是些二三十岁的年轻人。进入 30 年代，祖父埋头整理自己历年来的著作，在一份他遗留下来的墨迹中，开列着他整理好的著作书目：

鱼山丛书种类目　鱼山刘正雅著译

文学部　附政治经济

　　《孔子墨子的国学新知验今录》一部共四卷（白话稿已失）

　　《大道循环说》一卷（文言）

《礼乐论》一卷（文言）

《鬼神论》一卷（白话）

《人类生活论》一部二卷（白话）

《中华现代经济的农忙》一卷（白话）

《鱼山杂著》一卷（诗文集）

理学部

《宇宙大观》一部共三卷（文言）

《物理新编》一部（白话）

《化学新编》一部（白话）

医学部

《汉医汇究》一部共六卷（文言）

工学部

《分析化学》一部共二卷（文言·译）

《植物分析化学》一部共一卷（文言·译）

《制药化学》一部共一卷（文言·译）

《工业药品制造法》一部共一卷（文言·译）

《新药编》一部共一卷（文言·译）

这些译著，他在 1931 年都交给了商务印书馆，受到欢迎。商务印书馆拟首先出版《人类生活论》，这也是祖父自己最看重的一部著作，集中体现了他那来自个人生命体验和经历民族忧患后的深刻思索。本来，这些著作，会以《人类生活论》打头，在 1932 年陆续由商务印书馆印行的。相信这些著作一旦面世，起码会有一部分能在中国的文化思想史或出版史上留下痕迹。而且，由于"上海公学"的支持者赵铁桥遭到暗杀，不得不解散，祖父自己又中风偏瘫，经济上亦陷于了困境，也等待着商务印书馆出书获得生活与治疗的费用。万没想到，祖父在病榻上所等待到的不是散发着油墨香味的个人专著样书，而是日寇轰炸机掷下的炸弹!

祖父所住的医院被炸成了废墟,日寇消灭了他的肉体;更令我们后人思之愤然怆然的是,他的全部投往商务印书馆而尚未及印制的译著原稿,也在日寇弹火下化为了灰烬!

祖父及其著作被日寇毁灭时,父亲是海关的一个职员。他和我姑妈等的悲愤之情久久不能平静。在嗣后的岁月里,他们都义无反顾地置身在抗日的潮流里。1934年,母亲生下姐姐刘心莲后,因为在姐姐之前已有了三个男孩,无论从数量还是品种上,父母都觉得可以不必再生孩子了。而1937年全面抗战后,父亲供职地重庆经常有日机去轰炸,为安全计,父亲自己留在重庆,让母亲带着孩子们先是躲避到成都郊区,后又进一步躲避到了老家安岳。这其间父亲当然也时来探望母亲和孩子。那时候避孕的办法不多,1941年年末,母亲感觉到自己又怀孕了,父亲知道后,坚决要她设法打掉。那时父母都是近四十岁的人了,最小的孩子(女儿)也已经快八岁,又正当困难时期,经济拮据,精神焦虑,不想再要多余的孩子是完全可以理解的。母亲为打掉肚子里的孩子,遍寻偏方,积极服用,但不知怎么搞的,总是服了那打胎药后,没多久便会感觉到仿佛有一双小手在抓挠她的肠胃,只有尽情呕出方能松快。急切中她甚至设想过从桌柜上跳下的恶性堕胎法。后来她感觉实在无法摆脱一个新生命的诞生了,便转而经常抚摩着隆起的肚皮,产生出了一种异常珍爱的情感。她把决意生下孩子的想法告诉了父亲,据说父亲正是在日本飞机的噪音中也表了态:"他们炸出了一个来! 一个抗日的小战士!"就这样,我于1942年6月4日凌晨,诞生在成都育婴堂街,接生的是我的舅母。父亲在我出生后,为我取名心武,"心"是排行,"武"是表示要以武力抗击日寇的侵略。

从小时候能懂事起,父亲就经常给我讲祖父的事。他希望我们孩子里能有人当医生,因为祖父首先是一个医生,而且一度是革命军的军医;其次就是鼓励我们有所著述,能出版个人专著。就我个人而言,我虽然没能成为一个医生,却毕竟成为了一个作家,到1999年为止,若把每一种版本的个人专著加以统计,在海内外已达九十种，另外还有 1993 年出版的《刘心武文集》八卷。

已经有国内若干著名的出版社出版过我的著作，但商务印书馆跟我约稿，还是第一次，虽然这只是《今日东方》杂志里的一篇文章，但对我个人而言，它的意义很不一般。这证明有些生命的链环是炸不断的，而一个民族的精神传承，更不是把老一辈的著作化为纸灰，就可以截斩的。

国家实行改革开放后，我在 1981 年、19997 年两次应邀访问了日本。当我踏上日本的地面时，心情可能比一般访问者复杂得多。我的祖父，以及他那一辈的许多人，曾把日本作为一个理想的地方，以为可以能从那里获得到使自己民族富强的能力；据父亲回忆，从日本归国后的祖父曾常在家里穿日本和服；但是后来日本却一步紧逼一步地欺负中国，直至在 1932 年的"一·二八事变"里，掷下炸弹炸死了我祖父和他全部未及刊印的译著，使他未能在中国的那个发展阶段留下他本来可能产生出甚至是重大影响的思想文化痕迹。而我这个生命，也正是在日本飞机不断轰炸重庆和成都的噪音和火光里诞生的——如父亲所说，是炸出来的——可是我却也终于踏上了日本土地，进行所谓的文学访问；更令人难以解释清楚的是，我自 1977 年登上文坛后，虽说若干作品被译成了英、法、德、意、俄、瑞典等文字，但相比而言，却以日本的译本最多。

在日本，我的心灵在有一点上尤为敏感，那就是我可能比一般人更难容忍军国主义，哪怕只是一点点那样的"气味"，无论是试图为曾经存在过的军国主义巧为辩护，还是企图为现在复活的军国主义声张助威，都会激起我满腔的义愤。我也读过三岛由纪夫的《金阁寺》，那个文本或许确实与军国主义没什么直接联系，但我不能冷静地"就事论事"，去欣赏那"美丽的文本"，因为我不能不想起他是一个狂热的军国主义分子，这又不能不令我忆念起我那肉体与著述在同一天被日本军国主义炸成齑粉的祖父……当我在东京，有人远远指给我靖国神社时，我不仅咬牙切齿，而且恶心欲呕。但是两次访问日本，又使我接触到了很多和我一样痛恨日本军国主义的日本文化人，还有从东京到广岛到北海道扎幌的普通日本市民和农民，我曾同他们讲到"一·二八事变"，讲到我祖父和他那些著述的湮灭，讲到我这生命与名字的来历，我从听者眼睛里闪动的、湿润的光影里，获得的不仅是抚慰，更是一种坚定的誓言：不能让那已经发生过的罪恶重演！

1999 年 11 月 8 日绿叶居

父亲脊背上的痱子

我五岁时，本已同父母分床而睡，可是那时我不仅已能做梦，而且还常做噩梦。梦的内容，往往醒时还记得，所以惊醒以后，便跳下床，光脚跑到父母的床上，硬挤在他们身边一起睡。开头几次，被我搅醒的父母不仅像赶小猫似的发出呵斥我的声响，父亲还叹着气把我抱回到我那张小床上。后来屡屡如此，父母实在疲乏得连呵斥的力气也没有了，便只好在半醒状态下很不高兴地翻个身，把我容纳下来。而我，虽挤到了父母的床上，却依然心中充满恐怖。于是我便常常把我的身子，尤其是我的小脸，紧贴到父亲的脊背上，在终于获得一种扎实的安全感以后，我才能昏沉入睡。

我做的是些什么样的噩梦？现在仍残留在我记忆里，大体是被"拍花子"拐走的一些场景。那时，母亲和来我家借东西兼拉家常的邻家妇人，她们所摆谈的内容，绝大部分对我来说毫无意义，也不可能留下什么印象。但是她们所讲到的"拍花子"拐小孩的种种传闻，却总是仿佛忽然令我的耳朵打开了接收的闸门——尽管我本来可能是在玩胶泥，并在倾听院子里几只大鹅的叫声——她们讲到，"拍花子"会在像我这样的小孩不听大人的话，偷跑到院子外面去看热闹时，忽然走到小孩身边，用巴掌一拍小孩脑袋，小孩就什么都听不见看不见了。单只能听见"拍花子"说："走，走，跟我走啊跟我走……"也单只能看见"拍花子"身后的窄窄的一条路，于是便傻呆呆地跟着那"拍花子"的走了。当然就再看不到爸爸妈妈，再回不到家了……这些话语嵌进我的小脑袋瓜，使我害怕得要命。特别是，每当这时我往妈妈她们那边一望，便会发现妈妈她们也正在望我。妈妈的眼光倒没什么，可那女邻居的一双眼睛，却让我觉得仿佛她已经看见"拍花子"在拍我了。我就往往歪嘴哭起来，用泥手抹眼泪，便急得妈妈赶快抓我的手……

我在关于"拍花子"拍我的种种梦境———一个比一个更离奇恐怖———中惊醒后，直奔父母那里，并习惯性地将脸和身子紧贴父亲的脊背，蜷成一团，很快使父亲的脊背上，捂出一大片痱子，并无望消失。开始，父亲只是在起床后烦躁地伸手去挠痒，但挠不到，于是便用"老头乐"使劲地抓挠。但那时父亲不过四十来岁，还不老，更不以此为乐，他当然很快就发现了那片痱子的来源。不过，在我的记忆里，父亲并没有因此而愤怒，更没有打我。只记得他对我有一个颇为滑稽的表情，说："嘿嘿嘿，原来是你兴的怪！"母亲对此好像也并不怎么在意，记得还一边往爸爸脊背上扑痱子粉，一边忍俊不禁地说："你看你看，他这么个细娃儿，他就发起梦铳来啦！""发梦铳"就是因做梦而呈现古怪的表现，但母亲似乎从未问过我，究竟都做过些什么梦。

弗洛伊德，当然很了不起，但他那关于儿子多有"恋母情结"和"弑父情结"的潜意识等论述，于我的个人经验，实在是对不上号。尤其是对父亲的感情记忆，最深刻的，是我在极端恐怖时，得到了他脊背的庇护，且给他长期造成了一片难息的痱子，他又并未因此给我以责罚。我感激还来不及，怎会生"弑父"之心？父亲的脊背，并不怎样宽阔雄厚，我现在回忆起来，也并无更丰富的联想，比如后来他又如何以"无形的脊背"，给我以呵护和力量等等。而且，情形还恰恰相反，他年过半百之后，对我的亲子之情虽依旧，对我的学业、前程、着落等大事，竟懒得过问，甚至撒手不管。记得我上中学以后，班主任来找家长，他招呼一下，便自己看报，母亲跟班主任谈完后跟他说，老师要走了，他便站起来点头送客。这时老师话语中提及了我们学校的名字，他竟脱口而出地说："怎么，心武是在二十一中上学么？"我上到高中，换了学校，他还是闹不清，递给他成绩单，他草草拿眼一浏，好坏都不感兴趣。据说我大哥小的时候，常因成绩不佳，被他打屁股，打得很认真。母亲后来对我说，父亲是因为管孩子"管伤了"（腻烦了），所以到我这老五，便听之由之，全权交由母亲来管教。1960 年，父亲由贸易部调到一所部队院校任教，他和母亲去了张家口。当时哥哥都在外地，姐姐已出嫁，我还在上学，父亲却把北京的宿舍全部交出，让我去住校，不给我留房——那时贸易部是完全可以给家属留房的，另外同时调去的就给家里人留了房。但父亲觉得我应该过住校的生活，并完全独立，那时，我还未满十八周岁。

父亲在 73 岁那年过世（母亲则是在八十四岁那年），他那曾被我捂出痱子的脊背，自然连同他身体的其他部分一样，都化作了骨灰。父亲不是名人，一生不曾真正发达过，他的坎坷比起很多知识分子的遭遇来，也远不足以令人长太息，他的同辈友人，几乎也都谢世，现在能忆念的，也就是我们四个子女（大哥先他而逝）。而我对他的忆念，竟越来越集中在他那脊背因我而炸出的一片痱子上。在人类漫漫的历史中，在无数轰轰烈烈、惊心动魄的世事中，这对我父亲脊背上那片赤红鼓凸的痱子的忆念，是否极卑微、极琐屑，而且过分地私密了？

不，我不这样看。在这静静的秋夜里，我回忆起父亲脊背上的那片痱子，我想到了一个伟大的话题，这个话题常常被我们所忽略，那就是父爱。我们对母爱倾泻的话语实在太多太多，甚至于把话说绝："世上只有妈妈好！"其实，仅有妈妈的爱，人子的心性是绝不能健全的。世界、人类，一定要同时存在着与母爱同样的浓酽的父爱，我指的是那种最本原的父爱，还暂不论及养和教，不论及熏陶和人格影响。

所谓"阴盛阳衰"，是时下人们对我们中国体育竞赛状况常有的叹息，其实，就母爱和父爱的外化状况、揄扬程度、研究探讨，特别是内在的自觉性和力度上，我们似乎也是"阴盛阳衰"。中国男人要提升阳刚度，浓酽其父爱，也应是必修课之一！

我自己现在已年过半百，比背上捂出一片痱子的父亲那时，还老许多。我的儿子，也已经很大，扪心自问，我对儿子，是有那最本原的父爱的。我常常意识到，不管怎么说，他和我，有一种永远无法摆脱的、宿命的链环关系——他是我一粒精子同他母亲一粒卵子的共同作品。他的基因里，有我的遗传，我不能不给予他一种特别的感情，并企盼这种感情能够穿越我们生命，穿越世事，并穿越我们的代间冲突（那是一定会有的），而融铸于使整个人类得以延续下去的因果之中。

　　直到这个静静的秋夜，我还没有把父亲脊背上的痱子，讲给儿子听，不讲了，既然写下了这篇文章。儿子现在不读我的文章，虽然他以我写文章而谋生暗暗自豪。儿子说过，不着急，我的书就在书架上，总有那么一天，他会坐下来，专门读我的书，我希望他会在这本书里发现这篇文章。那时，也许他已经有自己的儿子或女儿了，他心里会涌出一股柔情，想到：你看，父亲从爷爷那里得到过，我从父亲那里得到过，我还要给予我的孩子，那是很朴素很本原的东西，一种天然的情感磁场，而这连环般的连续"磁化"，也便永恒。

能够善良

父亲去世二十年了。记得1955年，报上公布了"关于胡风反革命集团的材料"，后来还印成了小册子，编者按语里说，像胡风那样的反革命分子的所作所为，"成千上万的善良人是不知道的"；父亲在饭桌上跟母亲说，他看完那些从胡风等人的私人信件中摘出的段落与句子编就的材料，确实不懂，自己算是一个"善良人"吧。1958年，《文艺报》搞了"再批判"，把丁玲、王实味、艾青、萧军等人20世纪40年代发表的文章登出"示众"，并再加严厉批判。编者按说，这些"奇就奇在以革命者的姿态写反革命的文章"，可以使"鼻子塞了的开通起来，天真烂漫、世事不知的青年人或老年人迅速知道了许多世事"；也是在家中饭桌上，父亲叹息说，怎么竟看不出丁玲写的是反革命文章，自己到头来还是"天真烂漫"的"善良人"啊！1966年6月4日，《人民日报》发表社论《撕掉资产阶级"自由、平等、博爱"的遮羞布》，里头说，"打红旗的敌人比打白旗的敌人更危险"，忘记了这一点，"那就是马大哈，那就是糊涂人"；父亲很惶恐，承认自己是"糊涂人"。都到1966年年底了，我跟他说，刘少奇肯定要打倒了，他却说，毛主席接见红卫兵，刘少奇不也在天安门上吗？他就那么一直"善良"、"天真烂漫"、"糊涂"到底。

在父亲所经历的一波更比一波汹涌诡谲的政治运动中，"善良人"不是一个好称谓，充其量，是可以教育、改造的中间派的意思吧。到"文革"如火如荼开展起来以后，"善良人"、"糊涂人"等的存在空间也被取缔了，主流话语中也不再有争取"善良人"的字句了，原来在"革命者"扩大化地打击"反革命"时，尚可充当缓冲剂的父亲那样的"成千上万的善良人"，也基本上都沦为了"牛鬼蛇神"。

在以阶级斗争为纲的大时代里，父亲是个失败者。但父亲给我留下了一份遗产，就是即使认同了必要的斗争，心头也总舍弃不了一份善良。个人能够坚守善良，社会能够容纳善良，社会发展的进程中，也许便会少些悲剧吧。

1998 年 9 月 7 日

免费午餐

"世上没有免费的午餐",这是流传到我们这边的一句西谚。如今在外企当白领的,往往中午会有似乎免费的盒饭,其实那份开支,是打在了雇佣成本里的,道是免费实不然。午餐无免费,晚餐亦然。总之,这句话道出了一个冷森森的商品社会的"游戏规则"。这句话实在是"一句顶一万句",因为诸如"买一送一"、"跳楼价、吐血价大甩卖"、"先入住后付款"、"两年后退回全部货款"、"开业让利大酬宾"、"大派送"、"只收成本费,邮购从速,以免向隅"等等,等等,透过那动人的字面与魅惑的行为模式,其内在的实质,都是并无"免费午餐"可言——即使那种广告方式与促销手段尚属正当的商业竞争。

不过,在人际交往中,有时却也真会被邀进免费的饭局。父亲在世时,曾向我讲述过他年轻时所获得过的一次免费午餐。那是 20 世纪 20 年代初,父亲才十七八岁,因为祖父远行,而后祖母对他极为吝啬,所以他离开了家庭,一个人在社会上闯荡。那时他的维生手段之一,是代人投考名牌大学,他也实在是有应考的才能与气数,竟每回都能高中。但是他从那些私雇他冒考的少爷手里,每回也得不到几个钱,用不上多久便又一筹莫展。父亲本人何尝不想进入名牌大学,但纵使他让自己考取了头一名,也没钱缴纳学费。就算学校爱才如渴,准许他减免学费,他也无法应付食宿等方面的开支,而勤工俭学,路子也不是那么好找;唯一的办法,便是设法贷到一笔款,毕业后尽早归还。谁能贷给他款呢?想来想去,有这种实力并可能情愿的，应在祖父所交往的伯叔辈中。父亲在那一年的夏天为自己去应考，以优异成绩被协和医学院放榜录取，这令他万分兴奋，当一名救死扶伤的医生既是祖父对他的期望也是他自己的夙愿，于是筹措入学读书的费用便成了当务之急。他经过一番盘算，决定向一位祖父的老友求助，该人当时在社会上已享有很大的名气，经济状况极佳，并且从小看着他长大。

父亲找到了那位名人。是住在一所很堂皇的四合院里。该人见了父亲，不待父亲发话，便感慨万端地说，我祖父这人性格真够特别，可抛下家小一个人远走高飞！又说我后祖母实在不像话，祖父寄回的钱居然一个子儿也不给我父亲，书香门第的后裔沦落成了流浪青年！父亲听了非常感动，原来这位伯伯很了解情况，并关爱着自己，于是便倾诉起自己的具体窘境和祈盼来；名人没听完便有电话打来，一连接听打出了几个电话后，名人便蔼然可亲地对父亲说，中午有个饭局，无妨一同去，席间可以继续聊。

父亲跟着那位名人，乘坐当时仍颇时髦的弹簧马车到了前门外的"撷英番菜馆"，这是当时显贵名流们才有财力与雅兴去消费的一家最著名的西餐馆。

很多年以后，父亲仍能描述出那一顿午餐的种种情景，从餐馆的外观到内部，从厅堂到餐桌以及闪闪发光的杯盘刀叉，从与宴男女的衣着到各个人的做派，从头道汤到色拉、主菜到最后的甜点……祖父在北京时不曾带父亲吃过这么高档的西餐，想到这一点父亲便更加感激那位伯伯的厚待。而这一切都还并不是主要的，更令父亲念念不忘的，是那天在席间出现的，几乎都是后来进入历史的人物，有的是社会活动家，有的是艺术家，有的是学者、教授。刚进入餐厅时父亲惶恐不安，非常自卑。但那位名人牵着他的手引他入席，并向大家介绍说他是祖父的公子，显然祖父在这些人心目中也是有相当分量的，父亲发现席间的名流们对他都很友善，于是也就慢慢放松下来……

那是父亲青年时代所享用到的一次高档、丰美、雅致的免费午餐，令我听来也不禁神往。父亲没有详细地向我讲述这顿免费午餐的结局，但有一点那是交代得很清楚的：他没能从那位名流伯伯那里得到另外的帮助。

我问父亲："您饭都吃了，为什么不能要求他借给您钱呢？"

父亲说："他们一直聊得很欢，我简直没有办法插进话去。"我再问："吃完饭，您可以单独向他提呀！"

父亲说："饭局一散，我发现他们都忙极了，各人都有自己的下一站……我实际上也没有办法找到一个单独的机会……人们都纷纷礼貌地，甚至可以说是带有爱怜之情地跟我握手告别……"

我还问："那么，您可以再到他家里找他呀！"

父亲说："也曾有过那样的念头，不过，没有去……"

我说："是因为觉得，他太虚伪了吧？"

父亲正色道："不！怎么能怪人家虚伪呢？那顿午餐，人家让我一起去，是出于真心真意的！"

我说："可是，他到头来没有借您钱呀！"

父亲说："这就是我讲这件事给你听，要你悟出来的：别人不该你不欠你！在你一生中，你应该尽量去帮助别人，可是却一定不要有依赖别人的想法！别人可能会向你提供一顿免费午餐，但你自己一生的餐饭事业，还是需要你自己去挣出来！"

我正琢磨这话，父亲又说："其实，后来我成家立业以后，也曾无意中这样对待过别人……我可以请他一餐饭，听他诉苦，给他些安慰，可是，要我付出相当的代价帮助他，往往还是下不了决心……也许，除了是你那时不帮他他马上就活不下去，人际之间，还是这样为好——可以给一顿免费午餐，却还是希望每个人自己想办法，去安身立命！"

父亲作古快二十年了。我的年龄已超过父亲讲述那次午餐时的年龄。我的人生途程中，已积累了不少"免费午餐"的经验。有时是别人邀赐我，确实并无直接的功利动机，不是为了约稿、题词什么的，真的只是为了聚聚。但席间往往会有我原来并不认识的，并且以后也不会联络的人，我悟出，这种"免费午餐"的意义，在令邀请者快意，这种人生际会不可全拒，亦不可全应。在这种场合，我常常深刻地意识到，"我"是一个独特的生命，将就他人实在是桩辛苦的事。有时却又是我邀人赴餐馆或在家中留饭，这里说的我为别人提供的"免费午餐"，当然排除了至爱亲朋间的来往，而专指半生不熟的或求上门来的生人，我会在招待他们的一餐中，获得某种心理的满足，而正如我父亲所总结的，我往往并不能更多地帮助他们。在这种场合里，我常常又铭心刻骨地意识到，"我"、"你"、"他"到头来都是社会性动物，每一个人要真正解决他所面临的生存问题，除了他自己的努力，真正靠得牢把得稳的，还不是个别他人的帮助，而是一个好的社会机制，一些好的（尤其是把公平原则放在第一位的）"游戏规则"，一套好的社会保障体系，一种好的道德文化氛围，等等。

商业上的"免费午餐"式促销手段，或许有一时的轰动效应，却到头来不如"一分钱一分货"的以质取胜的老实态度，更能扎扎实实地获取"阳光下的利润"。人际间的和谐，一对一地进行具体帮助，"陌路相逢，肥马轻裘敝之而无憾"，固然是美德，我父母，我与我爱人，也不都仅是给人一次"免费午餐"，也都曾有过以不小份额的钱财助人的作为，但到头来是不可能一对一地赞助所有遇到的人的，我想绝大多数人亦然。因此，我们大家共同努力，比如说把个人根据税则向组织社会生活的政府按时按数纳税，看得比一对一地赞助救援更加重要，并把监督政府廉洁地将税款用于建立健全社会性保障、救助机制，看得比个人捐善款留芳名更重要，那么，我们自己，他人，乃至整个民族，是不是便能生存得更合理、更惬意呢？

1997 年 6 月 8 日绿叶居

远去了，母亲放飞的手

一

在内心的感情上，我曾同母亲有过短暂，然而尖锐的冲突。

那是一直深埋在我心底的，单方面的痛怨。母亲在世时，我从未向她吐露过。直到写这篇文章前，我也未曾向其他最亲近的人诉说过。

二

1988 年仲春，我曾应邀赴港，参加《大公报》创办五十周年的报庆活动。其间，我去拜访了香港一位著名的命相家。我们是作为文友而交往的。他不但喜爱文学，而且也出版过文学论著。当然他的本职是算命、看风水。据说海内外若干政界、商界名流都找他看过相。他也给普通人看相，但要提前很久预约。我另一年过港去找他，他就正在接待一对普通的夫妇，他们是来给两岁的孩子看相，而他们的预约，却是在近三年前——母亲刚刚怀孕不久时，便来登记过的。1988 年那回，我们见面时，他不仅给我算了后半生的总走势，还给我列出了流年命势，近五年内还精确到月。至少到目前为止，他的预言，竟都一一应验。这且不去说它。最让我听后心旌摇曳的，是他郑重地说："你这一生中，往往连你自己都意识不到，放飞的手远去了，你是笼罩在母亲的强烈而又无形的影响之中；相对而言，你父

亲对你却没多么大的影响。"他这是在挪用弗洛伊德那"俄狄浦斯情结"（所谓"恋
母弑父情结"）吗？这位命相家朋友，他的命学资源，是中西合璧的，单告诉你，
他说得最流利的语言，除了粤语，便是法语，其次是英语，书房里堆满了哲学书，
包括外文的，你就可知他并非一般的"江湖术士"者流，因此他对我说这话，显
然也并不是简单地套用弗洛伊德学说，他确是一语中的，我的心在颤抖中大声地
应和着：是的。也许我并不那么情愿，但每当我在生活的关口，要做出重要的抉
择时，母亲的"磁场"便强烈地作用于我，令我情不自禁地迈出步去。

三

我的童年和少年时代，一直生活在母亲身边。但也仅是"到此为止"。我读
张洁在她母亲去世后，以全身心书写的那本《世界上最疼我的那个人去了》，产
生出一种类似嫉妒与怅惘的心情。不管有多少艰难困苦，不管相互间爱极也能生
怨，她们总算是相依为命，濡沫终老，一个去了，另一个在这人世上，用整整一
厚本书，为她立下一座丰碑，去者地下有知，该是怎样地欣悦！

而我和母亲生活在一起时，因为还有父亲，有兄姊，他们都很疼爱我，所以，
我在浑噩中，往往就并未特别注重享受母爱，"最疼我"的也许确是母亲，可是
我却并无那一个"最"字横亘心中。

1942 年，抗日战争最艰苦的岁月，母亲在四川成都育婴堂街生下了我，当时
父亲在重庆，因为日寇飞机经常轰炸重庆，所以母亲生下我不久，便依父亲来信
所嘱，带着我兄姊们回到偏僻的老家——安岳县——去"逃难"，直到抗战胜利，
父亲才把母亲和我们接回重庆生活。雾重庆在我童年的记忆里形成了一个模糊而
浪漫的剪影。我童年和少年时代真切而深刻的记忆，是北京的生活，从 1950 年
到 1957 年，我的八岁到十七岁。那时父亲在北京的一个国家机关工作，他去农
村参加了一年土改，后来又常出差，再后来他不大出差，但除了星期天和节假日，
他都是早出晚归，并且我的哥哥姐姐们或本来就已在外地，或也陆续地离家独立
生活，家里，平时就我和母亲两人。

回忆那十年的生活，母亲在物质上和精神上对我的哺育，都是非同寻常的。

物质上，母亲自己极不重视穿着，对我亦然，反正有得穿，不至于太糟糕，冬天不至于冻着，也就行了；用的，如家具，跟邻居们比，实在是毋乃太粗陋，但在吃上，那可就非同小可了，母亲做得一手极地道的四川菜，且不说她能独自做出一桌宴席，令父亲的朋友们——都是些见过大世面、吃过高级宴席的人——交口称誉，就是她平日不停歇地轮番制作的四川腊肠、腊肉、卤肉、泡菜、水豆豉、赖汤元、肉粽子、皮蛋、咸蛋、醪糟、肉松、白斩鸡、樟茶鸭、扣肉、米粉肉……"常备菜"，那色、香、味也是无可挑剔，绝对引人垂涎三尺的，而我在那十年里，天天所吃的，都是母亲制作的这类美味佳肴，母亲总是让我"嘿起吃"（四川话，意即放开胃吃个够），父亲单位远，中午不能回来吃，晚上也并不都回来吃，所以平时母亲简直就是为我一个人在厨房里外不惮烦地制作美味。有的了解我家这一情况的人，老早就对我发出过警告："你将来离开了家，看你怎么吃得惯啊！"但我那时懵懵懂懂，并不曾去设想过"将来"。生活也许能就那么延续下去吧？"妈！我想吃豆瓣鱼！想喝腊肉豆瓣酸菜汤！"于是，我坐到晚餐桌前，便必然会有这两样"也不过是家常菜"的美味……那时我恍惚觉得这在我属于天经地义。附带说一句，与此相对应的，是母亲几乎不给我买糖果之类的零食，我自己要钱买零食，她也是很舍不得给的，偶尔看见我吃果丹皮、综果条、关东糖之类的零食，她虽不至于没收，却总是要数落我一顿。母亲坚信，一个人只要吃好三顿正经饭，便可健康长寿，并且那话里话外，似乎还传递着这样的信念：人只有吃"正经饭"才行得正，吃零嘴意味着道德开始滑落——当然很多年后，我才能将所意会到的，整理为这样的文句。

母亲在"饲养"我饭食上如此令邻居们吃惊，被几乎是一致地指认为对我"娇惯"和"溺爱"，但跟着还有更令邻居们吃惊的事。那时我们住在北京东城一条胡同的机关大院里，我家厨房里飘出的气味，以及母亲经常在厨房外晾晒自制腊肠，等等形迹，固然很容易引起人们注意，而各家的邮件，特别是所订的报刊，都需从传达室过，如果成为一个邮件大户，当然就更难逃脱人们的关注与议论，令邻居们大为惊讶的是，所订报刊最多的，是我家——如果那都是我父亲订的，当然也不稀奇，但我父亲其实只订了一份《人民日报》，其余的竟都是我订的，上小学和初中时，是《儿童时代》《少年文艺》《连环画报》《新少年报》《中学生》《知识就是力量》……上高中时，则是《文艺学习》《人民文学》《文艺报》《新观察》《译文》《大众电影》《戏剧报》……乃至于《收获》与《读书》。订那样多的报刊，是要花很大一笔钱的，就有邻居大妈不解地问我母亲："你怎么那么舍得给一个幺儿子花这么多钱啊！你看你，自己穿得这么破旧，家里连套沙发椅也不置！"母亲回答得很坦然："他喜欢啊！这个爱好，尽着他吧！"其实邻居们还只注意到了订阅报刊上的投资，他们哪里知道，母亲在供应我买课外读物上的投资，还有我上高中后，看电影和话剧上的投资，更是一个惊人的数字。从 1955 年到 1959 年，我大约没放过当时任何一部进口的译制片，还有在南池子中苏友协礼堂对外卖票放映的苏联原版片（像《雁南飞》《第四十一》就都是在那里看到的）。又由于我家离首都剧场不远，所以我那时几乎把北京人艺所演出的每一个剧目都看了。为什么我要把这方面的投资都算在母亲身上？因为我家的钱虽都来自父亲所挣的工资（他当时是行政十二级，工资额算高的），可是钱却都由母亲支配，父亲忙于他的工作，并且他有他的一个世界，他简直不怎么过问我的事。有一回我中学班主任来我家访问，他竟问人家我是在哪一所中学上学；母亲全权操办我的一切事宜，因此，如果母亲不在我的文艺爱好上，如同饭菜上那样"纵容"与"溺爱"我，我当年岂能汲取到那么多（当然也颇杂芜）的文化滋养呢？

就在母亲那样的养育下，我身体很快地达到早熟，并且我的心态也很快膨胀起来——我爱好文学，但我并不觉得自己只是个"文学青年"，只应尝试着给报刊的"新苗"一类栏目投习作，我便俨然以成年作者自居，煞有介事地胡乱给一些很高档的报刊寄起稿件来，不消说，理所当然地有了一大堆退稿，但竟终于在 1958 年，我十六岁，上高二时，在《读书》杂志上发表出了我的第一篇文章：《谈〈第四十一〉》。

在我来说，那当然是很重要的一桩事。在我母亲来说呢？"养兵千日，用兵一时"，难道她不欣喜若狂吗？

不。母亲或许也欢喜，但那欢喜的程度，似乎并没有超过看到我在学校里得到一个好分数一类的常事。

母亲 1988 年病逝于成都。她遗下一摞日记，1958 年是单独的，厚厚的一本，几乎每天没有间断，里面充满许多我家的琐事细节，我找来找去，我的文章第一回印成铅字这桩在我来说是"天大的事"，她硬是只字未提。

我的母亲是个平凡之极的母亲，但她那平凡中又蕴含着许多耐人寻味之处。

她对我的那份爱，我在很久之后，都并不能真正悟透。

四

1959 年，我在高考时失利，后来证实，那并非是我没有考好，而是另有缘故，那里面包括一个颇为复杂的故事，这里且不去说；我被北京师范专科学校所录取，勉勉强强地去报了到，我感到"不幸中的万幸"，是这所学校就在市内，因此我觉得还可以大体上保持和上高中差不多的生活方式——晚上回家吃饭和睡觉。固然学校是要求住校的，而且师范院校吃饭不要钱，但那时也有某些不那么特别要求进步，家庭也不那么困难的学生，几乎天天跑回家去，放弃学校的伙食，跟我一个班的一位同学就是如此。

我满以为，母亲会纵容我"依然故我"地那样生活。但是她却给我准备了铺盖卷和箱子，显示出她丝毫没有犹豫过，并且也不曾设想过我会要赖——她明白无误地要我去住校，告诉我到星期六再回来。我服从了，心里却十分地别扭。

那时，经历过浮夸的"大跃进"，国家进入了"三年困难时期"，学校里的伙食可想而知，油水奇缺；母亲在家虽也渐渐"巧妇难为无米炊"，但父亲靠级别终究还有一些食油和黄豆之类的特殊供应，加以母亲常能"化腐朽为神奇"，比如说把北方人往往丢弃的鱼头、猪肠制作成意外可口的佐餐物品；所以星期日回到家里，那饭菜依然堪称美味佳肴，这样再回到学校食堂，便更感饥肠难畅。

母亲不仅把我"推"到了学校，而且，也不再为我负担那些报刊的订费，我只能充分地利用学校的阅览室和图书馆，那虽只是个专科学校，平心而论，一般的书藏量颇丰，因此也渐渐引得我入了迷，几个月后，我也就习惯在图书馆里消磨，逢到周末，并不回家，星期日竟泡一天图书馆的情形，也出现了几次。

不过，母亲每月给我的零花钱，在同学中，跟他们家里所给的比，还是属于多的，因此那时我在同学中，显得颇为富有，有时就买些伊拉克蜜枣（那是那时市面上仅有的几种不定量供应的食品），请跟我相好的同学吃。

1960 年春天，有一个星期六我回到家中，一进门就发现情况异常，仿佛在准备搬家似的……果不其然，父亲奉命调到张家口一所军事院校去任教，母亲随他去，我呢？父亲和母亲都丝毫没有犹豫地认为，我应当留在北京，我当然也并不以为自己应当随他们而去，毕竟我已经是大学生了，问题在于：北京的这个家，具体地说，我们的这个宿舍，要不要给我留下？如果说几间屋都留下太多，那么，为什么不至少为我留一间？

那一年，父亲他们机关奉调去张家口的还有另外几位，其中有的，就仅是自己去，老伴并不跟去，北京的住房，当然也就保留，很多年后，还经历了"文革"的动乱，但到头来，人家北京有根，终究还是"叶落归根"了。那时，即使我母亲跟父亲去了张家口，跟组织上要求给我留一间房，是会被应允的，但父亲却把房全退了，母亲呢，思想感情和父亲完全一致，就是认为在这种情况下，我应当开始完全独立的生活。

在我家，在我的问题上，母亲是绝对的权威。倘若母亲提出应为我留房，父亲是不会反对的。母亲此举也令邻居们大惑不解。特别是，他们都目睹过母亲在饭食和订阅报刊上对我的惯纵，何以到了远比饭菜和报刊都更重要的房子问题上，她却忽然陷我于"无立锥之地"，这还算得上慈母吗？！

父母迁离北京、去往张家口那天，因为不是星期日，我都没去送行，老老实实地在教室里听课。到了那周的星期六下午，我忽然意识到，我在北京除了集体宿舍里的那张上铺铺位，再没有可以称为家的地方了！我爬上去，躺到那铺位上，呆呆地望着天花板上的一块污渍，没有流泪，却有一种透彻肺腑的痛苦，难以言说，也无人可诉。

那一天，我还没满十八岁。

五

我想一定会有人笑话我：十七八岁开始独立的人生，这有什么稀奇！在1949年以前的岁月里，有的人十五岁左右就参加革命了！而"文革"当中，多少青年人上山下乡，"老三届"里最小的一批（"老初一"），他们去插队或去兵团时顶多十六岁。是的，我也曾在心底里检讨过自己的娇懦与卑琐，所以一直不敢袒露那一阶段的心曲。但现在时过境迁，我已年过半百，自己对自己负全责的生活磨炼，也堪称教训与经验并丰，因之能以冷静地跳出自己，从旁来观察分析我从少年步入青年，那一人生阶段的心理成熟过程，现在更能从中悟出，父母，特别是母亲，对子女，特别是对我，在无形中所体现出的那一份宝贵的爱。

每一个人都会有自己独特的生命体验。但绝大多数人的生命历程又往往可以从大体上来归类。在一九四九年以前的年代里，很多青年人参加革命，或是因为家里穷得没饭吃，或者是家里小康或大富，自己却觉得窒闷，因而主动投入革命，离家奋飞。而"文革"中最大多数的知识青年，他们的离家上山下乡，是处于一种不管你积极还是消极还是混沌的状态，总之要随风而去的潮流之中。但是在相对来说是不仅小康而且亲情浓烈的家庭里，在相对来说属于和平时期的社会发展阶段，一般来说，父母就很容易因为娇惯与溺爱子女，而忽略了培养他们独立生活的能力，甚至于到了该将他们"放飞"的时候，还不能毅然地将他们撒出家去，让他们张开翅膀，开始相对独立的人生途程。20世纪80年代以降，许许多多的小家庭都面临着这样一个看似简单，实际却并不那么简单的问题，结果是出现了不少心性发育滞后的青少年，引发于社会，则呈现出越来越具负面影响的若干伦理问题、道德问题、社会生态平衡问题与民族素质衍化等一系列问题。正是在这样一种新的人文环境中，我才突然觉得，从这样一个新的角度，来加深对我母亲的某些方面的理解，不仅对我自己，对我的儿子，能有新的启迪，并且将其写出，也许对 20 世纪 90 年代的母亲们，亦不无参考价值。

六

其实我也在不少文章中写到过母亲，只是没有像张洁那样，专门写成一本书。我回忆过母亲的慈蔼，她的宽于待人，她那让我回忆起来觉得简直是过了分的诚实，以及她因体胖行动起来总是那样的迟慢，还有她对《红楼梦》中人物与细节的如数家珍，她几十年如一日地坚持记日记，她曾在一次日记里用这样的句子结束了全家的颐和园之游："归来时，已万家灯火矣！"这在外人看来一定觉得极为平常的文句，在偷看它的我（那时十一岁）来说，却经历了一次情感与诗意的洗礼……

可是在我对母亲的回忆里，不可能有相依为命、携手人生的喟叹。不是因为家贫难养，不是因为我厌倦了父母的家要"冲破牢笼"（我的情绪恰恰相反），甚至也不是因为社会的大形势一定要我和父母"断脐"（固然那时阶级斗争的弦已越绷越紧，却并没有影响到我的起码是"适当地靠父母"，比如说在父母离京时为我谋得"留房"），而是因为父母一致地认为，特别是母亲的"义无反顾"，要我从十八岁后便扇动自己的翅膀，飞向社会，从此自己对自己负全责，从自己养活自己，到自己筑窝，自己去娶妻生子，去开创我的另一世界。

父母对我们每一个子女，都这样对待。我大哥 1949 年前就离家参加了解放军，二哥十六七岁便离家求学，学造纸，1950 年分配到延边一个屯子里的造纸厂当技术员，另一个哥哥大学毕业也到很远的地方工作，姐姐也是一样，总之，我们全都在二十岁前，便由父母坚决地放飞。在后来的岁月里，我们在假期，当然也都回到父母家看望他们，他们后来也曾到过我们各自的所在，我们的亲情，不因社会的动荡、世事的变迁而有丝毫的减退，父母对放飞后的我们，在遇到困难时，也总是不仅给予感情上的支撑，也给以物质上的支援，比如我 1971 年有了儿子后，父母虽已因军事学院的解散，被不恰当地安置到僻远的家乡居住，却不仅不要我从北京给他们寄钱，反而每月按时从那里往北京我这里寄十五块钱，以补助我们的生活，每张汇款单上都是母亲的笔迹，你能说她这都仅是为了"养孙子"，对我，却并没有浓酽的母爱吗？

可是父母，特别是母亲，在"子女大了各自飞"这一点上，坚定性是异常惊人的。

我的小哥哥，曾在南方一所农村中学任教，忽然一个电报打过来，说得了肺结核。当时父亲出差在外，一贯动作迟缓的母亲，却第二天便亲自坐火车去他那里，把他接回北京治疗，竭尽心力地让他康复，在那期间，哥哥的户口都已迁回了北京，病愈后，在北京找一份工作，留在家里并无多大困难，但母亲却像给小燕舐伤的母燕，一旦小燕伤好，仍是放飞没商量，绝不作将哥哥留在身边之想，哥哥后来也果然又回到了那所遥远，而且条件非常艰苦的农村中学。有邻居认为这不可思议。但母亲心安理得。

母亲可以离开子女，却不能离开父亲。除了抗日战争期间，因"逃难"，母亲一度与父亲分居，他们两人在漫长的生涯里，始终厮守不弃。1960年，父亲调到张家口，那是"口外"，其艰苦可想而知，有人劝母亲，留在北京吧，政策未必不允，而且，过些年父亲也就该退休，正好可以退回北京家中，何况北京有我，师专毕业，分配都在北京，正好母子相依，岂不面面俱到？母亲却绝无一分钟的动摇。她一听到调令，便着手收拾家当。她随父亲到了塞外，在那里经历了"文革"的洗礼，其间该军校所有教员一律下放湖北干校，就有某些随军家属，提出自己有独立的户口，并非军校工作人员，要留下来安家，经动员无效，也只好安排，这样后来军校彻底"砸烂"时，一些教职工，反得以回到未下放的家属那里，生活条件较为改善，但我母亲照例绝不作此考虑，她又是连一分钟的迟疑也不曾有，坦然地随父亲上了"闷子车"，一路席地而坐，被运到了湖北干校……对于母亲来说，夫妇是不能自动分离的，无论遇到什么情况，也无论哪怕是短暂的分离可能带来某种将来的"好处"，她都绝不考虑，那真是无论花径锦路，还是刀山火海，只要一息尚存，她都要与父亲携手同行，在每个可能的日夜。这是封建的"嫁夫随夫"思想吗？这是"资产阶级的恋爱至上"吗？或许，这仿佛老燕，劳燕双飞，是一种优美的本能?

　　把母亲的绝不能与父亲分离,与她对成年子女的绝对放飞,相合来看,现在我意识到,这样的母亲,确实很不简单。或者,换个说法:这本是一种最普通的母亲,但,起码在我们现在置身其间的社会环境里,反倒不是那么普通了。

<h2 style="text-align:center">七</h2>

　　以我的"政治嗅觉",直到1966年春天,我还是万没有料到会有一场疾风暴雨的"无产阶级文化大革命"迫在眉睫。我在北京一所中学任教,当时不到二十四岁,却已经有了近五年的教龄,教学于我颇有驾轻驭熟之感。中学是一个很小的天地,那时离政治旋涡中心很远,我除了教书,就是坐在学校宿舍里读书,写一点小文章投寄报纸副刊,挣一点小稿费,还有就是去北海、中山公园等处游逛。姚文元那篇批判《海瑞罢官》的文章,一发表于上海《文汇报》,我就在学校阅览室里读了,心中有一点诧异,却也仅只是"一点点",其他老师似乎连阅读的兴趣也没有,谁也没想到那文章竟是把我们所有人卷进一场浩劫的发端;我投给《北京晚报》的小文章,有时就排印在副刊的"燕山夜话"旁边,但我既没有什么受宠若惊之感,更无不祥之兆,因此当几个月后暴怒的"红卫兵"质问我为什么与"燕山夜话""一唱一和"时,我竟哑然失声……

　　就在那个春天,我棉被的被套糟朽不堪了,那是母亲将我放飞时,亲手给我缝制的被子,它在为我忠实地服务了几年后,终于到了必须更换的极限。于是我给在张家口的母亲写信要一床被套。这于我来说是自然到极点的事:那时我虽然已经挣到每月五十四元的工资,又偶尔有个五块十块的稿费,一个人过,经济上一点不困难,我偶尔也给母亲寄上十块二十块的,表示孝心,我不是置不起一床新被套,但我不知道该到哪儿去买现成的被套,买白布来缝?那是我难以考虑的,这种事,当然是问母亲要。

　　母亲很快给我寄来了包裹,里面是一床她为我缝制的新被套,但同时我也就接到了母亲的信,她那信上有几句话令我觉得极为刺心:"……被套也还是问我要,好吧，这一回学雷锋，做好事，给你寄上一床……"

这就是我文章开头所说的，与母亲的一次内心里的感情冲突。睡在换上母亲所寄来的新被套里，我有一种悲凉感。母亲给儿子寄被套，怎么成了"学雷锋，做好事"，仿佛是"义务劳动"呢？！

当然，在那样的岁月里，这是很细微很卑琐的一件事情，何况很快就进入了"文革"时期，这对母亲的不悦，很快也就沉入心底，尘封起来了。

在"文革"过去以后，因为偶然的原因，母亲在关于那床被套的信中所说过的话，又曾浮到了记忆的上层。于是默默地分析：她那是因为受当时社会"语境"的熏陶而顺笔写出？是因为毕竟乃一平凡的老太婆，禁不住为一床被套"斤斤计较"？还是她对我，说到头来并没有最彻底的母爱？

也曾有几回，在母亲面前，话到嘴边，几乎就要问出来了，却终于又吞了进去。吞进去是对的。也曾设想，是母亲当年一时的幽默。母亲诚然是一个有幽默感的人，但她同时又是一个从不拿政治词语来幽默的人。

现在我才憬悟，母亲那是很认真很严肃的话，就是告诉我，既已将我放飞，像换被套这类的事，就应自己设法解决。在这种事情上，她与我已是"两家人"，当然她乐于帮助我，但那确实是"发扬雷锋精神"，她是在提醒我，"自己的事要尽量自己独立解决"。回想起来，自那以后，结婚以前，我确实再没向母亲伸过这类的手，我的床上用品，更换完全由我自己完成，买不到现成的，我便先买布，再送到街道缝纫社去合成。

母亲将我放飞以后，我离她那双给过我无数次爱抚的手，是越来越远了，但她所给予我的种种人生启示，竟然直到今天，仍然能从细小处，挖掘出珍贵的宝藏来……谁言寸草心，报得三春晖！

八

父亲于 1978 年突发脑溢血逝世。父亲逝世后，母亲在我们几个子女家轮流居住，她始终保持着一种独立的人格尊严，坚持用自己的钱，写自己的日记，并每日阅读大量的书报杂志，在与子孙辈交谈时，经常发表她那相当独到的见解，比如，她每回在电视新闻里看到当时的美国总统卡特，总要说："这个焦眉愁眼的人啊！"她能欣赏比如说林斤澜那样的作家写的味道相当古怪的小说……她的行为也仍充满勃勃生气，比如收认街头纯朴的修鞋匠为自己的干儿子，等等。

　　母亲于1988年深秋，因身体极为不适，从二哥家进了医院，她坚持要自己下床坐到盆上便溺，在我们子女和她疼爱的孙辈都到医院看过她后，她在一天晚上毅然拔下护士给她扎上的抗衰竭点滴针，含笑追随父亲而去。她在子女成年后，毅然将他们放飞，而在她丧偶后，她所想到的，是绝不要成为子女们的累赘，在她即将进入必得子女们轮流接屎接尿照顾她病体的局面时，她采取了不发宣言的自我安乐死的方式，给自己无愧的一生，画上了一个清爽的句号。

九

　　静夜里，忆念母亲，无端地联想到两句唐诗："唯怜一灯影，万里眼中明。"那本是唐人钱起为日本僧人送行而写的，营造的，是一个法舟在海上越飘越远，那舟窗中的灯，却始终闪亮在诗人心中的意境。我却觉得这两句诗恰可挪来涵括对母亲的忆念。她遗留给我的明心之灯，不因我们分离的时日越来越长而暗淡熄灭，恰恰相反，在我生命的途程中，是闪亮得愈见灿烂，只是那明心之光润灵无声，在一派肃穆中伴我始终。

1994年12月20日绿叶居

神圣的沉静

　　小时住在重庆南岸狮子山，从那里可以到一座更高的真武山去游览。真武山上有段路非常险，靠里是陡峭的山岩，靠外是极深的悬崖。那天玩得很开心。返回时，我故意贴在悬崖边上走，还蹦蹦跳跳的，甚至以颠连步跃进。七岁的我还不懂生命的珍贵，那样做，有存心让母亲看见着急的动机。那悬崖下面的谷地，荒草里凸现着一块怪石，那石头自然生成盘蛇的状态，当中的一块耸起活像蛇颈和蛇头。传说结了婚的男女，从悬崖上往下掷石头，如果掷中了那条石蛇的身子，就能生个儿子。混混沌沌的我，自以为也懂得成年人的事情，听大人们有那样的议论，想起自己也同邻居女孩子玩过扮新郎新娘的游戏，竟然也拾起石块朝悬崖下奋力掷去，把握不好投掷的重心，身体的姿势从旁看去就更惊心动魄了。

　　还记得那天母亲的身影面容，她紧靠着路段里侧的峭壁，慢慢地走动。她一定后悔转到那段路以前没能牢牢牵着我的手，把我控制在她身边，她自己往前挪步，眼睛却一直盯在我身上。我顽皮地蹦跳投掷，不住地朝她嬉笑，呕她，气她，悬崖边缘就在我那活泼生命的几寸之外。事后，特别是长大成人后，回想起母亲在那段时刻的神态，非常惊异，因为按一般的心理逻辑与行为逻辑，母亲应该是惶急地朝我呼喊，甚至走过来把我拉到路段里侧，但她却是一派沉静，没有呼喊，更没有吼叫，也没有要迈步上前干预我的征兆，她就只是抿着嘴唇，沉静帅地望着我，跟我相对平行地朝前移动。

那段险路终于走完，转过一道弯，路两边都是长满芭茅草和灌木的崖壁了，母亲才过来拉住我的手，依然无言，我只是感受到她那肥厚的手掌满溢着凉湿的汗水。

直到中年，有一天不知怎么地提及这桩往事，我问母亲那天为什么竟那样地沉静？她才告诉我，第一层，那种情况下必须沉静，因为如果慌张地呼叫斥责，会让我紧张起来，搞不好就造成失足。第二层，她注意到我是明白脚边有悬崖面临危险的，是故意气她，尽管我不懂将生命悬于一线是多么荒唐，但那时的状态是有着一定的自我防险意识与能力的，一个生命一生会面临很多次危险，也往往会有故意临近危险也就是冒险行动，她那时觉得让我享受一下冒险的乐趣也未尝不可。我很惊讶，母亲那时能有第二层次的深刻想法。

母亲去世快二十年了，她遗留给我的精神遗产非常丰厚，每遇大险或大喜时的格外沉静，是其中最宝贵的一宗。我写第一个长篇小说《钟鼓楼》时，母亲就住在我那小小的书房里，我伏桌在稿纸上书写，母亲就在我背后，静静地倚在床上读别人的作品。有时我会转过身兴奋地告诉她，我写某一段时感觉良好，还会念给她听。她听了，竟不评论，没有鼓励的话，只是沉静地微笑。有时她还会把手头所读的一篇作品的某些内容讲一下，那作品是一位同行写的，我没时间读，也并不以为对我有什么参考价值，不怎么耐烦听母亲介绍，母亲自然是觉得写得挺好，但她也并不加些褒扬的话语，她就是沉静地给我客观讲述，毫不啰唆，具有点穴的效应。后来《钟鼓楼》得了茅盾文学奖，那时母亲已到成都哥哥家住，我写信向他们报喜，母亲也很快单独给我回了信，但那信里竟然只字未提我获奖的事，没什么祝贺词，但语气沉静地嘱咐了我几件家务事，都是我在所谓事业有成而得意忘形时最容易忽略的。

2000年第三次去巴黎，又去卢浮宫看达·芬奇的《蒙娜丽莎》。在众多的观赏者中，我忽然产生了一个非常私密的感受，那就是蒙娜丽莎脸上的表情并不一定要概括为微笑，那其实是神圣的沉静，在具有张力与定力的静气里，默默承载人生的跌宕起伏、悲欢聚散、惊险惊喜。那时母亲已仙去十二年，我凝视着蒙娜丽莎，觉得母亲的面容叠印在上面，继续昭示着我：无论人生遭遇到什么，不管是预料之中还是情理之外，沉静永远是必备的心理宝藏。

美丽的藩篱

　　1954 年春天，我十二岁。有一天，学校停课，老师带领我们到灯市口大街北边参加义务劳动。那一片地方现在广为人知，就是中国美术馆所在。记得那一年还没有修建中国美术馆，只是拓宽马路，好把从朝阳门、东四到沙滩一直通往西四的道路疏贯。工人师傅们已经把那一片地方的房屋拆得差不多了，参加义务劳动的人们只需把一些未及清理的砖瓦碎木集中到指定的地方去。

　　到了工地，只见早已有很多大人在其中忙碌。那时我系着红领巾，在老师带领下干得满头大汗，一身是灰，却满心高兴，生怕落后。

　　且说我正忙着把一摞砖头抱到指定的集中点去，忽然看到了我的妈妈，吃了一惊。因为清晨妈妈给我热早点时，并没有说起来这地方参加义务劳动的事呀！但是我很快也就想明白，一定是我上学以后，街道上才通知居民们来义务劳动，好各方齐心协力，把那片拆迁地的清理工程抢完。妈妈年轻时当过小学教师，那时却成了家庭妇女，可是她热心街道工作。看得出来，在工地上，妈妈的角色就像我们的班主任老师一样，从工地指挥部那儿领到具体任务后，带领我们家所在的钱粮胡同海关宿舍的居民们，去往指定的区域清场。她细致分工、身先士卒，大家兴高采烈地干了起来。妈妈当时年过半百，相当胖，干起搬运杂物的粗活自然十分吃力，脸涨得通红，可是浑身溢出春风，仿佛是一种难得的享受。我家自1950 年从重庆迁到北京以后，眼见着北京市政府疏浚什刹海、翻修下水道、增敷自来水设施、开辟一条又一条的公共汽电车线路……爸爸妈妈提起来总是赞不绝口，现在能亲自参加提高首都生活品质的工作，妈妈那种心甘情愿的劲头，自然体现在每一个动作里。

我望见了妈妈，而且，妈妈一定也望见了我，我除了没有大声地呼唤她，整个儿的表情身姿都在拼命地朝她显示：嘿！我在这儿啦！可是，令我非常失望，并且惊诧的是，妈妈眼光从我身上掠过时，却仿佛是看到一个她并不认识的孩子，倒也不是冷淡，她脸上分明有着微笑，然而那只是看到任何一个参加义务劳动的少先队员时都有的微笑，而不是我所期盼的那种看到她最心疼的幺娃儿的特殊笑容。我几次试图接近她，并且频频以夸张的肢体语言以期引起她的关注，然而她却依然不给我哪怕只是表情上的一个小小的特殊回报！惶急中，我一个趔趄跌倒在地，磕破了腿，我恨恨地望着那边的妈妈，心想难道你还不来管我吗？可是，她却直起腰来，耐心地跟一位去问她什么事的老大爷解释起来……班主任老师赶过来，扶起我，并且忙带我去找卫生站清洗伤口、涂红药水。

当时的我，怎么也弄不明白，妈妈为什么在义务劳动的工地上不格外地关照我。那天从学校回到家里，妈妈正在厨房里烧我最爱吃的豆瓣鲫鱼……晚饭前，她仔细查看了我腿上磕破的地方，说不要紧的，又嘱咐我先洗个脸再吃饭，晚上要洗个澡……晚上洗了澡，我忙着赶作业，也就没有问妈妈，为什么在那工地上，她对我视而不见？

这事我始终没有追问她，其实越到后来，越用不着问。这类的事后来经常出现，都很细小，形态不一，含蓄微妙，然而如雪花飘落积累，使我的认知越来越澄澈清明，那就是，妈妈一再地在我生命的活动空间中，设置出无形的藩篱，使我懂得，藩篱的一边，是我们温馨的家，在这个区域中，我尽可享用亲情，悠游自在，甚或无妨偶尔撒娇使性；而藩篱的另一边，是公众社会，以及他人所在，我要从小懂得，在公众社会中不可仗恃或依赖亲情温恤，并且他人一般来说不可能，也无义务给我以"幺娃儿"式的宠溺优待，我必得一天天地长大成人，应尽早习惯于在公众社会中奉献，学会与他人耐心磨合，艰辛劳作，独立生活！

　　当然，爸爸和妈妈是同样的态度，但他总是很忙，我十七岁离家独立生活以前，给我以深重影响的，是妈妈。她为我设置的藩篱，是无形而美丽的，这是她给予我的最重要的精神遗产。我的人生已过中途，回顾往事，我有过许多的错失，有时甚至是重大的失误，然而，托庇于妈妈给我的教养，我从来没有犯过公私不分，或人我不分的错误，并且，我总是能像她那样，把自家藩篱内的东西贡献给藩篱外的社会和他人时，只觉得欢愉，而视任何将藩篱外的公家或他人的东西据为己有为奇耻大辱。1988 年，电脑在中国还是相当珍奇的东西，一位大款朋友送了我一台电脑，以助我写作，我毫不犹豫地将那电脑给了当时我任职的单位。恰在那一年，妈妈不幸在成都仙逝，我在流泪祭奠妈妈时，心中告慰她说：您为我设置的人生藩篱，我要再传给您的孙子，那将是常青的藩篱！

归来时，已万家灯火矣

1950 年，我们全家从重庆迁到北京。父母虽原籍都是四川，却从小随祖父在北京长大，北京于他们而言不啻第二故乡。在北京安顿下来以后，每逢星期天和节假日，父母总要带我们子女游览北京的名胜古迹。母亲是个爱记日记的人，平时那平淡的日子里，油盐酱醋茶的家常细事她都要记，何况游览归来后。有一次，全家游颐和园归来，母亲写了一篇很长的日记，姐姐偷看了母亲的日记本后，笑得合不拢嘴。她说，那篇日记的最后一句是："归来时，已万家灯火矣。"哥哥们听说，也都笑。我那时还小，不懂他们笑个什么；但从他们的神情可以看出，那倒不是恶意的嘲笑；母亲对他们的笑，也报之以笑，一家人很是快活。后来渐渐琢磨出来，姐姐和哥哥们是觉得母亲那文言白话夹杂的文体，在那样一个新时代开始以后，显得挺滑稽的；用今天的术语来说，就是"文本"和"语境"有些个"疏离"。

后来我大了些，也翻看过母亲的日记本。母亲实在是个无甚隐私的人，为了父亲，和我们子女的成长，她日复一日地操持家务，日记所载，便是那含辛茹苦而任劳任怨的流程。母亲日记的内容确实平淡无奇，但我喜欢那里面所充溢的生活情趣。比如，有一次母亲上街买菜，被扒手偷走了钱包，她记下这件事时，还画了一幅小画儿，画着她自己气恼的面容，又在她自己的像后，画了一个比例小许多的、逃跑的扒手的背影，非常生动，旁边还有文字说明："扒手可恨！给新社会丢脸！"她为自己的日记插图虽不是很多，一个月里也总有几回，记得有一幅荷花画得很好，是记录到北海公园赏荷的印象，那荷花上，还立着一只——我以为是蜻蜓——母亲告诉我应该叫做豆娘。

20 世纪 50 年代初期，父母对新社会赞不绝口。那时北京先是疏浚了什刹海等水域，后来又掏尽了几乎全城的阴沟，所以全家一起看了老舍的《龙须沟》以后，父母都赞生动真实，对舞台上的角色喊"万岁"，非常地共鸣。后来我再大了些，懂得那一时期叫新民主主义社会。那时的国产影片，厂标是工农兵的雕像，随着一段悦耳的乐曲，微偏的雕像缓缓旋转为正面，叠印出制片厂名称；我现在仍能哼出那乐曲的旋律；后来那乐曲不仅从电影片头消失，几乎在任何时候、任何场合都再也听不到了；到了"文革"时期，上海首先揪出了作曲家贺绿汀，对他猛批时，点到了那首由他谱出、一度被使用到电影片头的乐曲，原来叫做"新民主主义进行曲"，而"新民主主义"，据说是刘少奇对之格外地钟情，有"巩固新民主主义秩序"的提法，是他反对搞社会主义的一大罪状，此罪既定，贺绿汀为"新民主主义"谱"进行曲"，自然也就"罪该万死"。说实在的，解放初实行新民主主义的时间虽然短暂，但那时我已十多岁，所获得的感受里，却没什么阴影。那时国营经济蓬勃发展，但私营经济也很活跃，我记得父亲带我去先农坛参观过大规模的城乡物资交流会，各种商品琳琅满目；而我家附近的隆福寺庙会，更显示出多元的社会景观；当时的东安市场，更仿佛一座美不胜收的琳宫宝殿。还记得那时母亲常一边在厨房炒菜，一边赞叹物价稳定。也还记得在饭桌上，父母不经意的对话中，其实是在赞叹新社会的好处，比如取缔了妓院，禁绝了鸦片，消灭了土匪，振奋了民心，等等。所以在"文革"时，读到那些痛批刘少奇"巩固新民主主义秩序"的想法是"狼子野心"时，心里只有诧异和恐惧，只好拼命地去跟那"继续革命"的极左理论认同。后来，从逻辑上确实也弄通了，革命就是要一波一波地迅疾推进，以至最后要实行"全面专政"。但"反右"、"大跃进"以后，我步入青年时期，却留下了害怕"片语致祸"和物资匮乏乃至饥饿的记忆阴影。

母亲直到"文革"前，一直坚持记日记。哥哥们和姐姐后来都离开了北京。我长大了，自己也记上了日记，因为懂得日记是私密的话语，自己的既然怕别人看，别人的当然也就不应该看，所以那以后再不曾翻看母亲的日记。直到母亲1988年仙逝后，她的几十本日记成为了遗物，我才通读了一遍。我发现，她那日记，最生动活泼的部分，就是1950年到1956年那几本，插图最多的，也是那几本。而"归来时，已万家灯火矣"那一篇那一句，在我心中激出的涟漪，久久环荡。我体味着那文白夹杂的字句中，一个普通的中国人，对身逢太平盛世，安度平凡生活的诗意情怀。

我的父母，无论从家庭出身和本人成分上看，都属于大时代中典型的中间人物。他们对革命的认同，是因为他们看到了革命者所营造出的，一个好的生存空间。他们从不认为自己也该成为革命者。他们拥护革命者，接受革命者领导，愿意在革命政权下更放松地做一个好人。正因为他们这样给自己定位，所以，像父亲，他在上班时认真工作，可是下班后，保留着自己的个人爱好——逛旧书店和吃西餐；而母亲，在从事家务劳动和积极参加一些街道工作之余，也有自己的闲情逸致，比如反复阅读《红楼梦》和记日记，并写下"归来时，已万家灯火矣"那样的句子。

1957年以后的事态发展，从母亲的日记里，隐约可以看出，是很快地，要求所有的人，都成为地道的革命者，不再允许中间人物的存在。思想舆论要求一律，文体也要求一律。父亲在单位里出了事，当时我们子女并不清楚——他因为在帮助党整风的座谈会上，发了个什么言，后来被开会批判，但最终没划右派，档案里落下了"中右"的结论，这就在很多年里不同程度地影响到了我们这些子女的命运，这里且不多说——父亲在单位里的遭遇，他瞒着我们子女，却告诉了母亲，母亲去世后我通读她的日记，在1957年秋天的某一日，她写下了很含蓄的一句"天演说错了话"，天演是父亲的名字；在"说错了话"四个字下面，她画了圈，而且，"错"字和"话"字似乎描涂过好几遍，事过多年，从那笔触里，仍可看出那件事给予她心理上有过多么锐重的刺激。母亲日记中的情趣从那句话后竟消失殆尽，以后的日记中不再有"归来时，已万家灯火矣"那样的句子，越来越简约，成了干巴巴的备忘录，当然更没有什么插图了。到母亲晚年，赶上了改革开放的好日子，她恢复了日记，但年事已高，精力不逮，写得也都很简单，再没有像当年那种郊游回来，既有描写又有抒情的篇章了。

"归来时，已万家灯火矣"，这种情调，后来我懂得，要被划为"小资产阶级情调"。1956年以前，在文艺界，这种情调已然被指认为"不健康"；到后来，有"写中间人物是资产阶级主张"的大批判，小资产阶级也就跟资产阶级煮成了一锅了；到"文革"，那就只剩下一种据说是无产阶级专有的文体了，不依规范，"说错话"或"写错文"，甚至会引来杀身之祸。幸亏母亲不是搞文艺的，她的日记从未公开发表过。

母亲日记的情调，使我想到丰子恺的文和画。他们是同代人，也许，阶级成分和人生站位，也差不多，都属于所谓"小资产"吧。"文革"风暴一起，上海首批揪出的"牛鬼蛇神"里，就有丰子恺，这很使人惊讶，他那些"人散后，一钩新月天如水"、"满山红叶女郎樵"的作品，究竟碍了革命者、革命政权、革命路线什么事儿呢？

母亲在"文革"中，和父亲一起下"五·七干校"，装载他们那些知识分子的火车，原来是运送牲口的闷子车，后来母亲回忆说，一千多公里的途程，没有坐椅，大家坐在车厢底板上，这倒还能忍受，可是，车上没有厕所，而又经常很久都不停车，男女同在一个车，有的随往家属还是青春少女，那尴尬与狼狈的情景，真不便形容。在那样的生存状态下，丰子恺式的人生情趣，自然已被尽悉碾碎扫荡。

去"干校"，据说是要把所有的人，都改造成革命者。那时候民族的生存空间里，要么你是敌人，要么你就得是革命者。你如果想，我既不反革命，也不革命，行不行呢？或者，你觉得自己成不了革命者那么优秀的人，但革命者所革出的局面，如果好，你会拥护，然后在那个前提下，努力劳动，认真工作，然而也保留自己的一份个人生活，比如扶老携幼地郊游、赏花，甚至欣赏立在荷花上面的一只纤弱的豆娘……并在当天的日记最后，写下"归来时，已万家灯火矣"的句子，行不行呢？……当然不行。不仅不行，而且，恐怕敢这么想的人，那时候也越来越少。

现在的世道，已经有了很大变化。总的来说，变得比以前好了。但问题也不少，有的问题甚至相当触目惊心，尤其是权钱交易造成的腐败堕落，还有明显的社会不公。不少的仁人志士，都挺身而出，意欲从理论上、实践上，解决问题。这当然很好。但我希望，不管是哪一派别，最好都把矛头，直接指向那问题的主体，指向责任者；只要你那理论确实有益，尤其是付诸实践真有效果，一般的俗众自然会被吸引，成为你的拥护者。最好不要矛头并不真正对着那问题的主体，不对着那责任者，而先对着俗众，责备他们怎么不跟你的理论认同，没有积极参与你提倡的斗争，或怎么没成为你自己那样的仁人志士。不管是革命，还是改革，还是改良，乃至于改进，目的是要给一般民众带来良好的生存空间和公平的生存秩序，要达到目的，当然需要争取尽可能多的拥护，但却不必要求芸芸众生都一律成为革命者、改革者、改良派、改进派。容许社会上，有一个宽阔的中间地带，其间繁殖生息过着常态"小日子"的、普普通通的小人物，或叫做"中间人物"，有那样胸怀的大人物，我以为才是值得尊敬的大人物，倘若他还能进一步为众多的小人物营造出太平盛世，以公平的"游戏规则"组织好社会生活，那他就不仅值得尊敬，更应该倾心拥护了；倘若他的宗旨，只是着力于把亿万小人物都改造成跟他画等号的存在，遇到阻力，推行不顺，便大发雷霆，大施惩罚，那，大规模的社会悲剧，势必发生。这是我从母亲日记上一个抒情感叹的句子，所引发出的联想，最终所达到的憬悟。

1999 年 2 月 12 日绿叶居

隆福寺的回忆

　　解放初，我随父母从四川迁京，住在东四钱粮胡同三十五号，从我们那个院门朝西走几十米便是隆福寺的后门。我转入隆福寺街的隆福寺小学上学，每天要四次穿过整个隆福寺，因此，对隆福寺的印象，竟比当年学过的功课更深。

　　在明代刘侗、于奕正著的《帝京景物略》中，已有关于隆福寺的详细记载："大隆福寺，恭仁康定景皇帝立也。三世佛、三大士，处殿二层三层。左殿藏经，右殿转轮，中经毗卢殿，至第五层，乃大法堂。白石台栏，周围殿堂，上下阶陛，旋绕窗棂，践不藉地，曙不因天，盖取用南内翔凤等殿石栏干也。殿中藻井，制本西来，八部天龙，一华藏界具。景泰四年，寺成，皇帝择日临幸……"清代吴长元所辑的《宸垣识略》中进一步指实："大隆福寺在仁寿坊东四牌楼大市街之西，马市北，其街以寺得名。明景泰三年建，役夫万人，撤英宗南内木石助之。其白石台栏，乃南内翔凤等殿石阑干也。本朝雍正九年重修，每月之九、十两日，有庙市，百货骈阗，为诸市冠。所居皆喇嘛。有世宗御制碑……"

　　我少年时代每日四次所穿过的隆福寺，大体上还保持着原有的规模气派。

　　现在回忆起来，当时前面的山门尚存，只是门内左右的哼哈二将仅存台基，穿过山门，是一片显得过于空旷的敞地，有废殿的柱础可以辨认。那是由于一场大火，烧掉了钟鼓楼、塔院和韦陀殿所致。后来我曾去询问过老喇嘛，问他是不是"庚子之变"时被八国联军纵火所焚，他说那倒不是，倘若八国联军有意焚庙，那就不会仅仅焚掉一个相对来说并不那么要紧的韦陀殿了。火灾的缘由，是由于值勤喇嘛瞌睡中弄倒了油灯，扑救不及。庙中其余的殿堂建筑都尚完好，释迦牟尼佛殿高踞在三层汉白玉栏杆围成的高台上，当时人们都称它作"栏杆殿"。再后面是三大士殿，里面同时供着观音、文殊和普贤三尊菩萨。再往后是毗卢殿，听说当时藏有一百零八部藏经，比当年雍和宫里藏的还多。毗卢殿后是金赐殿，里头供着铜铸的金刚护法佛。最后面是两层楼的后阁。我记得寺院东西两侧厢房大体上也还完整，当然，都很破旧了，并且被住户切割成几段，显得颇为凌乱。

当我上小学四年级的时候，隆福寺还定期举行庙会。没有庙会的时候，寺院的大门、后门也似乎永远敞开着，可以随时穿行，并且也有一些固定的或临时的摊位，卖各色的东西。当然，逢到庙会的时候，可就热闹非凡了，大殿两边、前后，一个摊子接着一个摊子，一个布篷挨着一个布篷，当我穿过那庙会去上学时，真好比穿过一条麦芽糖铺成的甜路，所以常常迟到，被老师批评；当放学后我穿过那庙会回家时，则好比一只蝴蝶被放入了花丛，我哪里舍得马上回去？总要在庙里尽兴地游逛一阵，方才回家，自然又惹得母亲频频责备。唉，我小学时功课不好，多半是隆福寺使然吧？

但至今忆起当年的隆福寺，我却丝毫没有怨厌它的情感，相反地，我心中溢出的，只有欣喜与温馨！

在那庙会中钻来钻去，最吸引我的，首先是各色零食。在卖零食的小摊上，可以买到"半空"（籽粒不饱满的花生）、爆米花，还有用秫秸杆蘸出的糖稀，以及那大大小小的糖瓜儿……母亲给我的零钱，一大半都花在了买这些吃食上。庙会上自然更有卖面茶的摊子，有时就是一辆大车，毂辘上都钉着有如今五分硬币那么大的铜钉，钉帽闪闪发光，擦拭得异常洁净，车上竖立着一把似乎足有一米来高的紫红色的铜壶，脖颈细长，造型优美，摊主便用那铜壶给顾客沏出香喷喷的面茶；还有卖切糕的，也大都是挂着清真字样的干干净净的摊子；卖豆汁的记得最大的一家是搭了棚子卖，摊主据说是寺里的喇嘛，大伙都管他叫郄德拉，据说他的豆汁漂得净、发得好，所配卖的焦圈和芝麻酱烧饼也超过一般；自然还有卖豆腐脑的、灌肠的、褡裢火烧的……灌肠是请顾客用一种特制的铜质两股叉叉着吃，还有一种叫"三鲜肉火烧"的东西，跟褡裢火烧和春卷都有点像，但又别具风味……这些吃食对我那样一个小学生来说，是难得享受一次的，常常只好过其门而咽口涎，但至今闭眼一想，似乎还能听到那有韵味的吆喝声，嗅到那诱人的美味……

除了吃的，我最注意的是玩的。庙会中有各种有趣的土玩具，除了风筝、空竹、风车……这些大家都知道的以外，我还见到过成套的桦木碗，一个套一个；成套的泥人还带泥人模子；高粱秆架出的楼阁；蜡塑的鸭子和金鱼……另外，还有许多让人过眼瘾的玩意儿。用布幔子围起来的临时剧场，演小戏，变戏法，我是看不起的，就常常看拉洋片儿，还在耍大刀卖药（据说假药居多）……看这些个玩意儿，只要不挨前站，像我这样的小学生，是足能"蹭"上一两场的；我也曾下决心把捏得出汗的零钱，交给一个穿大褂的瘦高个儿，他经营一个小小的"电影院"，那"电影院"大约一米半高、两米多长、一米来宽，是个用黑布围成的大匣子，然后在两边开了几个刚好能眼睛凑上去的圆孔，我这样的观众交了钱以后，便获准坐到大匣子旁的长条凳上，将双眼凑拢圆孔，于是他便开始放映电影，虽然每场顶多一两分钟，可那真是电影，在大匣子深处的小小银幕上，真有黑白的影像在活动，现在推敲起来，他大约真有一架破旧的小放映机，并拥有一些不知从哪儿弄来的破旧的电影残片，我还记得我就从他那个"电影院"中看到过卓别林，还有蝴蝶，还有《火烧红莲寺》什么的。不知那瘦高个儿后来命运如何，他那些旧拷贝下落如何，倘若那些旧拷贝如今都归到了中国电影中心的资料馆，则真是万幸！

庙会中有些东西我是绝对不会买的，比如土制的绣花模子，各种假发，各种梳篦，连带各种小巧的梳妆台；还有猪胰子球、薄荷碱；各种估衣、旧货等等，但我偶尔也在一些这样的货摊前逗留，比如那卖梳篦的"金象张"，他是以金象为志的，摊位最高处真供着一尊金象，足有一尺来高，我就很爱驻足看他那金象；记得还有一个摊子是"金猴刘"，以金猴为志，那金猴也很好看，但他是卖什么东西的，我就想不起来了……

隆福寺中也留有我少年时代的怅惘。记得有一回我放学回家，在后门那里遇到了一个蹲在地上的人，他面前搁着个木箱，木箱两侧放着两溜皮球，那时候我是多么盼望能有一个圆滚滚的皮球哇！我听见他说："快来呀快来呀，五百块一个球哇！"当时的五百块相当于今天的五分钱，那价钱自然非常便宜，我不由得过去，蹲在了他对面，书包拖到地上。我说："我买一个。"他指指木箱里面说："你随便抓阄儿吧！五百块抓一个阄儿，抓出的阄儿上头写着'有'，球就归你！"我便给他五百块，抓出了一个阄儿，但那纸卷儿展开以后，上头空空的什么字也没有。我就说："你这里头要都是空阄儿呢？"他便随手抓出几个阄儿来，一个一个打开给我看，五六个里头，除了一个空白，全写着"有"字。我便又给了他五百块，又抓了一次，结果又是空白的。我心里很难过。我攒了好几天，才攒了两千块（相当于今天两毛钱）。不过，当时那样的一个皮球，也总值两千五百块还多。我想了想，便又给了他五百块，这回我抓得很慢，我用手拨弄了半天那些挤在一起的纸阄儿，屏住气、闭住眼，才终于抓起了一个——结果竟又是空白的！我急了，眼泪涌到了眼眶里。我正生气，忽然过来一个比我还小点的男孩，也蹲到了他面前，他就轰他："去去去——别瞎凑热闹！"那个小孩就嚷："你以为我没钱吗？我给你就是！"说着给了他五百块，伸手便抓了一个阄儿，一展开，噫！竟赫然写着"有"字，那男人无可奈何，只好拿了一个皮球给他，那小男孩得意地拍着皮球走了。"怎么样，你再试一回吧！"我经不起诱惑，便掏出最后五百块，但我抓出的阄儿，却仍是空白……我气得浑身发抖，流着眼泪跑回了家中。

倘若从这桩事里，我只得到了一个"运气不好"的刺激，倒也罢了；大约一个来月以后，在东四牌楼一带（那时候十字路口的四大牌楼还没拆掉），我偶然看到那个男人牵着一个小男孩在街上走，那个小男孩，便是那个所谓"运气好"的得球者，我的心"咚"的一声，仿佛被重槌敲击了一下……我觉得，我天真无邪的少年时代，便在那一刹那结束了。

我初中上的是一个北新桥附近的中学，上学不再穿过隆福寺。但我高中考进了骑河楼的六十五中，于是又开始天天穿过隆福寺，度过我人生中最宝贵的一段岁月。

我记得，直到那时候——大约 1957 年左右，隆福寺里的原主持喇嘛仍住在寺里，似乎住在寺院的后阁中，他长得极胖，夏天常常光着身子在廊下乘凉，两个乳房就如同两座肉丘，全身是酱紫的肤色。他的脾气似乎极好，而且子女颇多，他也很爱他的那些子女，只是不记得他妻子是什么模样。

后来我知道，隆福寺在明朝是京城唯一的一所青衣僧（和尚）、黄衣僧（喇嘛）同驻的庙宇。清朝时才整个成了喇嘛庙。1937 年，军阀朱庆澜官场失意，下野后入了佛学会，从南洋华侨那里募到一笔款子，重新修整了隆福寺。解放后，隆福寺的殿堂似乎从未公开开放过，也不见喇嘛们行法事，但殿堂里的一切，在我上高中的时候，似乎还保存得相当完好。不记得具体是哪年了，反正是我还在上高中的时期，有一天一个同学带我去看了那几座平日总是紧闭大门的殿堂，那个同学如果不是喇嘛的儿子，便是同喇嘛有某种特殊的亲友关系，所以我才能有一个终生难得的参观机会。释迦牟尼三世佛大殿里，堆了好多纸匣子，似乎是些货箱——那时候庙会早已湮灭，隆福寺开始成为一个有大棚的正式商场——但帐幔、佛像、壁画、藻井等等都并未受到损害。印象中，那三尊佛像的造型极桂，我成人后去过不少名寺，如峨眉山的万年寺、庐山下的东林寺、杭州的灵隐寺、福州的涌泉寺、泉州的开元寺等等，除泉州开元寺的建筑别具一格、佛像庄严凝重，似不亚于隆福寺的这个殿堂外，其余的我觉得都远不如隆福寺的这个"栏杆殿"有震撼力。三大士殿当时似乎尚未成为临时货库，因此给我留下的印象更为完整。特别令我震惊的是穹窿上的藻井。释迦牟尼殿的藻井因为殿中光线过分幽暗，未能看清，三大士殿的藻井据说比起前者来还稍逊气派，但给我的直感，是实在太了不起了，我也不懂那藻井是怎么修造的，意义究竟如何，但实在是既有令人惊叹的华丽外观，又引人生出无限的遐思。后来我上大学的时候，看到一份资料，说是隆福寺殿堂中的藻井，属于明清建筑中最精美最巧妙的孤例，不仅雍和宫中所有殿堂的藻井不能相比，就是故宫中的三大殿以及养心殿的藻井，也只不过或比它大，或比它奢，但无论从文物价值或从工艺技巧上衡量，都逊它一筹。在毗卢殿里我见到了毗卢佛，佛身安置在一个莲花座上，那莲花座上的每一个莲花瓣上，又都刻着一尊小佛，据说是"万佛绕毗卢"的意思，毗卢是讲经说道的大佛，自然应有这样壮美的一个莲花座，金刚殿不知怎么没能进去；后阁因为一部分已成了宿舍，也没去看。现在想起来，我当年能看到那么多稀世文物，真可谓眼福不浅了。高中毕业以后，我家从钱粮胡同迁走了，我后来上专科学校和参加工作，都在远离隆福寺的地方，因此便同隆福寺疏远了。

隆福寺的庙会，最早同护国寺、卧佛寺（位于花市一带，现已不存）、白塔寺、土地庙（广安门内，西便门一带）轮流举行，隆福寺每月（阴历）逢一、二、九、十举行四次，是最大的庙会，护国寺逢七、八，白塔寺逢五、六举行，每月只有两次，卧佛寺逢三，土地庙逢四，每月只有一次。清人得硕亭在《草珠一串》（竹枝词）中描绘道：

> 东西两庙货真全，一日能消百万钱。
>
> 多少贵人闲至此，衣香犹带御炉烟。
>
> 说明这个平民性的庙会，也有阔人来逛。

清人杨静亭在《都门杂咏》（也是竹枝词）中说：

> 东西两庙最繁华，不数琳琅翡翠家。
>
> 惟爱人工卖春色，生香不断四时花。

他们所说的"东西两庙"，东即隆福寺，西指护国寺。当年两寺庙会卖鲜花和卖绢花的都很多，到我逛庙会时，已经不太多了，我所见到的主要是一般的百货。

解放后，庙会逐渐解散。由于东单一带要进行新的建设，50年代初便将所谓"东大地"的临时性商场迁到隆福寺中，盖起了木架的、洋铁皮顶的售货大棚，后来经过公私合营运动，市场进一步发展，售货棚又翻修成砖墙、瓦顶的正式商场，并且逐年扩大着面积。到了 60 年代，即成了完全国营的东四人民市场，供应物品极其丰富，成交额自然是当年庙会不能望其项背的，并仍在迅猛发展着。不过，它似乎也失去了原有的浓丽色彩，失去了独特的个性，成为一个规格化、通用型的百货商场了。

近几年我成了一个所谓的专业作家，在深入生活的过程中我重访了隆福寺，也就是去了东四人民市场。我发现所有殿堂及其他能让人想起隆福寺那座寺庙的建筑已经荡然无存，甚至连一根汉白玉栏杆、一副窗棂也找不见了。我便问他们："是什么时候拆光的？为什么要将它拆光？"

没有一个人能说清是什么时候拆光的。反正不是一下子拆光的。在"文化大革命"以前，已经开始革那些古老殿堂的命。先是将其中的"迷信物品"加以取缔，以充作名副其实的仓库。后来觉得那"仓库"笨重不便，于是拆掉了其中的一座，改建成"新型仓库"，再后来觉得那些"破庙"妨碍了商场进一步扩大营业面积，便进一步加以拆除，到"文化大革命"当中，一说在"军宣队"时期，一说在"深挖洞"时期，终于将残存的"四旧"一扫而空，但这个"破四旧"的过程，又始终并无正式的文字记载，反正当时觉得该拆，就那么拆了，你问哪年哪月哪日拆的，人们只是对你耸耸肩膀，"那也值当记个准确么？"

里头的泥塑佛像、壁画，不消说都毁掉了，藏经呢？铜佛呢？据说有的转移到了雍和宫，究竟转去了哪些东西？交出时、接收时是否履行了正式的手续？又是谁也说不清。汉白玉栏杆呢？据说兴许在地面下的人防工程里可以找到一部分，大柱子呢？众多的椽子呢、斗枋呢？殿里的供桌呢？大的材料可能是在改建售货厅时用上了，小一点的大概是在"深挖洞"时烧砖窑当劈柴用了……那么，许许多多的琉璃瓦呢？屋脊上的螭头、翘檐上的仙人、坐兽呢？只知已烟消云散，而说不清撂到了何处……

呜呼，世界上最壮美的藻井，那连故宫三大殿、养心殿、雍和宫都远远不及的隆福寺藻井，那中国古代建筑史上最珍奇的孤例，我们是再也看不到了。

　　隆福寺，如今已经成了一个纯粹的书籍上的影子寺院。我还有幸见到过它，但我现在同大家一样，再无重访它的可能，我只有充满怅惘之情的回忆。

　　从报上看到一条新消息，东四人民市场将再一次进行改建，改建后的新商场将是一座现代化的大楼，并有达到国外先进水平的一流设施。比如说，里面将有漂亮而实用的自选售货大厅。我近几年去过东京，去过巴黎，去过法兰克福和科隆……我能想象出今后的隆福寺将出现一座什么样的建筑物，我的心情真是万分复杂。

　　此时同时，在北京地坛，人们正试图重现当年北京的庙会景象，从设茶座到卖小吃，从拉洋片儿到表演中幡；从展示风筝、空竹到销售大串糖葫芦……我去了，我看那里人们的心劲儿，真恨不能恢复整个隆福寺和护国寺似的，我更是百感交集。

　　当一种回忆变得沉重起来的时候，最好还是暂且打住。隆福寺是不可能失而复得了。我们今天的责任，是再不能让这些毁灭珍宝的事重演。

1985 年 9 月 12 日写于垂杨柳

楸树花

我不知道为什么现在北京很难见到楸树。这是一种容易栽培，而且可以笔直生长到二十米高，顶部形成一柄大绿伞的树木，无论作为庭院树还是行道树，它都非常适宜；我在北京老宅里，见到过用楸木雕刻的垂花门以及制作的太师椅，还听说这种木材特别耐湿，雨淋水泡都不会变形。但我对楸树形成特别深刻的印象，则是上小学时，有一回跟妈妈、姐姐走到隆福寺的一棵大楸树下，我抬头一望，高兴地叫了起来："哈！多大的牵牛花啊！"已经上中学的姐姐就抢着告诉我："不是牵牛花，是曼陀罗花！"妈妈了，蔼然地告诉我们："牵牛花和曼陀罗花都是草本植物，哪儿会开在这高大的乔木上。不错，这花看上去确实有点像它们，但你们仔细多端详一会儿吧，看清楚了吗？它张开的花顶像是两片对称的嘴唇，牵牛花却像浑圆的喇叭，而曼陀罗花则像个漏斗。这是楸树花。很好看，不是吗？"

隆福寺这个地名现在还在，而寺庙已荡然无存，那株大殿旁的楸树，也不知捐躯何处。我对那株楸树，特别是初夏它枝叶间簇簇淡红的双唇花，却永难忘怀。还有一个难忘的原因，是在那棵树下，我挨过打。

我上小学的时候，每天都要穿过隆福寺去上学。另外不少同学也如此。那时隆福寺的殿堂大都兼作库房，通道旁都设满摊档，是个每天都营业的百货市场。放学后，跟一群男生在寺里跑来跑去，看热闹，做游戏，是最开心的事。班上有个男生，脑壳较小，两只招风耳却很大，因为家里经济条件差，退学到寺里摆摊

卖袜子。有一阵，我们还在上学的男生，由个头最大的"铁拳"领头，放学后总
要到那袜子摊前骚扰一番。"铁拳"当然是个绰号。班上男生大都有绰号，并且
公开喊来叫去。男生也偷偷给某些女生取绰号，只是不敢公开当面使用。大多数
绰号并不怎么难听，我有时也就随着叫。但"铁拳"给那卖袜子的同龄人取的绰
号发音是"比基多耳"，意思是比男人裤裆里的那东西多两只耳朵，他往往离袜
子摊很远就开始怪叫，不少同学应和着，还非要人家答应他。我跟"铁拳"他们
一起玩藏猫猫、拍洋画儿、弹玻璃球什么的，都挺自如，可是，到袜子摊起哄，
就不大愿意，至于叫人家那样的绰号，心里就更梗着一道堤坝了。记得在那么一
个夏天，"铁拳"发现了我坚决不跟着叫那绰号的行径，就逼到我跟前，非让我
也那么呼叫。当时他怎么想的，我至今难以透解，但在我来说，却非常清楚自己
为什么叫不出口。"铁拳"把我身子推到楸树粗大的树干上，揪住我的脖领，怒吼，
逼我叫，我被迫仰头，恰好看见簇簇盛开的楸树花，妈妈的面容叠现在那些花朵上，
我就气喘吁吁地告诉"铁拳"："我妈妈不许我骂人。"他鄙夷地朝我咧嘴，骂着粗话，
顺手用他那铁拳重重地击了我腮帮一下，我嘴里立刻有了咸味……

　　那回的事情是怎么收场的？记不清了。总之，我没有把"铁拳"打我的事告
诉妈妈也没告诉老师，而且，第二天"铁拳"也还照样叫着我玩，而我也就还跟
他们一起藏猫猫。后来有一回班会上，老师说："咱们班女生没有骂人说脏话的。
男生么……"点出我的名来，表扬说，"他就从来不骂人不说脏话。"我后来基本
上一直保持着这样一种语言习惯。现在我提及此点并不是想自我表扬，只是酽酽
地追念起我那早已先后去世的父母，特别是跟我在一起生活得最久的妈妈，他们
对子女的绝不能骂人说脏话的要求，是融合在无数类似指点楸树花那样的言传身
教里的。我长大成人以后才懂得，我是获得了一种尊重每一个平凡生命的教养。

　　我的父母都是很平凡的知识分子，终其一生没有立下过值得社会忆念的功业。
许多年过去，我鬓发已白，在一次展览会上，忽然有个人叫出我的名字，我望了
他半天，才从他那对似乎永不会改形的招风耳上认出了他，他握住我的手以后，
问出来的头一句话是："伯母还康健吗？"我不及回答，他又说："你早忘了吧？……

我还记得，你说是你妈妈不许你骂人的……就在隆福寺的那棵大楸树底下……失学后我一直心窄……那回如果你也随他们叫了，也许今天你就见不着我了！"啊，他还忆念着我妈妈，其实他们并没谋过面啊！楸树花楸树花，我泪眼里全是你的光华！

2001 年

跟陌生人说话

父亲总是嘱咐子女们不要跟陌生人说话，尤其是在大街、火车等公共场所，这条嘱咐在他常常重复的诸如还有千万不要把头和手伸出车窗外面等训诫里，一直高居首位。母亲就像安徒生童话《老头子做事总是对的》里面的老太太，对父亲给予子女们的嘱咐总是随声附和。但是母亲在不要跟陌生人说话这一条上却并不能率先履行，而且，恰恰相反，她在某些公共场合，尤其是在火车上，最喜欢跟陌生人说话。

有回我和父母亲同乘火车回四川老家探亲，去的一路上，同一个卧铺间里的一位陌生妇女问了母亲一句什么，母亲就热情地答复起来，结果引出了更多的询问，她也就更热情地絮絮作答，父亲望望她，又望望我，表情很尴尬，没听多久就走到车厢衔接处抽烟去了。我听母亲把有几个子女都怎么个情况，包括我在什么学校上学什么的都说给人家听，急得直用脚尖轻轻踢母亲的鞋帮，母亲却浑然不觉，乐乐呵呵一路跟人家聊下去；她也回问那妇女，那妇女跟她一个脾性，也絮絮作答，两人说到共鸣处，你叹息我摇头，或我抿嘴笑你拍膝盖。探亲回来的路上也如是，母亲跟两个刚从医学院毕业分配到北京去的女青年言谈极欢，虽说医学院的毕业生品质可靠，你也犯不上连我们家窗外有几棵什么树也形容给人家听呀。

母亲的嘴不设防。后来我细想过，也许是，像我们这种家庭，上不去够天，下未堕进坑里，无饥寒之虞，亦无暴发之欲，母亲觉得自家无碍于人，而人亦不至于要特意碍我，所以心态十分松弛，总以善意揣测别人，对哪怕是旅途中的陌生人，也总报以一万分的善意。

有年冬天，我和母亲从北京坐火车往张家口。那时我已经工作，自己觉得成熟多了。坐的是硬座，座位没满，但车厢里充满人身上散发出的秽气。有两个年轻人坐到我们对面，脸相很凶，身上的棉衣破洞里露出些灰色的絮丝。母亲竟去跟对面的那个小伙子攀谈，问他手上的冻疮怎么也不想办法治治，又说每天该拿温水浸它半个钟头，然后上药。那小伙子冷冷地说："没钱买药。"还跟旁边的另一个小伙子对了对眼。我觉得不妙，忙用脚尖碰母亲的鞋帮。母亲却照例不理会我的提醒，而是从自己随身的提包里，摸出里面一盒如意膏，那盒子比火柴盒大，是三角形的，不过每个角都做成圆的，肉色，打开盖子，里面的药膏也是肉色的，发散出一股浓烈的中药气味；她就用手指剜出一些，给那小伙子放在座位当中那张小桌上的手，在有冻疮的地方抹那药膏。那小伙子先是要把手缩回去，但母亲的慈祥与固执，使他乖乖地承受了那药膏，一只手抹完了，又抹了另一只；另外那个青年后来也被母亲劝说得抹了药。母亲一边给他们抹药，一边絮絮地跟他们说话，大意是这如意膏如今药厂不再生产了，这是家里最后一盒了，这药不但能外敷，感冒了，实在找不到药吃，挑一点用开水冲了喝，也能顶事；又笑说自己实在是落后了，只认这样的老药，如今新药品种很多，更科学更可靠，可惜难得熟悉了……末了，她竟把那盒如意膏送给了对面的小伙子，嘱咐他要天天给冻疮抹，说是别小看了冻疮，不及时治好抓破感染了会得上大病症。她还想跟那两个小伙子聊些别的，那两人却不怎么领情，含混地道了谢，似乎是去上厕所，一去不返了。火车到了张家口站，下车时，站台上有些个骚动，只见警察押着几个抢劫犯往站外去。我眼尖，认出里面有原来坐在我们对面的那两个小伙子。又听有人议论说，他们这个团伙原是要在三号车厢动手，什么都计划好了的，不知为什么后来跑到七号车厢去了，结果败露被逮……我和母亲乘坐的恰是三号车厢。母亲问我那边乱哄哄怎么回事，我说咱们管不了那么多，我扶您慢慢出站吧，火车晚点一个钟头，父亲在外头一定等急了。母亲晚年，一度从二哥家到我家来住。她虽然体胖，却每天都能上下五层楼，到附近街上活动。她那跟陌生人说话的旧习不改。街角有个从工厂退休后摆摊修鞋的师傅，她也不修鞋，走去跟人家说话，那师傅就一定请她坐到小凳上聊，结果从那师傅摊上的一个古旧的顶针，俩人越聊越近；原来，那清末的大铜顶针是那师傅的姥姥传给他母亲的，而我姥姥恰也传给了我母亲一个类似的顶针；聊到最后的结果，是那丧母的师傅认了我母亲为干妈，而我母亲也就把他带到我家，俨然亲子相待，邻居们惊讶不止，我和爱人孩子开始也觉得母亲多事，但跟那位干老哥相处久了，体味到了一派人间淳朴的真情，也就都感谢母亲给我们的生活增添了丰盈的乐趣。母亲八十四岁谢世，算得高寿了。不仅是父亲，许多有社会经验的人谆谆告诫——不要跟陌生人说话，实在是不仅在理论上颠扑不破，因不慎与陌生人主动说了话或被陌生人引逗得有所交谈，从而引发出麻烦、纠缠、纠纷、骚扰乃至于悲剧、惨剧、闹剧、怪剧的实际例证，太多太多。但母亲八十四年的人生经历里，竟没有出现过一例因与陌生人说话而遭致的损失，这是上帝对她的厚爱，还是证明着即使是凶恶的陌生人，遭逢到我母亲那样的说话者，其人性中哪怕还有萤火般的善，也会被扇亮？

父母都去世多年了。母亲与陌生人说话的种种情景，时时浮现在心中，浸润出丝丝缕缕的温馨；但我在社会上为人处事，却仍恪守着父亲那不要跟陌生人说话的遗训，即使迫不得已与陌生人有所交谈，也一定尽量惜语如金，礼数必周而戒心必张。

前两天在地铁通道里，听到男女声二重唱的悠扬歌声，唱的是一首我青年时代最爱哼吟的《深深的海洋》：

> 深深的海洋，
> 你为何不平静？
> 不平静就像我爱人，
> 那一颗动摇的心……

歌声迅速在我心里结出一张蛛网，把我平时隐藏在心底的忧郁像小虫般捕粘在了上面，瑟瑟抖动。走近歌唱者，发现是一对中年盲人。那男士手里，捧着一只大搪瓷缸，不断有过路的人往里面投钱。我在离他们很近的地方站住，想等他们唱完最后一句再给他们投钱。他们唱完，我向前移了一步，这时那男士仿佛把我看得一清二楚，对我说："先生，跟我们说句话吧。我们需要有人说话，比钱更需要啊！"那女士也应声说："先生，随便跟我们说句什么吧！"

我举钱的手僵在那里再不能动。心里涌出层层温热的波浪，每个浪尖上仿佛都是母亲慈蔼的面容……母亲的血脉跳动在我喉咙里，我意识到，生命中一个超越功利防守的甜蜜瞬间已经来临……

2001 年

我的元记忆

　　人从什么时候有记忆？我个人的情况是，五岁以前，只有三幅画面的记忆。一幅，是在母亲的怀抱里，母亲在一条木船上，木船当然是在水上；"画"是从我的视角看出去的，母亲的乳房高大如丘，船帮和水都只是从"丘"的侧面显露出了一些而已。另一幅，则是一只带篷的小木船，篷下是我姐姐，她坐在篷下，朝我微笑；那篷很低矮，她头偏着，所偏向的那一边的胳臂，支撑在船板上。这前两幅画，很清晰，类似于欧洲文艺复兴初期的油画，色彩艳丽，造型准确。第三幅则很模糊，类似欧洲印象派绘画，由许多斑点构成，大体上是一座葡萄架，也不知道是哥哥还是姐姐，从高处往下面递一串葡萄，从我的视角看出，画面上最明亮而且比例加以放大的，是那串葡萄。后来我曾把这三幅存储在大脑沟回中的图画说给母亲听，母亲笑道："那时候你才两岁，怎么记得住？那是抗日战争时期，我带着你们几个孩子逃难；因为日本飞机常去炸成都、重庆，躲防空洞很麻烦，所以你们父亲让我带你们回乡下……你记得的，该是我抱你坐在一条船上，哥哥姐姐他们又分坐两只小船，回乡路上的印象；还有回去后在咱们乡下院子里，葡萄架下的片断情形。"

　　五岁以后，我才逐渐有了较为连贯的记忆。有的人直到少年时期结束，还不大做梦，或者虽然睡时有梦，醒来后却了无印象。我很早就做梦，而且醒来后居然大都记得。从童年时期到少年时代，我在梦中多次重温上面说到的三幅画。每次都真实再现，不多添加什么，也绝不减少什么。我是直到四十来岁的时候才读到弗洛伊德那些著作的，我把自己的老梦新梦拿到他的释梦框架里去细琢磨，觉得也许我梦里出现记忆里的第一幅画，或许还勉强能用潜意识里有"恋母情结"来圆通，但其他许多的梦境，都实在很难去跟"性压抑"挂钩。

我很小就喜欢胡涂乱抹。把梦见的画面移到纸上，是我少年时代常做的事情。上面所提及的三幅画，自然被我复制了很多次。那是我生命中的原始记忆，对他人没有什么意义，对我自己，则直到现在仍觉得非常珍贵，因为它们默默地证明着我是一个独特的生命。

大约从八九岁开始，到十一二岁那五六年里，我常常进入一个雷同的梦境，那情景是，在一个浩瀚的水域里，我自己，还有旁边数不清的生命，都是巴掌大的一种怪物。我曾把那梦里的自己和"别人"在纸上画出，梦的次数多了，醒来印象越来越清晰，画得也就越来越"像真的"。是什么模样呢？背壳有个纺锤般的中轴，两边对称地呈半月状，头上有两条触须，身侧有密密的像蜈蚣一样的脚趾。有时那梦再次来临，我会有一种莫名的欣快感，觉得从自己的视角望出去，身边，近处，远处，都是同类，大小有些差别，却没有特大和特小的，也都不算太活泼，却似乎都很惬意。可惜这样的梦境，到上中学以后，就渐渐隐退。但到上初三的时候，有一回去自然博物馆参观，在一个展览橱面前，我仿佛突遭雷击，惊呆了！我发现，那里面所陈列的古脊椎动物的化石，以及所附说明上的图形，竟完全与我梦中见到的"自己"和"别人"一模一样！古生物学把那种生命形态叫做三叶虫！

后来我查了有关资料，根据地质学所命名的地质年代，三叶虫这种节肢动物在寒武纪初期出现，晚寒武纪发展到高峰，那时地球水域里确实充满了三叶虫，现在已从化石中发现了一千五百属，一万种；寒武纪距离现在有多久了呢？大概是从五百七十万年以前开始，结束于四百四十万年以前！

这该如何解释？由于后来我生命发展过程里遭遇到了纷至沓来的现实问题，这个既私密又怪诞的疑问也就搁置一边，久未加以推敲。现在，我已年近花甲，且是赋闲状态，于是忽然拾起这个大问号，往深处探究了一番。

　　我知道，梦不能与记忆混为一谈。但梦里出现的东西无论如何古怪，总该是生命历程里遭际过的东西经过夸张、变形、扭曲、分解、重组、叠加的产物，古人论梦，有"南人不梦驼，北人不梦象"之说，我在连续梦见三叶虫以前，绝对没有看见过那样的化石或图画。我从小受的是无神论教育，不仅学校里这样教育我，我的父母也都是不信鬼神的，对我熏陶很深，因此用"前世来生""轮回托胎"解释梦境，为我所不取。但我相信，生命的密码，是可以代代遗传的。最远古时代的那些如三叶虫般的生命，可能是人类得以进化而来的源头，三叶虫的脊柱里的神经，应该已经有了最原始的记忆功能，生物进化的漫长过程中，一些遗传密码被淘汰掉了，更多的能够往下传递的密码产生了，但恐怕是，有某些最早的密码，我把它称作元密码，会越过几百万年，遗传到如今的某些人的大脑神经沟回里，会在某种特定的情况下，比如睡眠时，被激活，而呈现为生命的元记忆。

　　到这个世纪初，生命科学的发展，已有了重大突破，对构成人类生命的所有遗传基因，即染色体，都已被科学家破译，并正在整理、排序。现在我们知道，人类的染色体数目，与蠕虫、果蝇等相比，并不是像原来所想象的那么差别悬殊。人类为自己是地球生命中最高级的而自豪并没有错，但人类是否也该懂得自己在生命构成的基本元素——染色体——这方面与蠕虫、果蝇并没有绝对的不同，从而增加对宇宙自然的敬畏并心生谦卑？

　　我把童年时梦境里频频出现三叶虫，算作自己的元记忆，可能会惹得研究生命科学与心理学等方面的学者摇头，我祈盼他们摇头时不要再加嗤笑，我等待着他们给以科学解释。对于一般的读者，我则希望能够理解我所想表达的，其实并非是圆梦的自信，而是在一个静夜里，作为一个既有悠久物质承传更有丰富精神承传的普通生命，所体验到的一份生存的尊严与欣慰。

2001 年 3 月 6 日

子夜时分于北京温榆斋

童年：火的记忆

　　1949 年时，我已七岁。我家住在重庆南岸狮子山附近，居所是海关的一幢宿舍楼。这所两层的小楼临坡而建，楼上楼下本有楼梯相通，因为分给了两家人住，把楼梯口封死了，我家住在上面，另一家住下面。我家的楼层地板与坡上的地面大体平齐，因此开了一个门，通向坡面，但门与坡面之间并不直通，也就是那小楼的后墙本来与山坡间有好几米的距离，墙体与山坡间构成一种深沟的形势，深沟底部有渠水流过，因此在我家那开于后墙的门和坡面之间，便设置了一座木桥。木桥所通的坡面，有小小的院落，并有两间简陋的茅屋，一间是烧饭的厨房，另一间是放马桶的厕所。小院一侧有篱笆和木门，我家的大门，便是那木门，家人与亲友进出，都通过那双开的木门，因之我和楼下那家人，并没有任何共用的门道，也就几乎从不来往。

　　那幢小楼结构很简单，谈不上什么造型，就是长方形的模样。但我们的二层上面，有一个颇大的内嵌式阳台，那阳台对我们家来说，用处极大。那时我上面有三个哥哥、一个姐姐，还有一个从小跟我父母一起过，年龄跟我大哥差不多的小叔，是我祖父刘云门续娶妻子所生。一家人聚齐时，房子根本不够用，重庆夏天又特别热，兄弟们挤在一间屋里特别难受，因此，哥哥们，还有小叔，在炎夏时往往便到那阳台上铺凉席睡，我有时也硬往他们一处凑热闹，所以在我童年的记忆里，这阳台是个很重要的舞台。

伏在阳台的栏板上，可以非常清晰地望见长江与嘉陵江交汇在一起。山城重庆的剪影，一半为树丛遮蔽，豁显的那部分，从阳台上望去，大体上有如一个底边大于垂直边的直角三角形，或在晨雾中神秘地时隐时现，或在晴阳下如精勾细描的彩画，入夜则闪烁着万家灯火，雨中它会消失得无踪无影……几十年过去，从阳台望重庆市区的这些印象，仍鲜明地叠印于我的记忆之中。

1949 年入夏以后，重庆的国民党政权已然摇摇欲坠。达官贵人，能搞到飞机票的，全飞台湾去了。留下的防守部队，开小差的开小差，溃散的溃散。到接近秋天的时候，重庆实际上已处于半真空状态。解放军的到来，只是早晚的事罢了。那时社会秩序混乱，盗贼横行，怪事迭出。我家住在南岸，幸好家门口过往的烂兵游贼不多，得以保全。但母亲彼时的焦虑，使小小年纪的我，也感受到一种非同寻常的气氛。记得有一天有个人闯进了我家院门，黑袍黑帽，穿得像戏台上的人物一样，母亲站在我家的那座木桥上应付他，我缩身在母亲腰后，探头观望，他们一问一答之间，令我十分恐怖。那人自称道士，劝说我母亲把我交他带走，据说天下已然大乱，留下我对一家人十分不利，舍了我方可保全。母亲当然不听他的鬼话，最后总算把他打发走了。

1949 年 9 月 2 日，现在我从万年历上查出，是个星期四。那天只有母亲、我家的保姆彭娘和我三人在家。父亲每天都要乘"海关划子"（汽艇）渡江到城里上班，总要天黑净了才能回到家里。那时小叔已经搬出另住，大哥已在广州参加了解放军，二哥去乐山技专上学，小哥哥和姐姐则在城里巴蜀中学住校。大约是午后，吃完了饭，我一个人又跑到阳台上，搬把椅子，爬上去跪定，双臂则趴在阳台护栏上，像往常一样，眺望江水和江对面的山城。

江声浩荡，还有纤夫们悲怆的号子声。那是我童年时代耳边不绝如缕的生命交响，后来到了北京，忽然耳朵有种失重的感觉，夜里更觉得寂静得没有道理，心里空荡荡的。好久以后才懂得北京的安静方属正常，重庆那不间断的江流声反是一种特例。

不知在阳台上趴伏了几时，我发现江对岸密集的房子中，冒出了黑烟，烟柱越来越大，并且扩散开去，渐渐形成了一片乌云。再过一阵，则可以看见红色的火舌，似乎在贪婪地往上舔，舔什么呢？难道天上有蜜糖么？我觉得很有趣，便扭头朝屋里大喊："妈！彭娘！火！火！"然而妈妈和彭娘那时不知在忙些什么，她们根本没理会。

我的视力非常好，至今仍能双眼都保持着1.5的水平。那时我竟能看清对岸露出来的一些房屋，乃至于房屋外的廊坝。那时山城下部布满了"吊脚屋"。歪歪斜斜的吊脚屋像一些滑稽人在你挤我我挤你。我记得，有的"吊脚屋"那插到江岸边的撑木非常长，有的"吊脚屋"的窗口里露出些赤膊的人影，有的从窗口伸出长长的晾衣竿，上面晾的破衣烂衫仿佛军舰上挂起的"万国旗"。

嵌在我记忆里很深的画面是，山城腰部的火舌连成了一片，不能说是红舌头，而是滚动的红龙了，火焰上的烟尘也仿佛打翻的墨汁瓶，在蓝天这块大纸上恣意地浸润开去。可是，虽然在对岸的我看得清清楚楚，是有大火在燃，然而，我分明地又看到，那底下的"吊脚屋"里的人，却全然不知，还在继续他们原有的活动，一个房子前面的小坝子上，有个人悠闲地躺在凉椅上，摇着把大蒲扇……

妈妈和彭娘终于在我的大喊声中来到了阳台，她们朝对岸一望，便知不妙，连说："造孽啊，造孽！"然而，她们摇着头离开时，也还没有惊慌，因为重庆常有火灾，她们那时只不过以为又来了一场较大的火灾而已。

可是那天的大火越烧越邪。几个小时后，从我家阳台所能望见的那个直角三角形的半个山城，已然几乎全被火与烟所笼罩，可以清清楚楚地看到，上层燃烧的房屋如何带着火焰塌下来，使下层的房屋立刻也陷入火海。那个躺在凉椅上的人不知去向，那片坝子已堆满滚下的燃烧物。最惨的是沿江的"吊脚屋"，它们几乎在一瞬间便带着火苗跌入了江水中。有一些帆船大概是想靠岸救人，可是很快便有一艘、两艘被飞下的燃烧物引燃，于是其余的又赶紧驶离。江边出现了越来越多的蚂蚁一样的逃难人群，我看见当燃烧物飞滚溅落到江边甚至江水中时，一些"蚂蚁"只好拼命往江水里涌，最后一些人在江水里只露出了蚕种般的黑头发……后来听说，有些人不愿被烤死，终于被淹死，那真是不折不扣的水深火热！

一个七岁的儿童，亲眼目睹了这惨绝人寰的景象，却并不能明白究竟是怎么一回事。现在的复述，使用了现在所掌握的文字和技术，努力想回复当时的印象与感受，可是，很难。只能向读者保证：确有这样的一些信息，储存在了记忆之中。

妈妈和彭娘是怎样惶急起来的，我不太清楚，总之，当我发现妈妈眼里有了泪水，并且一贯总是沉着的彭娘也手打颤起来时，我才明白，对岸的大火不仅烧死了无数的"蚂蚁"，而且，也危及爸爸，还有小哥哥和姐姐的安全。我心里刚明白，便"哇"地大哭起来，这是一个七岁儿童唯一采取的摆脱危机感的办法。

那时家里没有电话，无从和爸爸他们联系，只好听天由命。当晚爸爸没有回家，哥哥姐姐也没消息。妈妈和彭娘彻夜未睡。对岸的大火在夜空中显得更加狰狞恐怖。火焰的热气顺风逼过来，火星也越江飘散，楼下的人家开始朝楼墙上泼水，以防万一。妈妈和彭娘心有余而力不足，望火戁悚。我哭累了，终于酣睡于妈妈怀抱中，她搂抱我良久才把我放到床上去。

第二天爸爸终于露了面，后来哥哥姐姐也回了家。那次山城的"九二大火灾"使无数老百姓家破人亡，姐姐同班同学杨素珍的父母便惨死在火海之中。"九二大火灾"究竟是一场由于普通人用火不慎（而当时的消防系统已然瘫痪），从而酿成的特大火灾，还是国民党政权的残余分子蓄意放火以制造恐慌，并以此来销毁可能落到解放军手里的物资？据说有人考证出来，是两种因素交织而造成的。

1949 年 10 月 1 日，解放军还没开进山城，在北京，中华人民共和国已经宣布成立。我们一家人在那阳台上，围聚在一个电子管收音机边，听到了从北京传来的现场广播。朝江对岸望去，满目疮痍的山城，仍有一些地方在冒着劫后的余烟。

大概是在年底，解放军来到了山城，人们打腰鼓，扭秧歌，南岸的小学里，人们和解放军联欢，一边唱《团结就是力量》，一边旋转着舞动，唱到最后，圆环紧缩，意味着团结无间，并且在当中举起一个小孩，小孩则挥舞着一面小小的五星红旗，我便充当过那被高高举起的角色，那一刻真是无比高兴、无比自豪！

　　我爸爸刘天演本是旧重庆海关的总务主任，可是因为他在解放前夕，将重庆海关的全部财产妥善而完整地保存与维护了下来（"九二大火灾"中也没有受损），以迎接解放军的到来，因此，解放后他不仅立即被吸收为重庆海关接收小组的成员，并且以思想进步、为人正派、业务娴熟为由，在北京成立中华人民共和国海关总署时，立刻被调任为新海关总署的统计处副处长。这样，在1950年春天，爸爸便带妈妈、小哥哥、姐姐和我，先乘轮船过三峡、夔门至武汉，再乘火车到达北京。从此我便在北京定居，一晃竟已有五十六个年头了。

小颗颗

1950 年，我八岁，随父母从重庆乘轮船顺长江而下，过三峡，出夔门，开始了盆地外的人生跋涉。

父亲原是旧重庆海关的职员。新海关创建后，他被留用。留用不久，重庆海关撤销，父亲被北京的新海关总署调去任职，这就连带着使我们全家从此成为了北京人。

父亲那时对新社会的新生活，特别是分配给他的新工作，充满了喜悦与热情。他要求全家跟他一起轻装进发，到北京开创一种崭新的家庭面貌。所以，由他做主，除了最必要的衣物，我们家几乎把所有原有的家当都抛在了重庆。我的玩具，当然更在弃置之列。不过临到上船以前，我固执地把一盒"小颗颗"抓到了手中，任凭父母劝说、兄姊讪笑，硬是不松手，当然，后来大人们也就随我去；因为严格地计算，那时我毕竟才七岁半。我所谓的"小颗颗"，是一种现在仍在生产的玩具，也就是插画积木，在扁盒子里，是一个有许多均等小格子的插盘，刚买来时，插盘里左边约三分之一的格子里，会满插着染成红蓝黄绿几种颜色的长方形小木柱；在附带的说明书上，有若干种样板图案，教给你如何挪动那些彩色小木柱，来变化出有意义的画而面，如在海上行驶的巨轮，在天上飞翔的凤凰，等等；当然，你更可以发挥自己的想象力，也不必一定要用上所有的小木柱，来自由自在地插出种种你向往的事物。这种玩具现在当然无论从制作材料上和设计创意上都有了很大的改进，并且已属于比较落伍的品种了吧，但当时于我来说，摆弄它，那真是无可替代的极乐。

我把那玩具变着法儿插了个心满意足之后，便开始了我个人的一种独特的玩法：我把那些彩色的小木柱称作"小颗颗"，而且，在我眼里，它们一个个逐渐地都变成了有生命的东西。有时候，我就取出若干"小颗颗"，把它们放在盖好的盒盖上，把它们，不，是他们或她们，排列组合，挪来挪去，嘴里还念念有词，或想象着那是在举行一场婚礼，红的"小颗颗"扮新娘，蓝的"小颗颗"扮新郎，其他一些"小颗颗"则分别是父母带我参加过的婚礼上的，我所能理解的其他角色；又或者是想象出在幼稚园里，黄的"小颗颗"是阿姨，许多绿的"小颗颗"则是小朋友，有的乖，有的不乖，乖的得到很甜的糖吃，不乖的被一边罚站等等。亲爱的"小颗颗"们啊，我怎么舍得把他们抛下？即使那时我也很兴奋地闹着要快点去了不起的北京城。

在驶出重庆的轮船上，除了吃饭睡觉，我几乎总跟我的"小颗颗"形影不离。

由于"小颗颗"是我最钟爱的东西，所以按说玩了那么久，那么多的小木柱，总有一百来个吧，任是爱惜，也难免弄丢几个吧；我却始终一个也不缺少。记得在重庆家里常常是不慎将盒子打翻，"小颗颗"滚了一地，我便会极认真地将他们一—拣拾清点，有一回最后怎么也找不到失去的一颗，我竟急得哭了起来，但晚上我终于还是爬到棕绷子大床底下，找到了"她"（那是红色的一颗），我高兴得就仿佛肩膀后面长出了肉翅一般！

好像是在宜昌，船要停靠比较久的时间，父母便带我们上岸去玩。我竟还是固执地带着我的"小颗颗"随行。比我大八岁的姐姐讥笑我说："哪个会偷你的'小颗颗'啊！怕是送给别人，人家还懒得要呢！"我和姐姐之间再没别的兄姊，所以她算是最接近我的玩伴了，也只有她还有心嘲笑我，家里其他大人早就失却了议论我那"小颗颗"的兴致。

那天从宜昌城里玩完，到码头登船的时候，具体是为什么，我已经说不出来了，反正，轮船是改停在了江心，归船的旅客们，不是像下船那样，从跳板即可上船，而是要乘小木船，渡到那大轮船边上，再爬舷梯登船。

我们全家，和另一些旅客，同乘一只木船，往那大船而去。我清楚地记得，母亲牢牢地把我揽在怀中，她的体温，传递给我一种安全感。也许是船上人多，船舷压得低，江上的浪波，似乎随时要涌进船舱；我那时的身躯，应不及现在的一半大，因之我眼里的江景，便格外地雄奇。记得那已是黄昏时分，天色晦明，耸起的浪头，仿佛是露着牙的狗头，一浪接一浪，又似朝船里咬来，又似朝远处跑去；而更高的，简直是望不到顶的青黛真山，在那边承接着连绵不断的江浪，令我小小的心，充塞着神秘与惊恐……

就在那一天，那个傍晚，那条木船上，在母亲的怀抱里，我做了一件事：我取出了一粒绿色的"小颗颗"，将他抛到了江浪中……

那是真的，还不满八岁的我望着那抛出去的"小颗颗"，默默地在心里说：这就是我！我要看你，"小颗颗"，会怎么样……

怎么样了呢？记得，那"小颗颗"开头总在船边的一个浪峰上，显得很渺小，很害怕地，晃荡着……后来，他就被运到了另一个浪头上；再后来，他越过一个又一个浪头，离我远去；没多久，便不见踪影……

当时，我为什么要那样做？至今我仍不能完全地解释自己。

然而这个小小的举动，这江上的一幕，那瞬间的记忆，历经四十多年了，至今鲜活于我记忆的空间。

后来我才懂得，"小颗颗"是木质的，因此，他排开水的那份重量，大于他的自重，因此他不下沉，然而，那"小颗颗"，也便是我，能在江浪中壮游多久呢？世界是那么大，生活是那么复杂，前途是那么诡谲莫测，而他自身是那么渺小，那么脆弱，那么单纯，能适应么？能成熟起来么？能坚强起来么？……

"小颗颗"，绿色的"小颗颗"，他后来究竟哪儿去了？他会被一条鱼吞进肚子里，最后那鱼被人捕获，破肚开膛时，吓那家庭主妇一跳，或博餐馆厨师一笑么？他也许根本没有荡远，没过几时，便被抛到了岸边的沙滩泥涂里，夹杂在卵石中，烂掉……当然，他也有可能，顺江而下，历经曲折艰险而又威武雄壮的途程，最后竟终于跟随着那泱泱江浪，奔入浩瀚的海洋！……

当然，这都是我告别童年时代以后，在我生命历程的某个得以沉思默想，特别是从记忆深处拎出一些仍有营养的"草料"来反刍的间隙里，常有过的叩问与思绪。

是的，现在我坚信"小颗颗"没有被吞噬也没有委身泥沙，他应当仍在潮流中挣扎，既因渺小而不能不随潮飘荡，却也因他是有心灵的存在物而拼命地朝着自己寻求的方向涌进；随着时代的主潮而终于进入大海，于他来说并非是一种妄想，乃是一种值得赞许的既甜蜜也酸辛的努力……

到了北京以后，那盒只少了一粒的"小颗颗"的玩具，我还保存了很久。大约是在1960年，我父亲调往张家口解放军外语学院任教，父母把北京的家撤了，搬往那塞外古城，他们只给我准备了一只人造革包皮箱子，还有一个被褥卷，让我住进学校的集体宿舍，去独自生活。大概那时我才终于抛弃了我所保存的那些童年与少年时代的杂物，包括那盒"小颗颗"。

人在一生中，是必得一再地做减法的。整盒"小颗颗"的减去，实在也只是微不足道的一件事。我后来减掉过更多似乎是很有纪念意义的东西，都不足惜。

只是心灵深处的记忆不能减掉。永远记得那个傍晚，我把一粒"小颗颗"抛进浩荡江浪中的情景。我与那"小颗颗"，是一是二？

忆及此，我心中充溢着对命运的敬畏，也勃动着与命运抗争的激情。

1996年3月20日凌晨于绿叶居中

硬木棍

上小学的时候，有一回老师发了火，要打我和另一位男孩子的手心，但他忘了带戒尺，于是乎大喝一声：

"滚出去！自己找一根棍子来！"

我们就滚出教室去了，各自找棍子。

教室后面是一个废园，杂草之中有丛丛灌木。我认认真真地找棍子。最后认定了一丛灌木的一根枝条，那根枝条捋掉了叶子后光光的、圆圆的、直直的，符合"棍子"的定义。然而我怎么也撅不断它——它那饱含汁液的枝干和相当坚韧的外皮就是不肯完全断裂，我几乎使尽了全身力气，并且沁出了满额的汗珠，还蹭破了手上的肉皮，最后一个屁股墩跌下去，才总算让它断离。

我拿着那根枝条回到教室，发现老师正在打那位与我同罪的男孩，用的是一根很细很脆的树枝，随着击打连连断落，引得满室同学发出强忍不住的笑声。当那位同窗哭丧着脸走回座位时，我上前将自己找来的棍子递到老师手中，前排的几位女同学先忍不住"嗤"地笑出声来，结果迅即地引出一个哄堂——因为大家都看出来，我为自己挨打找来了一根货真价实的硬木棍！

至今回想起来，我还为自己的这一行为感到莫名的惊诧——我为什么会那样呢？

倘是写小说，我往下写时或许会这样设计：老师接过那根硬木棍，望了望，忽然改主意，不打我了……然而那天存在过的事实是，老师毫不含糊地就用那根硬木棍抽打了我的手心，足足二十下，使我疼得钻心，并且手心肿起老高，很多天后才平复下去。

上中学的时候，有一天班主任老师严肃地说："全班同学必须每四个人组成一个家庭学习小组，每天晚上集体复习功课，哪位同学家里有条件开展小组活动，请举手！"

我毫不犹豫地举起了手。因为我想我家有一张八仙桌，正好四个人围着复习功课。

老师派定了三位同学到我家。晚饭后，我把八仙桌拖到了屋子当中——它原是靠墙放的；并且准备好了四杯热茶。三位同学到了，他们的眼神也许有点异样，但当时我没注意到；我以为我们小组的活动开展得很好。

第二天他们也来了。正讨论数学习题，忽然一位男同学小声问我："刚才那倒茶的，是你家保姆？"

"哪里！"我告诉他，"是我妈！"

我心里头有了点不愉快。我记得我当着他们的面叫过"妈"的。我妈妈当时穿得比较差，因为她每天要给爸爸和我做三顿饭，而我家是很注重吃的，她大量时间泡在厨房里，烟熏火燎的，所以没必要穿好看的新衣服，其实她是有那样一些衣服的，去亲友家做客时她才穿，我知道的。

复习完数学，一位女同学又小声问我："你们家怎么连沙发都没有呢？"

是没有沙发。我也不知道爸爸妈妈为什么不买沙发。那是他们的事。

临到他们都走的时候，另一位男同学又小声问我："你们家怎么不养点鱼呀什么的？"

这我就更答不上来了。

后来知道别的家庭学习小组都没能坚持搞下去，我们小组也就散了。班主任说话仍然那么严肃乃至于严厉。但对于这些小组解体他并没有追究。

我很少到同学家串门。过了挺长一段时间，我才去了那三位同学家。一位男同学家是个独门独院，他自己有独立的住房，在他家不仅可以开展小组活动，甚至可以把全班同学请去聚会。另一位男同学家光客厅就足有二十八平方米，并且有好大的一个"水族箱"（当时还不知道这种称呼，我叫成"大方玻璃鱼缸"），里面有百十条五颜六色、形态各异的热带鱼在欢快地遨游。那位女同学家有整整一圈皮沙发，坐在那些皮沙发上讨论功课是非常惬意的，聊闲天更是神仙般的感受。然而当班主任老师问"哪位同学家有条件开展小组活动"时，他们都懂得谦虚谨慎，只有我狂傲地举起了手来——仅仅因为我家小小的两间屋子里有一张陈旧的八仙桌。

中学最后一年的头一个学期，班主任老师说要召开一次家长会，发给每个同学一张通知单，我回到家就把那通知单交给了我妈妈。

那次家长会定在一个星期日召开。我妈妈去了。她很胖，走路移动步子很迟缓，可是她一步步地挪到学校去了。结果那一次家长会只到了两位家长。本来定在教室开，人太少，班主任老师便把两位家长请到他宿舍中去坐着聊。那位家长似乎并没聊出什么，主要是我妈妈聊。我妈妈说话很慢，同她走路一样地迟缓，然而她一句跟着一句地对班主任倾诉，倾诉我在家里闹脾气的种种情况。

回想起来，我在那一阶段，内心莫可名状的骚动确乎超出了同龄人，爸爸妈妈不理解我，连我自己也不能认知自己。我在学校里面，当着老师、同学，是安静的、温柔的、羞涩的、不引人注意的，然而在家里，我却会无端地烦躁、粗暴、哭闹，以至弄得邻居们也都怪讶我的表现，使爸爸妈妈除了承受我直接给予的刺激外，还要承受邻居们的鄙夷目光、窃窃私议乃至于当面讥评，所以妈妈主动积极地去赴家长会，并且不以到会人奇少而生遗憾，反以能同班主任老师尽兴倾诉而感荣幸，就一点也不奇怪了。我妈妈是一个天性良善、毫无城府的人，并且她一生中从未减退过对我的挚爱，我知道她向班主任老师倾诉一切绝无"告状"心理，她纯朴地认为班主任老师可以帮助我克服存在的问题。

谁想妈妈的这一行动给我带来了毁灭性的后果。班主任老师从此认定我是一个"两面派"。那位当时在场的家长回家后自然把听到的情况当做一桩新闻，学舌给了她的儿子，她那儿子即我的同窗自然很快又把我的笑话和丑态传达给了别的同学，这就不仅使我从此后脊梁添了遥戳的手指，并且使班上的团干部认定我绝无资格入团，其中情绪最激烈者甚至认为我"品质恶劣"。这就导致了我毕业时的操行评语十分不雅，并影响了我在高考中的命运。

现在回想起来，也实在没有什么好抱怨的。我那时在家中确实有过若干荒唐的表现，比如我非要把八仙桌四边蒙上布单，自己钻进去独坐，想象自己是在一个深邃的地洞中，可以派生许多的奇遇；爸爸妈妈觉得我幼稚不堪，让我出来，我不干，他们撤布单，我就跟他们吵闹，等等。当时的班主任和团干部们，不可能从生理、心理、性格、气质等角度出发，来理解我疏导我，他们一律归结为思想意识问题、道德品质问题，那是很自然的。

现在仍令我自己惊讶的，是我明明知道妈妈去开家长会可能会暴露出我的另一面目，我怎么会毫不犹豫地将家长会通知书交给了她？并且她去赴会时乃至赴会回来后，我为何一直麻木不仁？倘是编小说，我不会把那次家长会写成只有两位家长到会的——那会被认为"情节设计不合理"——然而事实就是那样的，可见当时并不存在着一种压力，使同学们觉得必须把通知书交给家长——我敢说一定有许多同学根本就没把通知书交给父母，而有不少家长，看到通知书也并不以为应当来开那次的家长会，因为离毕业还有差不多一年呢；总之我又成了一个大傻帽，就同那回找了一根硬木棍交给老师打自己手心一样，也跟那回只因为家里有一张八仙桌便举手让人家来我家搞小组活动一样。

这些往事，不知怎地在脑海中浮现了出来。

我感到害臊。但，无悔。

1990 年 12 月 6 日于北京安庆门

瓜菜代·小球藻

1958 年，我正上高中，夏收后集体到农村搞深翻。当时的"大跃进"，在农业生产上一是搞"合理密植"，一是深翻土地。"合理密植"我现在加了引号，当时是不能加引号的；实践上是互相攀比，越植越密，越密就越显示出"大跃进"的气魄。密植的田地里，也确会在小面积上出现较多的麦穗或谷穗，于是可以把那小面积的穗子过秤，甚至于只将一株穗粒最多最饱的麦子或稻子过秤，然后加以推算，也就是作乘法，比如，一株麦子穗重一两，则以最密集的算法，算出一亩地有多少株，如设定为十万株，则得出亩产万斤的结论，于是立即可以敲锣打鼓，欢呼"大跃进"的伟大胜利。后来有的地方"合理密植"成了"合理密放"，那产量就更厉害了，产几万斤的都有。据说伟大领袖那时对接踵而至的高产捷报喜极而忧——这样多的粮食，怎么消费得完呢？也曾有所怀疑，一亩地能长出这么多粮食吗？特地向一位科学家咨询，那科学家用推算法算出，一粒麦子或稻谷需要多少太阳能，而太阳能极其丰沛，以一亩地所能获取的太阳能总量，除以一粒粮食所需的能量，再折算成重量，来统计一亩地的产量，结论是完全可能亩产几万斤的。那时这种推算法折算法极其流行，影响上上下下几代的人。记得"文化大革命"里，郭沫若出版了他的新著《李白与杜甫》，他从杜甫有"恶竹应需斩万根"的诗句，依照一株竹占地若干，倒算出万竿竹是多少亩，那当然是个不小的数字，于是论证出杜甫是个仅竹园一项就所占甚多的大地主，这论证给了我很深的印象。又记得"文革"中有人领喊口号，喊的是"毛主席万岁"，因为其出身不好，于是遭到质问："为什么不喊万万岁？为什么存心减少一万倍？"吓得被质问者当场大小便失禁；那质问者可与那位科学家更可与郭沫若媲美，深得推算法折算法之精髓。说完"合理密植"再说深翻土地，深翻也是互相攀比，越翻得深，"大跃进"的气势也就越旺。我们那次参加的深翻，以至于不是翻而是挖了，最后挖得能站进一个人不露头，挖好一条壕沟，再填上，就那么往远处挖，个个累得骨头散了架，但想到深挖后，再"合理密植"，那下一茬的粮食将起码亩产几万斤，真是兴奋莫名！兴奋了就要宣泄，宣泄的渠道非常畅通——那时村里搞"诗画满墙"，工余常开"赛诗会"，屋墙上的壁画也不断刷新，记得那时我们去的村里有一幅最大的壁画，上面还题着诗：

> 公社粮食堆成山，
>
> 直上云霄不见尖，
>
> 喜马拉雅仰头看，
>
> 直说哎呀脖子酸！

那画非常地"超现实"，也很"波普"，如现在拿去参加"威尼斯双年展"，说不定能够夺冠。后来郭沫若、周扬合编《红旗歌谣》，我以为我看见的这首或类似的可以入选，但却遍翻全无，选入的全是让玉皇大帝吓得打哆嗦之类，仔细一想，拿还不足万米的喜马拉雅作比，太右倾保守了，落选是必然的，没遭批判已是万幸。

那一年我十六岁，正是如今所谓"花季·雨季"的旺期。那时候的事情记得最真，那时候唱过的歌也至今不忘，比如：

> 麦苗儿青来菜花儿黄，
>
> 毛主席来到咱农庄，
>
> 千家万户齐欢唱，
>
> 好似春雷响四方……

1995 年在威海，我曾把这歌哼唱给台湾作家陈映真听，他当时好激动，眼睛都潮湿了，连说："好……好……"他在蒋介石在世时，因在台湾和几位好友秘密学习毛主席著作，被捕入狱，关在绿岛，直到蒋经国当政，实行"解严"（解除"戒严"），开放"党禁"、"报禁"，才有了自由。听同一首歌，不同的人各有不同的感受。比如台湾有首《绿岛小夜曲》，我们海峡这边的人往往只当是首缠绵的情歌，唱时难得想到绿岛是蒋经国"解严"前专门囚禁"政治犯"的地方，而那"小夜曲"，其实是当年犯人在拐着弯儿地倾诉渴望自由的心声。

好，扯远了，再转入正题。密植、深翻等等"大跃进"的壮举，理应令我们和伟大领袖一起为这样的问题而夜不能寐——粮食多得吃不完，可怎么得了啊？可是，到 1959 年，粮食就紧张起来了。后来简直是大家都吃不饱了，连我们北京市民也浮肿起来。这是怎么回事儿啊？1961 年，我到一所中学当老师，那学校有位教师，有个言论，是说"'大跃进'有得有失"，虽然他先把"得"说得满满的，可因为他毕竟又说"有失"，所以遭到了批判，这事对初入社会的我来说，很能引以为戒——无论什么时候什么场合，都莫去论"失"，尤其对总路线、"大跃进"、人民公社这"三面红旗"，要永远颂得亦即颂德。

可是，粮食不够吃，常常觉得饿得慌，这怎么解释？解释很圆满，是自然灾害造成的。有没有人祸呢？后来才知道，1959 年，彭德怀在庐山，以及 60 年代初刘少奇在"七千人大会"上，都曾提出"也有人祸"一类的看法，但是彭立刻遭到迎头痛击，刘没过几年也得到"现世报"，"人祸"说会遭致杀身之祸，万万将之抛到爪哇国去，这是我在那时获得的宝贵人生教益之一。

但不管怎么说，自然灾害所造成的肚皮常饿的问题总也得解决。于是，在那三年"困难时期"（即 1959 年至 1961 年）里，又出现了一个给我留下深刻印象的词语：瓜菜代。这个词语现在也许偶尔还在使用，但应归入贬义词了，那时候却是一个褒义词——因为粮食不够，又想让大家吃饱，那时候各单位食堂八仙过海，各显其能，想出了种种办法，其中最重要的一种便是瓜菜代，比如把白菜帮子剁碎跟玉米面揉在一起蒸窝头，或者用一些瓜和菜跟玉米面熬成糊糊，这样吃下去虽只是"水饱",毕竟胃里舒畅多了;但瓜和菜不知怎么的——一定也是自然灾害作祟,竟也很难觅到,于是又发展到用野菜、嫩柳树叶、新杨花穗等与粮食混合制作的粥饭;吃着这样的一些富于创造性的杰作,当然绝不能有鄙夷之态,而要引以为自豪,也就是说,瓜菜代并不是权宜之计,恰说明"大跃进"等"三面红旗"大大激发了我们人民的聪明才智,而且也说明我们的饮食结构比资本主义国家那种胡吃海塞更先进、更优越。1962 年以后,粮食以及副食供应开始有所好转,瓜菜代的提法才开始转义——有的教育系统的人士,把接收质量差的学生到自己所在管区、学校、班级,戏称为瓜菜代,但到"文化大革命"时,这种"歧视劳动人民子弟"的提法也就遭到了严厉批判。附带说一下,1990 年以后,北京相继出现过"忆苦思甜大杂院"、"向阳屯"等饭馆,有些吃厌了生猛海鲜、燕窝鲍翅的主儿,专爱到这样的饭馆里吃些个窝窝头贴饼子烩野菜炸蚂蚱什么的,去去腻,减减肥,也算得瓜菜代吧,但那已经完全不是我所说的那个远去的词语——瓜菜代了,就好比我们现在挂在口头的"入世"(加入 WTO) 与儒家、佛家说的那个"入世"大相径庭一样,切莫混为一谈。

那时期还有一个词语令我终生难忘,就是小球藻。那时候粮食既然匮乏,鱼肉禽蛋也就更加稀罕,于是报刊上发出文章,说何必吃什么鱼肉禽蛋,鱼肉禽蛋不就是些蛋白质吗? 蛋白质有什么稀奇? 生产蛋白质何必那么费工费时地去养猪牛羊鸡鸭鱼,在水里养小球藻,繁殖极快,简单易行,而且取之不尽,用之不竭,中国人民不仅有志气,而且有智慧,从今以后再用不着跟在资本主义国家屁股后面爬行了,我们可以全民生产小球藻,小球藻的蛋白质含量几乎达到百分之一百,小球藻经过加工就是人造肉啊! 先进的中国人民吃先进的人造肉,营养水平将大大超过英国佬美国佬! 一时间,各系统、各单位,几乎都成立了生产小球藻的小组,很神秘,也很光荣,党支部有专人负责,还有某些党员和积极分子被给予了试尝的殊荣,他们个个尝完都赞不绝口,使一时未能尝到者极为羡慕,我那时便是羡慕者之一。1990 年以后,有一次我拜访文学老前辈严文井,他回忆起,当时作家协会也生产小球藻,是在一些玻璃瓶里养的,他当时作为作家协会的领导人之一，也高度重视这件大事，并且头一回吃那人造肉时，也有一种自豪感。但我们又都记不得，什么时候，为个什么，小球藻的生产渐渐式微，乃至戛然而止，现在似乎也未复活——时下盛行"绿色食品"的潮流，小球藻毋乃"绿色食品"的先声？——那时候很多事物，除了我已举出的"合理密植"、深翻土地、诗画满墙、瓜菜代、小球藻什么的，还有以土高炉大炼钢铁、村村办大食堂、吃饭不要钱什么的，都是来时轰轰烈烈，去时静静悄悄——那原因当然不是失败，也不是"有失有得"，而是成绩大大的，收获多多的，永放光芒，光芒万丈；光芒移动，我们跟着移动就是，何必多问，更不要乱说乱道。关于小球藻，后来我才知道，就是不怎么流动的水域里所生长的蓝藻，确实很容易找到"种藻"，繁殖得也很迅速，对其进行化学分析，也确有蛋白质成分，但它在水域中的蔓延，会导致水中缺氧，从而使水里的鱼虾等动物窒息而死，并且它本身也不适宜人类大量、长期服用，不大可能加工为什么人造肉，还得去认认真真地养殖鸡鸭猪羊等等，才能吃到肉蛋等物。小球藻这个词语现在也许在植物学等专业领域里还活着吧，但我记忆中的那个词语"小球藻"，它只与远去的乌托邦勾连着，活像一具绿色的髑髅。

1999 年 11 月 18 日绿叶居

我是一个"新北京"

上星期还在香港，同几位香港文化人聚会，他们一听我的口音，便问："你是'老北京'吧？"

我便告诉他们，我是四川人。我生在成都，长在重庆。

"那你怎么一口的'京片子'？"

我笑了。香港人毕竟是香港人。他们听到我的语音便以为我够得上"京片子"了。其实我还差一截。

我进一步告诉他们，我不是一个"老北京"，我是一个"新北京"。

我是1950年年初随父母到北京的。北京城的新生之始，也便是我"北京人"资格的起始。

我随新北京一同成长。

记得我刚到北京那阵，东四牌楼的四个牌楼还在。当然，西四牌楼和东单牌楼以及西单牌楼，也都还在。不过我最熟悉的是东四牌楼一带。

夏天，成群的燕子吱吱喳喳地绕着高高的牌楼飞来舞去。牌楼下，环城电车当当地响着踩铃，在来往的三轮车中巍然行驶着。

我的下一部长篇小说拟题为"四牌楼"，不是偶然的。

我会写到那一幕吗？街边上堆着一米高的又黑又亮的烂泥，烈日下飘散着阵阵恶臭。但人们都眉开眼笑。因为新政府刚落住脚便为北京城疏浚下水道，同时治理着西北城的三海——

积水潭、什刹海后海、什刹海前海。

进行这项工作的有民工，但更多的是解放军。他们皮肤黝黑，额上沁出大颗的汗珠。

这便是我创作灵感的初始来源吗？

我家在钱粮胡同住了十年。我在隆福寺小学上学。我是个成绩平平的学生。可是我在功课以外的知识积累未必平平。我每天要四次穿过隆福寺。我眼见着它从庙会演化为市场，从简单的货棚演化为堂皇的商店。我见过守寺的喇嘛，我知道一些店员的历史，我窥见了许多有趣的细节。

我那获得"第二届茅盾文学奖"的长篇小说《钟鼓楼》，里面写到了隆福寺，写到了喇嘛，写到了东四人民市场和售货员。难怪！

后来我在西北城什刹海一带又住了十多年。我在柳荫街上的北京十三中当了十多年的语文教师。

什刹海成了我心中的明珠。1963年，我21岁，在《北京晚报》上发表了一篇不足千字的抒情散文：《银锭观山》。1983年，我四十一岁，在《收获》杂志上发表了一篇长达三万余字的小说，也叫《银锭观山》。两篇作品都写到连接后海和前海的那座小小石桥。夏日晴天，站在桥上朝西望，漾漾碧波的尽头，是青黛色的西山。"银锭观山"曾被前人定为"燕京十六景"之一。

这两篇《银锭观山》都没有写好。在得到好评的《钟鼓楼》中，却又没能很好地写到什刹海，写到"银锭观山"。我想指不定哪天我的笔尖还会转到什刹海和"银锭观山"上去。

北京景永远使我陶醉。然而更令我动情的是北京人。又特别是最普通的北京市民。

我结婚以后，曾在一个杂院中生活过十多年。那里面住的全是最典型的北京市民：炸油饼的、压切面的、裁缝、售货员、建筑业上的小工，地位最高的是酒厂的一位干部。他们看到了我娶妻生子的一切，美态和丑态，我也洞悉了他们的一切，高尚与卑微。我读通了一部书：人·生活·社会。当然，没有彻底读通，但至少是初通吧。

所以我的《钟鼓楼》献给了他们——普普通通的北京市民。我希望能把一种崇高的历史感和一种悲壮的命运感交融到一起。

我也目睹了新北京的混乱和停滞。这种混乱与停滞给北京人带来了心灵的创伤。

1977 年 11 月，《人民文学》杂志发表了我的短篇小说《班主任》。我发出了愤懑的呐喊："救救被'四人帮'坑害了的孩子！"

在香港，有的报刊称我为"伤痕文学之父"。当然是个夸张的称谓。那地方一贯语不惊人死不休。

但这一点似乎是可以承认下来的：《班主任》是"伤痕文学"的代表作和新时期文学的发轫作。

写得很粗糙，不可重读。每一行现在都令我脸红。为什么不写得更艺术一点呢？

我渐渐走进了文学。但我并没有离开生活。没有离开北京市民的生活。

我写了《如意》。那里面的两个小人物是北京特有的。我把理解与同情给予了他们。

我写了《立体交叉桥》。一位在房管部门工作多年的同志告诉我，我对北京市从 1950 年至 1980 年的建房史的文献式描写，其精确程度令他和他的同事们感到吃惊。由此可见我对北京的关切达到了怎样一种程度。我是一个"新北京"，我是它发展的见证，也是它问题的见证，作为八百万市民中的一员，我不可能不关注它的各个方面，从公园到公厕，从小孩到老人。

我近期的三个纪实小说更进一步说明了北京城与北京人是我创作的不竭源泉，也是我无尽的表现对象，并且，对北京城与北京人的温情关注，将一直贯串在我今后的创作中。

《5·19 长镜头》。我把长镜头对准了北京所谓"胡同串子"青年的心灵。

《公共汽车咏叹调》。我咏叹着北京千千万万市民萦怀于心的旋律。我呼唤着相互的理解与谅解。

《王府井万花筒》。我企图摇出一个在开放与搞活中炫目迷神的万花筒，供读者们品味与思考。

爱不够的北京，写不尽的北京。

北京在一天天地更新。

我这个"新北京"也必须一天天地长进。

1986 年 5 月 16 日写于北京劲松东街

哄堂大笑中的领悟

我在北京二十一中上初中，最爱上的是生物课，成绩最好的一门功课自然是生物。语文的兴趣和成绩却平平，不过偶尔也有篇把作文被语文老师当众夸奖过。记得曾有一篇谈美与丑的论说文，老师给了很高的分数，却并没有在课堂上予以表扬、引为范例。他在文后的批语中，最后写了这么一句："此文是否有所依托？"过了好久我才明白，其实他是在怀疑我抄袭。自从上小学初写作文到如今卖文为生，我承认败笔不少，谬误难免，不过倒从来没沾染过抄袭的毛病，这是清夜扪心，良心上最过意得去的一条。自然这也绝对构不成一条优点。

至北京六十五中上高中时，语文渐渐成为了我的第一兴趣。语文老师也偶尔在发作文时把我的文章读一下，予以鼓励。我被鼓励的作文，似乎都属夹叙夹议类型。爱发议论，是我学生时代就养成的一个——优点？缺点？特点？赘点？到现在我也想不清。一个人有一个人的思维方式和表达习惯。为适应读者固然应当调整，但为保持个性又不能强行抑制。在早先，我最重视的读者自然是对作文有评分权的语文老师，后来是报刊和出版社的编辑，再后来是读我刊印出来的文字的人，但这其间又有纯粹的读者和批评家两种人，前者人数多然而意见隐，后者人数少然而能量大，有一阵我一提笔便觉得有批评家在旁棒喝，颇有战战兢兢之感，现在倒也渐渐想开了，就选材、写法而言，我还是随自己的意思吧。扯远了，还是来谈在六十五中上高中的事。

记得在六十五中，高中三年换过三位语文老师。第一位张老师当时已是一位老先生，他教古诗词古文给我的印象最深；第二位蓝老师是位女老师，她则最善讲解现代散文；第三位老师也姓张，当时他刚从北京大学中文系毕业，穿着一身崭新的蓝制服走上课堂，个子高高的，相貌颇堂皇，只是他说话发声总给人一种肉肉头头的感觉——我就总觉得他两腮里面的口腔中塞了两团棉花，不过听久了，也就习惯成自然，以至当他把我叫起来朗读课文时，总不由得也鼓起腮帮子来吐字发音。这位张老师能把看去十分枯燥的论说文讲得让我们听来津津有味，而且他也最着重论说文的写作指导。他还把大学里的文艺理论课的部分内容，乃至一些美学问题，讲给我们听，那似乎已超出了中学语文课教学大纲的范畴。

这第三位张老师有一日让我们写一篇文学评论，所评论的作品似乎是他从文学刊物上选出来，油印给我们的。当时我们已上到高三，喜好文学艺术的同学不少，所以对这样的作文方式很欢迎。我们也知道点外校同年级上语文课时的情况，他们似乎还只是在写"读后感"，而我们已在张老师率领下正儿八经地写上"文学评论"了！我对此尤其感到兴奋。因为我一贯以夹叙夹议的论说文取胜。我决心这回一定要"更上一层楼"，我不仅企盼得到一个高分，还向往着发作文时张老师以我的文章为最佳的范例。

对这篇"文学评论"我下了很大的工夫，我打了几遍草稿，改了好几趟，最后工楷誊抄出来。我自己觉得这篇文章同我以往所写的任何一篇作文都不一样，那些文章只不过是想写得"好"些罢了，而这篇文章，我是刻意要求"新"！

到发作文的那天了，我自信地坐在座位上，盯着张老师手中的那一叠作文本，我想他一定会把我的文章念给大家听。

开始讲评了，我耐心地听着那些总括性的话语。张老师打开第一个作文本，准备朗读了——我一眼瞥见那作文本的封面是粉红色的，不是我的！是一位女生的！不过我又想：最好的一篇总是搁在最后才读给大家听的……

我在一种惶急与困惑的心情中迎来了张老师对我那篇作文的"个例分析"——既不是头几例，也不是最后几例；既非赞赏与揄扬，却也并非完全的批评与否定……我记得他眼光并不朝向我，而是扫视着全体同学，用他那似乎腮帮里塞了棉花的一种发涩的语音说："请大家听听这一篇的开头，希望你们各自作出自己的评价……"

我已经不记得我那头一段都是怎么写的了，但我记得，当张老师念到那一段最后一句时，教室里爆发出一阵哄堂大笑！

那最后一句似乎是："……这是作者掷向浩渺宇宙的一声强劲的呐喊！"

我已经完全回忆不出张老师当时是如何评析我的作文，如何告诫大家"不要这样写"的了。我只记得那响彻教室的哄堂大笑，那笑声绝无恶意，是自然的、不约而同的、清脆而畅快的……

作文本发到我手中时，我惊讶地发现张老师仍给了我一个较高的分数，后面有很长的一段批语，究竟怎么写的已不复记忆，但我确实从张老师对这篇作文的处置中，从学友们的哄堂大笑中，领悟到了一些东西。

我领悟到，自己那"誓不随人而语"的勃勃雄心和"语不惊人死不休"的刻意追求，是一种不可抛弃的宝贵活力，纵使这头一回的大胆尝试没有博得满堂彩声而是引出一个哄堂，到底总比庸碌无闻来得好。从张老师既以我的文章作为"文章病院"中的一例，却又给了我一个较高的分数，也可看出我这篇"怪文"对他亦有相当的冲击力。

我又领悟到，真正的独立思考凝结出的思想果实，并不能靠一时的兴奋和窜蹦获取；而惊人的妙语也不能凭藉青春期的夸张与生造的奇突产生，瓜熟方能蒂落，水到必然渠成，不能增之一分则长，不能七彩并施反成灰，总之，要沉静，要自然，要含蓄，要幽默，那才好。

我还领悟到，在文章和接收者之间，即作者和读者之间，必须有一架无形的桥梁，使其自然贯通。我那文章头一段一读出便引出一个哄堂，便仿佛河那岸的人正期待着一座桥时，反倒从河心耸出一座塔，那你就是把那塔造得再玲珑绚丽，也难免令河那岸的人忍俊不禁的。

为了证实自己是有能力既坚持独特见解独特写法，又可避免失败乃至并不贻笑大方，我竟斗胆给当时的《读书》杂志投稿，投去的自然是一篇"文学评论"。所评论的是苏联作家拉甫涅尼约夫的名作《第四十一》，而《读书》杂志竟给我发表出来了——那一年我才十六岁。那是我头一回闻到自己写的文章印出来所散发出的纸张和油墨的香味。

从那时候起，我就渐渐从课堂作文迈向了文学创作。这对我也许并不是什么幸事。然而事已如此。我永远记得那一回教室中的哄堂大笑。唯愿我能不断增加自己的领悟。

1992 年 5 月

白石的乳汁

天刚蒙蒙亮，我和一些同学就赶到教学楼后面的土高炉边，接替夜战的老师，继续炼"跃进钢"。

那是三十四年前，我们都还是只有十七岁上下的高中二年级学生。

在土法上马的简陋高炉边，在飘散进飞的烟雾铁花中，我们读着报纸上新印出的"红旗歌谣"：

> 玉米稻子密又密，
>
> 铺天盖地不透风，
>
> 就是卫星掉下来，
>
> 也要弹回半空中。

我们坚信不移，那当然是真的———一亩地里收获的稻米不是一万斤而是三万斤！

不管历史怎样评价那些年代，那些被亢奋的激情和浮夸的幻想所牵动的日日夜夜，毕竟构成了我们不可重新再享用一遍的青春岁月。

然而那些岁月也并不像后来许多小说、戏剧、影视所单视角描绘的那样，不存在着另外许多纷繁复杂的生活棱面。

社会生活和个人命运在主潮之外，也还有着别样的波涛和呼吸。

就在"红旗歌谣"铺天盖地而来构成那一年代的文化主潮的同时，在现在的北京展览馆当时叫苏联展览馆里，举办一个画家齐白石的作品展览。那在当时也还是桩很自然的事。因为在头一年国画大师齐白石以九十四岁的高龄谢世了。齐白石为毛泽东主席所肯定，而且在50年代初一度被当时的社会主义阵营及倾向于这一阵营的国际力量确定为"世界文化名人"。齐白石谢世后，有关部门为他举办大规模的纪念性展览，名正言顺，适时得体。

我和同班同学马国馨相约一起去看那个展览。

当时我很瘦，个子也矮，马国馨比我高些，体格也比我壮实；他有一张银盆似的圆脸，双眼皮，大眼睛，当然比我俊美，但他闭拢双唇时似乎仍有一只白亮的虎牙免不了要露出一点"威风"，这小小的缺陷总算使我望见他时能暗自平衡一下嫉妒的心理。

在班上我同马国馨最要好。因为我们的爱好相同：都爱读中外文学名著，都爱看戏剧电影，都爱画画儿。

但我得承认，我常常暗中嫉妒着他。难道我嫉妒得没有道理吗？你看，限时交卷的作文课上，老师板书出那命题差不多已经半个多钟头了，别人都在急匆匆地往作文本上填格子，马国馨却仍若无其事地用手指头把钢笔当花棒儿转，几乎到时间过去一半，他这才从从容容地开始落笔，有那一直抓紧时间在写的人铃响时煞不住尾，他呢，却总是铃响文收。这倒也罢了，最可气的是，老师发作文的时候，比如说我吧，总盼着老师能将我的作文当做成功的范例向全班同学宣读——那样的时候当然也有过——但往往是恰恰指出我的一个长句子，记得有一次是这样一句："……那深刻的笔触如同掷向浩渺太空的一声莫可名状的呐喊！"结果自然引出了全班同学的一个哄堂！老师在批评我"以文害意"（其实就是说我"臭转 [zhuǎi]"）的同时，偏以马国馨的文章为例，表扬他如何"自然流畅"，那时的我，心中怎能服气？

但我那时画的画儿确实比马国馨好。我们曾在教室后面的黑板上举办过一次班上的绘画作品展览——其实绝大部分是我和他两个人的作品——老师和同学们都说我画得挺棒，尤其是一幅景山白皮松和琉璃顶亭子的水彩写生，至今我自己回忆起来仍很得意，马国馨当时对此是否心中暗存嫉妒，我就不得而知了。

且说我和马国馨当年去看那个齐白石的作品展。我们俩当时都还不会骑自行车，我们坐电车去的。那时候去趟苏联展览馆似乎已构成了一种远行的壮举，而进入那个展览场所的观展人中，似乎也绝少我们那样的中学生——我们其实还不足以称为青年而仍是少年，一对稚气未脱的少年并肩细看那些展品，在当时的社会条件下，不仅别人从旁看来，就是我们自己在感觉上，也总觉得有点特别。

回忆之中，那一回展出的齐白石原作珍品似乎特别地多，以我后来三十多年不辍地参观画展的总体印象，那甚至可以说是一次空前绝后的齐白石作品展，既有他早年仍是木匠学徒时的"少作"，也有他小幅的习作与小品，还有同一主题的众多变体作，花鸟虫鱼静物风景以外，人物画也很不少，并且还有单独的书法和篆刻作品，大的作品有鸿巨的中堂，小的作品有册页扇面，展品布置了好几个宽敞的大厅，细细地从头观赏一遍总得三四个小时才勉强够用。在最末一个展厅，记得还在一张条案上搁放着一方齐白石的大印，备有印泥。参观者可以在服务人员监督下免费在自己购得的纪念册或画片空白处加盖那方印鉴。

我不敢说以我们当时那浅浅的阅历、粗粗的修养、疏疏的学识、糙糙的灵魂，究竟能感受、吸收、认识、领悟白石大师那深邃的艺术世界的百分之几，但有一点是肯定的：从我们眼中进入我们心中的种种艺术符号，使我们深深地受到震撼！那震撼是无法用语言这种东西表述的——至今也不能，然而，却足以使我们受用终生！

我清楚地记得，并且写到这一行时仿佛又回到了那美好的时光——在参观到一半时，我的左手同马国馨的右手不知不觉地牵握在一起，我们因那些艺术精品而震撼的灵魂通过我们紧握的手，达到一种空前的契合与融会，我们就那样手牵手一直看完所有的展品，直到走至那方可以免费加盖的印鉴前——我们自然都在购得的纪念册上加盖了那珍贵的印鉴。

转眼三十四年过去了。那盖有白石老人印鉴的纪念册早已散失。然而盖在心上魂中的印鉴，是永不会消褪的。

在我成人以后，我为什么总是劝少年人——我教的学生，我的儿子，乃至我亲友邻居中的少男少女，抓紧机会去看各种各样尤其是艺术精品的展览，由此可以得到答案，有一种灵魂的震撼是只能得自少年时代的。对此我深有体会，尽管我不能完全用语言阐明这个人生的奥秘。

后来我同马国馨的人生道路很不相同。我成为了一名所谓的作家。迄今为止我在国内外已出版了三十多本书。如果在我所写出的文字中多少有一点能算是有意义的具有文学美感的东西，那么，那一回参观白石大师作品展览，我灵魂所吮吸到的乳汁，该是一种珍贵的滋养，并升华为一种难以言喻的启示。

自从三十四年前同马国馨撒开手以后，我再没有同他交谈过关于那回参观白石大师作品展的事，但我坚信，并且我想倘若他读到这篇文章时一定不会否认，白石的乳汁，自那以后曾怎样地成为他创造美好事物时的灵感源泉。

最近我读到海外的一本学术性刊物，那上面有一篇文章提及当代中国建筑的"五个星座"，它们是完成于80年代初的北京香山饭店，由美籍华人建筑大师贝聿铭设计；完成于80年代中期的北京中国国际展览中心，由柴斐义设计。另外三个"星座"都完成于1910年，一个是上海商城，由美国建筑师波特曼设计；一个是北京中日青年交流中心，由中国建筑师李宗泽和日本建筑师黑川纪章共同设计；而最引人瞩目的，是北京亚运村的国家奥林匹克体育中心，它的设计主持人，便是毕业于清华大学建筑系、现在北京建筑设计院工作的马国馨。那篇文章里写道："马国馨正值风华正茂之年，是中国最有前途的建筑师之一。在奥林匹克体育中心中，他从环境艺术角度出发，力图创造一种新型的建筑配置关系，环形车行道、斜拉悬挂屋盖结构、月牙状人工湖等，大开大阖，充满时代气息。"读到这篇文章，我心中没有一星嫉妒，只有无比的自豪，无比的高兴！白石大师论画，曾说："妙在似与不似之间，太似为媚俗，不似为欺世。"当我徜徉在亚运村的国家奥林匹克体育中心那宏伟壮丽的建筑群下面时，我铭心刻骨地意识到，我在北京六十五中的同窗马国馨，正是遵循着既不媚俗更不欺世的美学原则，为我们亲爱的祖国设计出了如此杰出的纪念碑式建筑。

期待着再有一回规模不小的齐白石遗作展览在北京举行，也许，我能约上马国馨，再次并肩携手，饱吮那营养丰沛的乳汁！

1992 年 2 月 16 日夜

面对二十岁

他今年正好二十岁，暑假一过，便是大学二年级的学生了。他来找我，手里晃动着一本小册子，说："把你逮了个正着！"我接过来一看，是我出版过的一本儿童文学书《睁大你的眼睛》，写的是"红小兵"抓阶级敌人的故事，结尾处，甚至有"对资产阶级实行全面专政"字样。那本书出版于1976年。现在许多人都知道我在1977年11月的《人民文学》杂志发表了短篇小说《班主任》，到1978年，因卢新华发表了《伤痕》，王亚平发表了《神圣的使命》，以及还有其他一些类似的作品，形成了轰动一时的"伤痕文学"现象。但一般都以为《班主任》是我的处女作，更以为我写它时还在当中学教师。其实，我在"文化大革命"前已经发表过几十篇小东西（我第一次印成铅字的文章是一篇书评《谈〈第四十一〉》，发表在1958年的《读书》杂志上，当时十六岁，还在上高中），而且，我在"文化大革命"后期（1974年），因为想脱离中学，给当时恢复出版业务的机构投稿，竟被相中，给我请了"创作假"，到1976年，给其中一家的书稿怎么修改也攒不成"个儿"，但给另一家的《睁大你的眼睛》却"终于煮熟"，并且我就因此正式调入了出版它的北京人民出版社（现北京出版社），1977年时我已是该社文艺编辑室的编辑了。不过，现在来找我的大学生手握"铁证"，却使我再一次为自己的写作史之不纯洁而惭愧——其实我在1975年到1976年两年间，按当时政治标准与"样板戏"创作"原则"炮制并发表的小说还有好几篇，甚至还有一个电影剧本。面对今天二十岁的青年，我老老实实地承认，我的生活道路，我的写作历程，就是那么过来的。他鄙夷地问："'大跃进'时候你也在操场上炼钢？……'文化大革命'当中也参加批斗会，也跟着喊打倒'走资派'的口号？也唱'语录歌'？也摇着小红书喊'祝林副主席永远健康'？……那姚文元的文章明明强词夺理嘛，你当时怎么就不能站出来为吴晗辩护？！……真不可思议！"我问："如果你赶上'文化大革命'，正在中学，家长没路子给你参军，你能不上山下乡吗？"他脖颈一扭："我就抵制！正当求学的年纪，凭什么让我离开课堂？！"

面对二十岁，我一时无言。是的，改革开放二十年了，那时候出生的婴儿，现在已然成了青年。当然，不是每一个二十岁的青年，都和来找我的这位大学生一样。但是，他的提问与声明，却使我铭心刻骨地意识到，不仅二十年前的事，就是改革开放起点上的那些事情，也已然构成了历史。我们认为是荜路蓝缕、来之不易的改革开放，于他而言不过是坦然享之的日常生活。对于现在二十岁以下的青年，陈述往事的骨架已属不易，让他们获得血肉鲜活的感受，实在难啊！

我之所以要强调，酝酿、写作《班主任》的时候，我已不在中学工作，而是出版社一名编辑了，是因为，如果那时我仍在中学，生活积累不消说是有的，但中学天地太小，远不如出版社视窗大、关联多，更能激活我的思路。19976年时，北京人民出版社的同仁们，手里干着奉当时政治之命定下的活计，心里却都对"四人帮"不满，对把邓小平第二次打下去不平，并且已经勇于在交谈中说出，到1977年，兴奋之中，言论空间更大大得到拓展，这都对我思想意识的变化起着催化作用。但当时的最高领导人提出"两个凡是"，因此，我们文艺编辑手里干着的活儿，虽去掉了"与走资派斗争"的选题，但也还继续抓着诸如"广阔天地炼红心"、"念念不忘阶级斗争"等1976年就已定下的书稿。我当时是一部叫《大路歌》的长篇的责编，写农村修路的事，两位农村作者写出的生活场景相当生动，文字也颇流畅。他们那儿修那条路本来并没有人搞破坏，可是，那时候必须把主题定为"抓革命，促生产"，因此一定要设置阶级敌人破坏的情节。我住到乡下去，跟作者整天整晚地研究那个阶级敌人怎么搞破坏，放炸药？放毒？杀人？毁车？怎么也编不圆，开头很痛苦，后来就一起骂街：为什么非得写这个？再后来，我就想，离开生活的真实搞写作固然令人生厌，然而生活本身，那些个"假门假事"的现象不更令人气闷么？于是，我回想起在中学所经历所体验到的一切，开始有了一种"写真相，说真话"的冲动。从农村回到出版社，听到很多消息，很多议论，更感觉"试一试的时候到了"，于是，在 1977 年夏天，我开始写《班主任》，那当然是对《睁大你的眼睛》那一类作品的一个大反叛，也是对我当时作为文艺编辑所奉行的"既定方针"的一次大背叛。当时虽然整个社会弥漫着一种求变革的气氛，但"文化大革命"却仍被最高领导人的公开讲话肯定着，小说初稿写出来后，我像搞地下工作一样自己悄悄地复读它，"这不是否定'文化大革命'吗？"否定"文化大革命"并不是我写作时的明确指向，但其文本效果却难辞其"咎"，我自己把自己吓了一跳……后来的事大家都知道，几经犹豫，我把它投给了《人民文学》，由当时负责人张光年拍板发出。"伤痕文学"兴起后，引发了"歌德与缺德"的争论，还有人写匿名信，指斥这些作品"给社会主义抹黑"，是苏联爱伦堡《解冻》式的毒草，吁请官方加以批判禁绝（韦君宜《思痛录》中记下了此事），一些亲友熟人为我发表了《班主任》捏着把汗，但当时文学界的一批领导人出面顶住了极左势力的反对。一年以后，19978 年 12 月，中共十一届三中全会召开。1979 年，全国优秀短篇小说评奖揭晓，《班主任》、《神圣的使命》、《伤痕》等多篇"伤痕文学"获奖，《班主任》获头名，我从当时仍健在的茅盾前辈手中接过了奖状。1980 年 11 月，开始公审"四人帮"，到 19881 年的六中全会，通过了《关于建国以来党的若干历史问题的决议》，"文化大革命"被明确地、毫不含糊地彻底否定。1982 年以后，《班主任》及其他"伤痕文学"作品虽然获得了政治上的绝对安全，却被普遍地认为艺术上粗糙，当时的文学开始自觉地向"文学本性"回归，到 1985 年，则爆发了文学创新的旋风。从以上列出的八个年头的时间表中可以看出，"伤痕文学"所传达出的民间诉求，基本上是与那一时期的思想解放运动，与对"两个凡是"的突破，与改革开放的起步相关联、相呼应的，但当社会政治思想的发展超过了"伤痕文学"所体现的"胆识"后，那样的作品的历史任务也就宣告完成，除了当年身临其境的某些读者尚能在记忆中唤起一些快感，以及文学史研究者可将其作为一种资料取样分析外，它们多不具备久远的文学审美价值，这样来看"伤痕文学"的兴衰，愈发憬悟到有其历史的必然性。

我的写作史不纯洁，但历史给了我机遇。《班主任》引起轰动后，我广为人知，并能连续写作、发表作品，二十年来很少间断，其间我虽也有失误，有坎坷，但就个人写作而言，再没有《睁大你的眼睛》那种奉迎指挥棒的东西，都是从自己心里流出来的真实体验，我把自己定位为一个关注变革中的中国社会世道人心、关爱"每一片绿叶"的作家，二十年来把该坚持的都坚持了下来，并尽力求得发展与提高。现在我虽然边缘化了，然而坚信"边缘有光"，企盼自己的文学能维系住一个相对稳定的读者群。

二十岁的大学生，听我讲述到当年情景，惊异于《班主任》发轫的"伤痕文学"会引出"给社会主义抹黑"的批判，惊异于我投出这篇小说时的犹豫，尤其惊异于它居然会引出那么强烈的轰动，他问我："《牛虻》实在只能算本三流小说……你怎么不提提马奎斯，或者昆德拉？"我真不知道该怎么回答，倘若我告诉他那时候不仅是我，还有很多和我年纪相仿的作家，根本不知道世界上有马奎斯和昆德拉，甚至不知道中国有本叫《围城》的长篇小说，有个叫张爱玲的女作家，他恐怕会更加惊诧，并引发出更多的问题，使我更觉得"一部二十四史，该从何说起？"

面对二十岁——一代青年生命肇始以来的二十岁，改革开放的二十岁，被称为"新时期文学"的二十岁，我自《班主任》以来写作的二十岁，确实，有许许多多的话，值得从头细说。不着急，慢慢说吧！

1998 年 7 月 17 日，绿叶居

恐 怖

我是不怕鬼的。我父母都是"五四"时期的大学生，相信唯物论，从小就告诉我世上没有鬼。上小学和上中学时，同学们很惊异于我的胆大；我对同学们说过："其实我巴不得世界上真有鬼，因为你们怕鬼，所以鬼来了你们都躲，我不怕鬼，鬼来了我反而要迎上去，抓住他，我要把他牵到中国科学院去，结果我就成了世界上头一个发现鬼的人，能获得哥伦布一样的地位！"同学们自然大笑，但我确确实实是不怕鬼的，我从不因为鬼故事鬼电影鬼戏而生出恐怖感。

但我却有过一次绝大的恐怖。那是三十年前的事了，我是高中三年级的学生。盛夏，学校组织我们下乡劳动。我们班住在一个村，另外一个班住在五里外的一个村。一天下午，领队老师派我到另一班所住的那个村，找那个班的老师取一样东西，取的是什么东西，印象已经淡漠到难以勾稽的地步，总之，无非是一份文件或资料，可以装进衣袋里的。

从那个村子往回返的时候，我迷路了。京郊的景色，是很雷同的。有着深深车辙的大车道，稠密油绿的玉米地，秫秸编就的篱墙，青瓦顶上冒着炊烟的烟筒……我自信是走对了，却几次又绕回了原处。少年人是最不乐意问路的，再说渐渐地已是夕阳西下，村路上难得遇上什么人，只有鸟儿不时从头顶上飞过，去找它们的晚餐，蜻蜓在池塘上飞成一片，蛙声时断时续，不远不近的村子里飘来湿柴禾燃烧的气味。我固执地拿脚朝我认定的方向摸索而去。我想我总能找回去的。

天上有大片的紫云,所以天暗得比往日快。刮起了小风。村路边的玉米地叶片摩擦有声。不时传来几声乌鸦的怪叫。我微笑着。我想起了同学们挤睡在炕上时,小声窃笑着所讲的那些鬼故事,此时的情境,很像某些鬼故事里厉鬼即将出现的前奏。不过我知道我并无希望抓获到一只活鬼,引送到科学院去,因而陡立奇功,被免除统考而直接保送进北京大学的……什么系呢?我提醒自己不要胡思乱想,毕竟我得在天黑前回到驻地,否则麻烦大了。

我又路过了一个小村子。村口站着个人。仔细看是个老人。再仔细看是个老大娘。我要不要过去向她问问路呢?可是再仔细一看我犹豫了。老大娘头上缠着块白布,而且耷拉下一截白布在肩头。我想她家肯定刚死了人,我离她有三十多米,她两只眼睛陷得很深,满脸的皱纹仿佛一张织得很精致的蛛网,我想当我观察她的时候,她一定也盯着我。我忽然不想向她问路了。因为我觉得她背后那株大椿树似曾相识,可以作为一个可靠的路标,导引我朝应去的方向走。我就转回身,继续走自己的路。

我觉得自己的脚步声有点古怪,声音与我的步调似乎不那么协调。我偶然地一扭头,才发现那老大娘在尾随着我,原来她的脚步声混合了我的脚步声。她离我大约有十多米。我觉得有点稀奇。她为什么跟在我后头?而且,她似乎是一双小脚,颤颤巍巍的,怎么移动得那么快?

当我扭回头的时候,我听见那老太婆似乎在朝我说:"等等我,你等等我啊!"但又不能肯定。我不认识她,而且我在这地方是个生人,我不可能帮她什么忙,她也不可能帮我什么忙,所以我没理会,继续走自己的路。

可是,我听见我背后有奇特的脚步声,并伴随着越来越清晰——虽然极为嘶哑——的呼唤声:"等一等,你等一等我哟……"这声音宛然是农村人送葬时的那种哭丧声。我并不害怕,但我厌恶。我扭头一看,因为我年轻,已大步把她甩在了五十米开外,但她却癫狂地倒换着锥子似的小脚,身子朝前伛偻着,在追赶我。

我下意识地离开玉米地间的土路,横斜着钻进了玉米地里。这时我已顾不得方向对不对了,我想我得摆脱开这个奇怪而可厌的老太婆。玉米已经长得比我头顶还高，我拨开那些划割皮肤的玉米叶，碰掉了一些已经完全成熟的老玉米，深入到了玉米田的中心，我想我总算摆脱开那老家伙的纠缠了，我立住脚喘气。开始，我听见自己的心跳声，然后是玉米叶在风中摩擦的声音，再后是远处公路上拖拉机开动的突突声……

然而，又出现了异常的声音。我扭过头去，于是我看见一双枯瘦而痉挛着的手，拨开着离我不远的玉米叶，从拨开而晃动的玉米叶间隙中，露出了老太婆那张痉挛着的脸，这时我看清了她的眼睛，她那双尽管是深陷的双眼，却饱蓄着热力，仿佛朝外飘着蓝绿的火苗，正盯准了我燃烧，同时，从她那一瘪一张的口洞中，发出了撕心裂肺的颤悠悠的呼唤："你等一等哟……你等一等哟……"

有生以来从未有过的大恐怖攫住了我，我不管不顾地朝前冲去，蹚坏了许多棵玉米，玉米叶也报复了我，在我脸上划出了许多的小口子……我冲出了青纱帐后，发现已是夜晚，半个月亮从大片浮动的紫云中冷冷地凝望着我，蛙声、虫声交织成一片，近处树影幢幢，远处山影巍巍，我忽然清楚了该往哪里走，我发现我们班的驻地其实就在前方灯光闪烁处。我拼力向驻地跑去，耳边风声飒飒，我似乎仍听见有游丝般的呻吟在追随我："等一等哟……你等等哟……"

我在村口扑进了领队老师怀中。他因为总不见我返回早已急得团团转，并打发两位男同学寻找我去了。我回到村里不久便成了同学们调侃的对象，我不是一贯号称不怕鬼吗？可这回我满脸的恐怖，像泼上的浓墨，久久都冲洗不掉。听了我的讲述，有的同学竟被传染，说是比以往听过的任何鬼故事都更可怕，何况这是真的，所以怕得要命，以后的接连几天，都有同学向老师报告，说是半夜里随着击打窗棂的风声，总仿佛有个嘶哑的嗓音在呼唤："等等我哟……等一等哟……"于是不得不紧紧地用被子包住头。

领队老师不得不针对这种情况，对我们再次进行唯物论、无神论的教育。我也一再向大家说："她不是鬼。她是人。可她真让我发怵。"老师对大家这样解释："可能是她家刚死了人，比方说，死了老伴，而她见了过路人，便产生出一种幻觉，以为她的老伴，当然是年轻时候的老伴，又来找她了，所以她就死命地追赶……

这是一种心理现象，一种精神上的病态，不足为奇的。"

老师的解释，使我早在那少年时代，就总结出了一条人生经验：即便有鬼，也可以不怕；最恐怖的，倒是你明明是人，是一个活活泼泼的好人，而却有人指认你为鬼，并死追不舍。

1988 年 4 月 3 日

少年的心，天上的云

斜坡

一次去西郊，看望宗璞大姐。闲谈中，她提及 1981 年夏天，我在兰州给她画像的事，说那张画儿她仍保留着。那是一幅方形的水彩画，画的是宗璞大姐在未名湖畔，背倚一株大树，借着朝霞和湖光，读一册厚书。当时她的女儿小玉说我画得挺像，儿童不会恭维，可见的确捕捉到了一点大姐的神韵。大姐随之问我，从什么时候开始喜欢画水彩画的。

我便告诉大姐，大约是上初中一二年级的时候，当时才十二三岁（我五岁上小学，所以比一般初中一二年级的学生小），因为受到家里的熏陶，开始热爱文学艺术，除了如饥似渴地阅读能拿到手的文艺书籍外，我还常以两种游戏自娱，那头一种，便是自己"编辑"、"出版"文艺杂志。

记得"出版"得期数最多的杂志，是用小三十二开白纸横向装订，除了里面的文字中附有钢笔画的插图外，封面上总画有一幅水彩画，那刊名便叫《斜坡》。

宗璞大姐听我这么一回忆，笑了，又问我："怎么给你的杂志取这么个怪名字呢？"

说真的，我也记不清究竟为什么要取这么个怪名字了。从宗璞大姐处回来不久，我应约给一家杂志写创作随感录，不禁袭用了多年前的这个刊名《斜坡》，并在其中写道：斜坡，上攀艰难，下滑容易。

似乎很有点哲理性——但这其实是多年以后的我才有的感慨，在那十二三岁的烂漫岁月，我是不可能有这类思维的。

仔细地回忆，那《斜坡》的第一期，封面上似乎画着一道开满鲜花的斜坡，上面站着一个梳辫子的小姑娘，怀中抱着一大束鲜花。也许，我当时是先图而后题，因为画一道斜坡，所以就将那"刊物"命名为《斜坡》了。嗯，想来就是那么回事儿。

听到我说这些事，有人也许会认为我是个创作天才，但只要我把"底细"一露，便"真相大白"。

那《斜坡》杂志封面上的水彩画，全非创作，而是从杂志上登的图画中模仿而来的。即如刚才所说的"创刊号"的封面画，记得便是照着当时的一本苏联儿童画报《木乐济尔卡》中的彩色插图，"依样画葫芦"搞出来的。唯一的"独创性"，不过是把那抱花小姑娘的头发从黄色变成黑色而已。

里面的"作品"呢？大体上是三类。一类是把我读过而喜欢的小诗、小文，照抄上去，当然，还署原作者的名字，但附上我为他们制作的拙劣的插图，这当然很有偷窃版权之嫌。另一类是我根据自己看过的电影，编写的类似"故事梗概"的一类文字，这类便可署上自己的"笔名"了（记得用过的这类"笔名"有杨弟、赵壮汉、陆离、文质彬等等），好像"创刊号"上的那篇，便是苏联电影《雾海孤帆》的故事。第三类才是我自己独立写出的东西，幼稚不堪，敷衍成篇，以至今天我回忆时，头两类的"作品"尚可忆及一二，这一类的"作品"除了几个题目外，竟毫无印象可寻了。

需说明的是：里面的字迹并不那么工整，而我的画技，也始终未达到入门的水平。总之，那些玩意儿实在近乎胡闹。

到二十四岁那年，遇上了大家都遇上过的赶紧烧"罪证"的劫难，《斜坡》之类自然便荡然无存了。也没什么可惜的，现在想起来，只是一笑。但我对文学艺术的痴迷症，却是从那时染上而至今未愈的。

家族文学基因

谁一定要我走上文学创作之路么？换句话说，谁启发了我走上文学创作之路呢？

没有。

父亲常向我提起在我出生前十年便牺牲于"一·二八"事件日寇轰炸中的祖父。祖父是晚清举人，后官费留学日本，就读于早稻田大学，学的是"人类学"，回国后曾在北京任蒙藏院佥事。大革命时期南下参加革命，在广州中山大学做教授，后又随北伐军北上，光复武汉不久，经历了国民党发动的血腥"清党"，流亡到上海，著七言旧体长诗《哀江南》，抒发愤怒和哀痛。父亲说那首长诗曾由"神州国光社"印过一千册，他能背诵出其中许多段落。这样，祖父的形象在我心目中就相当高大，在我的意识之中，他首先是一位诗人。但父亲向我讲述祖父的事情时却并无鼓励我当诗人之意，他不过是要我像祖父那样保持做人的正直与刚强。

父亲是中国古典文学和京剧艺术的爱好者。1949 年以后，父亲一度很受重视，从重庆调到北京，在海关总署任职，工作很忙，但他枕下却也经常压着一些临睡前调剂精神的线装书——版本都不怎么好，那自然是他不许我看的。但我却偷看过几部，如《石头记》、《浮生六记》等等。在很长的时间里，我都以为父亲仅仅是个一般的欣赏者。"文化大革命"中，父亲在一所军事院校任教，被"造反派"彻底地抄了一次家，结果抄出了一册他珍藏在箱底的手稿，那是他二十出头时尝试创作的一部章回体小说，叫《铁兰花》，大约只写了十来回，便中断了。这一文学尝试，他可从未对子女说过，就是母亲，见了大字报在公布一系列"罪证"时竟夹有一条"写作大毒草《铁兰花》"，也不禁愕然。可惜父亲偏在好日子复来时因患脑溢血而逝世了。有时我不禁想，假设父亲仍在世，当他知道我不仅违背了他的宿愿没有去学医当大夫，而且也没有再当教师和编辑，而是专门搞文学创作时，他该会怎么说呢？多半会笑着摇头，说"何必……"吧？那我就要"将"他一军："您当年不也暗暗地做过文学梦吗？《铁兰花》不就是明证吗？"

母亲和父亲一样，虽是文学艺术的爱好者，却更希望子女去为祖国搞一点"实业"，只不过母亲比父亲宽厚随和一些罢了。

大哥解放战争中参加了人民解放军，后来在部队中专攻汽车技术。二哥先学造纸，后来成为抗菌素工业研究所的工程师。姐姐学的是农业机械，当过拖拉机总体运用专业的研究生。他们都不负父母的厚望，从事"实业"，服务于祖国和人民。

唯有小哥哥和我，一个先在北大学习俄罗斯语言文学专业，后来这类专业人员过剩而改行教英语；一个走了一条教师—编辑—专业写作的道路，成了所谓"文人"。这实在是出乎父母所望。

然而，说到底，我的痴迷于文学艺术，又确确实实出于家庭的熏陶。

父亲书架和枕边乃至枕下的那些中国古典小说、笔记、野史……对我难道不是一种引诱吗？

母亲说起《红楼梦》，如数家珍，由我家桌上的一盘菜可以联想到"脂粉香娃割腥啖膻"，又可以随时回答我们诸如周瑞家的和秦显家的是什么关系之类的问题……对我难道不是一种渗透吗？

大哥在家信中不时夹带他的诗作。二哥在迷恋照相印相时将他的一副侧影与钢笔、白云之类放大叠印，戏题为"作家之梦"。小哥说话中不时使用脂砚斋《评石头记》的辞句引人发噱，什么"实有其人，实有其事"，"草灰蛇线，伏延千里"。姐姐从东北农机学院回北京过暑假，居然整整几天靠在床上读大本的苏联翻译小说《大学生》、《收获》、《远离莫斯科的地方》……凡此种种，难道对我不也是一种启迪吗？

戏剧家之梦

少年的心，天上的云。

中学阶段，我曾有过许多梦想，并不是只想搞文学艺术。因为班上有一些同学体育上很行，有的在全国速滑比赛中夺到名次，有的学校准假到外地去参加举重比赛，引得一大批同学，包括我这种那时其实是瘦弱多病的男生，都一度迷恋于体育。于是在我的床头，普希金和罗曼·罗兰的画像竟被挤到了一边，而陈镜开、黄强辉、赵庆奎这些当时的举重明星照片竟占据了中央位置……不过那也仅是一阵旋风，现在想起来，真忍俊不禁。

就是在文学艺术这个领域里，我首先选择的，也并不是文学。

上面讲过，我少年时代曾迷恋两种游戏，一种游戏是"编辑出版"文艺杂志。另一种呢？便是"自编自导自演自观"戏剧。怎么个搞法？将我家的椅子，当做一个舞台，用一些铅丝、碎布、头巾，构成前幕、侧幕、天幕，然后或自己画，或从画报上剪，弄出一些房子呀、树木呀之类的"景片"，还用手电筒"布光"，于是便可"开演"了。"演员"有时连纸人都不是，就用一些玩旧了不成套的积木片儿，依据我的想象，用手把它们挪来挪去，这个要把那个打死，于是嘴里一声"砰"，手指便扳倒一个，另一个则晃三晃——因为他后悔不迭，心中发虚，等等。那时已有十三四岁了，这样一个人玩，从旁看去，大约近乎疯癫，然而我就那样度过了许多课余时光。

再大一些，不这么玩了。不再是随父母兄妹去剧场观剧，而是自己一个人去了。那时我家离首都剧场不远，因此我几乎看过那一时期北京人民艺术剧院上演的每一个剧目，从最优秀的剧目到演过就算的剧目，我全看过，有的还不止看过一遍。比如，我记得那时我至少看过五次《雷雨》。有一回大约是演繁漪的吕恩病了，结果原来演鲁妈的赵韫如改演繁漪，这样我就在很近的时间内既看了赵韫如演鲁妈又看了她演繁漪。印象之中，我以为她演繁漪更为出色，我不明白为什么导演却认为她在正常情况下只能演鲁妈。

在高三毕业前夕的新年晚会上，我导演并演出了一出小剧，好像是一出讽刺美国社会畸形现象的喜剧，剧本是从当时一本杂志上选的。一贯连起立回答老师问题也不免脸红的我，竟突然以喜剧角色面目出现在同学们面前，自然令他们大吃一惊。但也仅只是吃惊而已，剧终时，观众们只忙着嗑他们的瓜子，似乎没有几个鼓掌的。

可是我却狂妄地认为自己可以去当戏剧家了。

高三毕业后，我去中央戏剧学校一试，居然好意思报导演系。记得初试时我朗诵了鲁迅的《狂人日记》和郭沫若《女神》中的一首短诗，我激动得要命，末了主考教师不得不首先对我说："你干吗那么使劲地嚷呢？"

但是初试的五百多名考生经过筛汰后，留下的三十来个可以复试的考生中，仍然有我。

我的小品考砸了。主考教师给我一盏马灯，让我设计一个小品。我一直生活在城市里，娇生惯养，连马灯该怎么点燃都弄不清，我只好请求他们另给我出一个题目。结果心慌意乱中，我连那个本来与我生活相近的题目也没做好。如果不心慌意乱呢？我大概也做不好。我没有考取。很长的时间里，我都把这件事隐蔽起来，说实在的，我有一种羞耻感。

现在我已步入中老年，失败过的事太多了。我终于懂得，在事业的道路上，失败不仅不是羞耻，而恰恰值得珍视。

我一般不在文章中引用先哲的话，不为别的，只是因为我看时下许多文章中总爱引用若干先哲先贤的话，为避免文章写法与人雷同计，我便尽可能一句也不引。但此时此刻我却不能不将曾在我灵魂中烙下很深印迹的这句罗曼·罗兰的话录在下面：

"累累的创伤便是生命给予我们的最好的东西，因为在每个创伤上面，都标志着前进的一步。"

鸡啄米

我从初中三年级起便试着给报刊投寄稿件。

我已经记不清都投寄过些什么。总之，不是投给"中学生征文"或"幼苗"一类的专栏，而是大摇大摆地作为成年人向报刊投寄"正式"的作品。

屡投屡退。

那时候，刘绍棠已经是知名作家，王蒙的《组织部新来的年轻人》正引起强烈反响，我们的文坛正孕育着、发生着许多惊心动魄的事，而我对这些事的了解却处于鸿蒙未开的混沌状态。唯一的一次接近成功的情况，是《少年文艺》杂志把我寄去的短篇小说《旗手》打了回来，但附有一封手写的编辑部信件，提了几条意见，让我修改。那个短篇大约是写一次少先队的中队活动，登香山"鬼见愁"，中队旗不慎掉到了悬崖边，于是两名护旗手一个表现得惊慌胆小，另一个则勇敢地爬到悬崖边取回了队旗。素材是取自我们班上的一次少先队活动，但写得非常幼稚。我兴冲冲地修改了一遍，满怀希望地寄回了编辑部。记不清是石沉大海还是终于退了回来，总之是没有刊出，自然很伤心。

伤心归伤心，投稿仍未中断。

到了1958年，我上到高二的时候，才终于在当时的《读书》杂志登出了一篇文章《谈〈第四十一〉》。寄稿子去时我没说自己是还在上学的中学生，只写了家庭地址。结果编辑部大约以为我是个有修养的成年人，登出后寄给我刊物时，附信请我"不吝赐稿"。我当然"不吝"，但寄去的稿子一定令他们哑然失笑——他们看出我不过是个一知半解的少年人，因此都婉辞退回了。

我朦胧地意识到，归根结底每个人还得从自己的实际情况出发。又过了一年，我不再装成大人样了，我以中学生的面目给刚创刊不久的《北京晚报》副刊《五色土》寄小稿子。我寄去了个小小的快板剧本《王大妈让房》，内容是街道上办托儿所没有房子，一位王大妈主动让出了自己的私房，供办托儿所用。编辑部给退了回来，但在油印的统一格式的退稿信下面，一位编辑顺笔写了几句话，大意是说：你写得挺生动，但报纸不宜提倡公占私房，你是否另写点别的试试。我很快就"另写了"几首儿童诗寄去，结果其中一首很快便登了出来。编辑并写信告诉我另两首也留下备用，后来不但用了那两首，还陆续登出了我接着寄去的几篇"一分钟小说"。

后来《北京晚报》副刊召开业余作者座谈会，把我也请去了。至今我仍然非常感激《北京晚报》的那几位同志：王纪刚、顾行、刘孟洪（他们在粉碎"四人帮"后，《北京晚报》复刊时，又回到原有岗位上而辛勤工作）。他们见到我只是一个十七岁的不谙世事的中学生时，既不惊讶也不歧视，既不吹捧也不苛求，平等待我，一视同仁。他们使我从少年时代便确立了这样一种信念：编辑部取舍稿子只看质量，而并不把资历、地位、名气、背景搁在头里，因此只要我严肃认真地写稿，投寄去便有可能刊出。

到 1966 年夏天，《北京晚报》被当做"反党喉舌"被迫停刊止，我大约在上面发表了五十篇文章，属于"一分钟小说"、"一夕谈"、"儿童诗篇"、"影剧随感录"、散文、散文诗等不同的类别。此外也在《人民日报》、《光明日报》、《中国青年报》、《大公报》等报刊上发表了一些散文、小小说、杂文、小品、剧评。

现在偶尔从旧报纸上看见这类"豆腐块"，我总不免脸红，确确实实脸红。

穿开裆裤的照片，就是那么个性质。

然而，我就是这么开始我的写作活动的，多么卑微，多么简陋。

"你看你，又'鸡啄米'！"那时候，我还没有离开家独立生活，妈妈看见我伏案写稿，总不免调侃地说："你这样'鸡啄米'还要啄到几时啊！"

的确，笔在稿纸上一格一格地移动，那动势，那笔尖摩擦纸面的声音，都令人联想到鸡从地上啄食米粒。

真没想到，我现在竟成了专业"啄米"的"鸡"。啄到几时？怕很难停止了。

从"豆腐块"开始

许多青年朋友来信,向我提出了这样一个问题:"你是怎样学习写作的?"这个问题可以从好几个方面去谈,比如:从生活出发,走现实主义的创作道路,广泛阅读各种书籍,努力钻研写作技巧等等。不过我今天只想谈一条,就是初学写作,最好不要贪大,可以从写"豆腐块"文章来开始练笔。

几年前有位青年给我来信,他打算写一部反映反霸权主义的国际题材的长篇小说。故事将发生在中国、美国、苏联、日本、西欧、印度等地,开列的人物表包括中外古今的几十个历史人物和虚构人物。他寄来了小说的提纲,让我给他提点参考意见。我的意见是劝他取消这个不切实际的计划。我以为初次写作就这样去下笔,百分之九十九是会徒劳无功的。我建议他最好先写短篇小说,而且,从他来信自述的初中文化程度、阅历简单和文字水平粗浅上看,我以为他不如索性先练习写"豆腐块"文章,每周写一至两篇,每月集得十来篇后,择其善者加以反复修改,试着给报纸副刊投投稿。

我的学习写作,就是从写"豆腐块"文章、给报纸副刊投稿开始的。我在前文讲过,我上高中时就给当时的《北京晚报》副刊《五色土》投稿。最初投去一个内容极简单的快板剧,被退了回来,但在铅印的统一格式的退稿信上,编辑同志用钢笔很匆促地写了一行字:"你写得有生活气息,但还嫌太长,试着写点短诗如何?"这一行字最初让我很不服气。我特意数了一下那几天"五色土"上刊载的稿件的字数，比我那快板剧行数多的不止一篇，为什么人家的他不嫌长，我的就偏得短了才行呢？但冷静下来考虑了一番以后，我就感觉到问题确实还在我自己这里，因为我虽然有强烈的写作欲望，但我把自己熟悉的生活素材，形成的构思诉诸文字，还缺乏驾驭自如的能力。就是一个几十行的快板剧，我写来也不那么流畅。因此，我与其一挥十行地跑野马，跑它一百行，不如扎扎实实地写好十行再说。于是，经过一番努力，我寄出了两首各十二行的儿童诗，没想到一周后《五色土》上就刊出了其中一首，编辑同志并来信告诉我另一首也留以备用。这给了我多么大的鼓励啊！从此，我就在《北京晚报》副刊编辑同志的扶植和指导下，陆陆续续写出和发表了几十篇"豆腐块"文章。最初是非常稚气的儿童诗，然后是短小的小说、散文、杂文和电影戏剧评论。记得当时他们副刊上经常发表一种"一分钟小说"，顶多一千多字，篇幅虽然短，却容纳着一个有头有尾，有简单情节，也多少有点人物形象的故事，很受读者欢迎。我就是通过给他们写"一分钟小说"，锻炼了自己的构思能力：怎么编故事、安排一个悬念，怎么开头，怎么结尾，怎么用两三句话形容一下人物外貌性格，怎么写点简单的对话……最初的小说创作经验，就是通过写这种"一分钟小说"，点点滴滴积累起来的。后来我当了中学教员，有一阵醉心于练写短小的散文。散文要求有意境，要求注意藻饰，我就注意揣摩作家们的散文。同时注意从生活中、从别人的作品中积累辞藻和修辞手段。我还曾广泛地阅读古代诗词，从中摘记了不少好词好句。为了捕捉富有诗意和情趣的意境，我也曾有意地观察、体验过自己置身其中的学校生活的许多细节。这些细节是不搞文学的人往往容易忽略掉的。比如我通过学生给初上讲台的老师，用碎掉一半的酒瓶改造成花瓶，插满鲜花摆到讲台以表达欢迎之意这样一个素材，写成了散文《丁香花开》。后来又以开学第一天校园内的种种细节，写成了散文《桂花飘香》，都发表在《人民日报》的副刊上。通过试写杂文，我把自己的观察力锤炼得比以往敏锐，养成了独立思考的习惯。通过试写影剧评论，我使自己从一般的欣赏者，进化到能意会到某些"个中三昧"的艺术学徒。通过试写一些富于知识性、趣味性的小品文，我增加了自己多方面的知识，初步懂得了写文章应当融会贯通，举一反三，涉笔成趣。前些时一位作家从图书馆查阅报纸回来，见到我突然发问："当年在《中国青年报》上写《水仙成灾之类》的那个刘心武，就是你吗？"确实是我，那是 1962 年元旦那天，《中国青年报》头一回出"长知识"副刊，我那篇文章登在了头条。我从水仙花本是一种柔弱纤丽的植物，却在非洲某处一度酿成大灾谈起，谈到世界上各种事物在一定条件下可以转化其性质的道理。为了这篇文章和另一篇《从独木成林谈起》，"文化大革命"当中我还被指责为谈水仙花多了成灾是"讽刺大跃进"、谈独木可以成林是"反对林副主席"，险些儿成了"现行反革命"哩！

可惜我从十五岁开始在报刊发表的几十篇"豆腐块"文章的剪报，1968 年都被勒令当做"黑文章"交给"专案组"了，直到 1979 年 8 月我才找回了一部分，残缺不全，水渍斑斑。这些"豆腐块"虽然一度使我背上了"'三家村'小走卒"的黑锅，给我造成了很大的痛苦，但是今天我翻阅着残存的一点"豆腐块"，却感到它们对我无比珍贵，因为没有它们，也就不会有今天的《班主任》、《爱情的位置》、《醒来吧，弟弟》、《我爱每一片绿叶》这样一些稍微像点样的短篇小说。

每个作者都有自己独特的写作道路，一下子就写出长篇小说来的作者确实存在，但是我想他一定也有"豆腐块"阶段，只不过他那些"豆腐块"没有公开发表过罢了。我希望各家报纸的副刊多登些初学写作的青年人的"豆腐块"，同时也建议初学写作的青年朋友最好先练习写好"豆腐块"。我自己也还在继续写"豆腐块"，而且，我认为把"豆腐块"写好并不容易。学习写文章，往往由短而长、由小而大，到了一定阶段，则又会再由长而短、由大而精，写作时间久了，就会懂得"越短越难"，单纯以长短大小来衡文，是很不科学的。其实，就是一辈子专写"豆腐块"，写到炉火纯青的地步，纵使没有一部长篇，也能成为令人难忘的作家。难道不是这样的吗？

1980 年

我为什么写作

我从事写作很多年了，起码在三十年前，我就写过文章，表述过"我为什么写作"。三十年来，我的这类文字，倘搜罗一起，大概够编成一个小册子了。很多次，都是在编辑的盛情邀请下，或记者的热情邀请中，来回答"我为什么写作"的。三十年里，也常听到这样的声音：你写你的作品就是了！你为什么写作，拿你的作品一读，便"昭然若揭"，还用得着发宣言么？是的，发一大堆宣言，"严正声明"也好，幽默调侃也好，只是让人知道"为什么写作"，而实际上并没什么作品推出，述而不作，光说不练，实在也没多大意思。我三十年来这类文字攒在一起，印成一本书，会有人掏腰包买来读么？实在没有信心。既然如此，这回怎么又写这个话题呢？那是因为，我三十年来关于"为什么写作"的表述，在既定的指向上没有摆动，检索起来不至于被认为"前后矛盾"或"跟风逐潮"，但毕竟每次都不是照抄前篇，总多少有些个微妙的变化，把握一下自己写作心理上的微妙变化，公布出来，对自己可以清心醒脑，对关心我写作的人们，也许可以引出更有针对性的批评鞭策。

我曾说过，我是为现世读者而写作的。这是在文学追求趋于多元化后，把自己这一元与他元区别开来的说法。因为从 20 世纪 80 年代中期，就有"为自娱而写作"、"为美而写作"、"为下一世纪读者写作"、"为创新而写作"等等写作追求出现。我虽也视写作为自我生命的存在方式，并从写作中获得生命快感，但我写作时是面对读者的，我这里所说的不是泛泛的读者，而是那些近三十年来（或至少十多年来），因为读过我的《班主任》或《钟鼓楼》等作品，不因文学新潮的汹涌澎湃而弃我他顾，对我的写作有"追踪性阅读兴趣"的那样一个群体。我渐渐感觉到，我与他们之间，磨合成了一种默契，因而，我对他们的阅读期望，负有一定的责任。

1998年春节期间，我和几位朋友到郊外一处以乡村风味著称的"向阳屯食村"小酌。该饭馆里有几位可应客人点唱而当场献技的京剧演员，这也是目前京剧不景气，闲置演员自我过瘾并开辟财路的一种可理解现象。他们当中一位穿蓝布长袍的男子，手持一份戏单朝我们走过来，显然，是要我们点戏，可是，那男子忽然认出了我来，便忘记了生意，兴高采烈地向我倾诉起他对我作品的印象与评价来。他说他今年四十八岁，六岁入戏校坐科攻花脸行，十六岁时赶上"文革"……"文革"结束后，首先接触到的文学作品里便有我的短篇小说，后来追踪阅读，他觉得《四牌楼》最好，其中"七舅舅"这个人物最耐品味；《风过耳》里仲哥一角则太理想化了；《栖凤楼》中"神秘女子"含义颇深，是否有原型？而且他还读过我的《私人照相簿》，以及许多的随笔，乃至《秦可卿之死》。他鼓励我："甭改辙，您就这么一路写下去！"这是我三十年来，所遇上的众多对我写作有"追踪性阅读兴趣"的最典型一例，他们喜欢我关注现实、咏叹人生、探究人性的写作取向，喜欢我在明白流畅的叙事中适度地从结构、语感等方面创新出奇的笔法。这次邂逅更坚定了我为他们而写作的信心。当然，这个读者群体一定在不停地变动，有人退出，或者也会有新加入者，但在可展望的将来，似相对稳定，数量不是太大，但也不是太小——这就决定了：我的书不是太畅销，但良好的长线销售状态也能使出版社稳获利润。有相对稳定的读者群，有相互信赖的出版者，我的写作得以持续，对此，我知足常乐。

我的处女作

"有《第四十一》吗？"这是我近来常在音像商店向售货员提出的问题，直到现在我写这篇文章，仍然没有得到肯定的回答。但我这样问，是有道理的。前些时我在一家发行量不大的报纸上，看到了一家福建的音像出版社刊登的广告，那广告所开列的正版 VCD 光盘目录里，有苏联摄制的影片《第四十一》。既然广告目录里有，那就应该能找到这张光盘，但我在北京已"踏破铁鞋"，却还没能买到，心中实在闷闷不乐。

"您干吗非买它？"不止一位售货员问我，他们向我推荐了另外许多新到的光盘，告诉我哪几种如何大受欢迎，我却都不买。其中有一位年轻的售货员因此对我颇为不敬，白了我一眼说："什么四十一四十二的，除了您没听别的顾客提过……就那片名儿，谁爱看呢？"我不生这位售货员的气。实在也是，如今的青年人，恐怕知道《第四十一》的寥寥无几。

《第四十一》首先是一本小说。译成中文的这部小说薄薄的，论篇幅，算成长篇有点勉强，当做中篇又有点委屈。它的作者是拉甫涅尼约夫，在"十月革命"以后不久，完成并发表了这部作品，不仅在苏联引起轰动，也引起西方国家文学界的注意，后来在中国也很有影响。它在苏联至少两次被搬上银幕，我所要买的那个光盘，应该是 20 世纪 50 年代末莫斯科电影制片厂拍摄的，由丘赫莱依编导的彩色故事片。

《第四十一》的故事很简单。一位红军女战士是个神枪手，历次战斗中，她一共射出了四十发子弹，消灭了四十个白军。但不知怎么的，她开的第四十一枪却没能把射中的白军军官击毙，仅仅是让他受伤被俘。在与战友们一起坐船押送这"第四十一"到总部去的途中，突遇风暴，船只沉没，战友们溺水身亡，只有女战士与白军军官漂流到一座荒岛上，成为幸存者。在荒岛上，女战士起初把白军军官当做敌俘严厉对待，但在严酷的自然条件面前，要生存就必须共同劳作，互相照应。于是，他们渐渐淡化了敌对感，后来两人竟产生了越来越强烈的爱情。正当他们忘乎所以，共堕爱河尽情嬉戏时，忽然一天有船朝小岛驶来，白军军官认出是白军的船后，欣喜若狂，高呼着朝那船跑去，而红军女战士这时猛地意识到自己的职责，遂举枪将这"第四十一"击毙。但当那白军军官仰倒在海水中后，红军女战士又扔掉枪支奔跑过去，跪在海水中捧起那"第四十一"的头，望着那已然散瞳的眼睛悲呼："我的蓝眼睛……"在 20 世纪 50 年代拍摄的那部影片中，白军军官由在《牛虻》中扮演过英雄"牛虻"的，当时苏联最有魅力的明星斯特里席诺夫担纲——他因《牛虻》一片译制后在中国广泛放映，也是那一时期无数中国女性心目中的"隐秘情人"。影片在最后一场戏上极尽渲染之能事，那女主角的哀号声伴合着海浪声、音乐声，真有不把观众的心撕碎绝不罢休之势。

《第四十一》可以从各种角度来加以评论研究。其实，这种把敌对的人物放在突然脱离各自群体的特殊情境里，使其"忘群"的构思，拉甫涅尼约夫恐怕并不是第一位，更远不是最后一位。在世界许多民族的文学里、戏剧里，都一再地出现过这个"套路"。近三十年的中国大陆小说里，也有类似情节出现，这就可以从"结构学"的角度加以研究。当然，从中更可以引发出诸如关于阶级性与人性、关于爱情、关于人的情感与心理的复杂性等方面的讨论。

1958 年，当时中国的《读书》杂志，就展开了关于《第四十一》的讨论，每期发表一两篇文章。当时《读书》是半月刊，在 8 月出版的第十六期上，刊出了一篇《谈〈第四十一〉》的文章，大意是说这部小说的环境设置"不典型"云云，此文署名刘心武。

常有人以为,我的处女作是发表于 1977 年 11 月的短篇小说《班主任》,不是的,我第一次投稿被刊登出来的,是一篇文学评论,即上述的《谈〈第四十一〉》。那时我还是个高中学生,只有十六岁。我重提此事,不是为了炫耀自己早慧,实际是我从那篇文章起步以后,走过很大的弯路,并且直到今天也仍只是文学路上的一个摸索者。我只是从广告上看到,有《第四十一》的正版 VCD 出版,而这《第四十一》于我毕竟非同一般。

有《第四十一》吗?但愿终有一天能买到光盘,与年轻朋友们同观,并与他们在新的语境里,作深入的讨论。

我的写作导师

"谁是你学习写作的导师？"

常有文学青年这样问我。

严格意义上的这种导师，一个也没有。

无论是小学、中学里的语文老师，他们都只把我看成一个普通的学生，充其量认为作文有时写得不错而已，其中并没有哪一位，对我给予过特殊的培养，或鼓励我以后从事文学创作。

我从来没有写信或寄稿子给任何一位已经知名的作家，求他们指点，请他们看稿子"提意见"，缠着他们要他们将我的稿子推荐给编辑部发表。我写出稿子，总是径寄编辑部。不登就不登，爱退就退。直到我当了编辑、转为专业作者之后，我才同一些过去早知其名、早读过其大作的作家们有所接触。

除了编辑部约我去谈稿子，或请我去开会，我几乎从不到编辑部去。直到目前我也是这么个性格。所以也没有哪位编辑能够在处理稿子的范围以外，给我更多的指点。前面谈到"文化大革命"前我曾同《北京晚报》联系密切，他们对我也很有帮助，但我无论那时还是今天，都没有在开会以外去过他们那里（开会的次数也不多），都没有同编辑同志建立起一种个人间的联系，我感激他们，只是感激他们把我那样一个稚拙的投稿者同名人及许多成熟的作者一视同仁，倘若我把他们对我的扶植夸张到他们成了我走上文学道路的引路人，他们恐怕也会敬谢不敏的。

我的亲戚、邻居中也没有什么作家或相当的人物给予过我写作方面的指导。

"真是这样的吗？"

一位文学青年听我说了上面一番话后，曾惊疑交加地斜着眼问我。

真的。

那么，我怎么学习写作呢？

很简单：读，想，练。

何必给作家们写信、寄稿子呢？他们的作品摆在那儿，拿来读就是了。他们写作的路数，他们的"秘诀"（倘若真有这种东西的话），他们的甘苦，他们的长处和短处，都渗透、体现在他们的作品之中。有时他们也写一点创作谈之类的文字，读这种文章不就等于听他们讲课吗？为什么一定要跑去见他们呢？难道写作的才能，可以像传染病那样，通过接触传染上吗？

又何必一个劲地往编辑部跑呢？要相信，固然有少数编辑可以作风不正，搞"稿件交易"，凭借关系、人情、面子、来头往版面上登稿子，但大多数编辑都是严肃认真的，只要你写得好，不必拉关系、凭人情、靠推荐，编辑自会将你的稿子推上去的，即使这个编辑部漏掉了你这颗珍珠，你还可以另投一个编辑部去试试嘛，倘若确是你的稿子质量不高，那又何必怨天尤人、"愤世嫉俗"呢？

要想成功，只有想方设法使自己的稿子写得更好一些，令任何编辑一看都能感到耳目一新，舍此而无别的"捷径"。

如果要我总结投稿的经验，那么这便是我唯一的一条经验。

书便是我们写作的导师。好书自不必说，就是中庸的书乃至坏书翻翻也不无益处——你可以知道不应该写什么及不应该怎么写。

生活是我们写作的更好的导师。读书不与生活相联系，去思考，去动情，去参悟，去发现，那就只是个书呆子。写作的才能，从特定的角度来说，其实也便是把对生活的领悟同对心爱的文学书籍的启发结合起来，迸发出火花的那么一种能力。我不是反对别人寻求和获得写作上的具体导师。我自己以前没有，实在只能说是一种缺陷。我讲出这些，不过是为了向目前的文学青年们证明，没有具体的导师也不要紧。"条条道路通罗马"。可以从各种途径进入文学的园地。从深刻意义上说，你具体的导师很可能便是你自己。

鸡啄米，算起来也"啄"了二十多年了。直到 1977 年岁尾，才真正悟出一点"啄"的门道。从那时到如今又过去了近二十年。"啄"得怎么样呢？有没有进步呢？请批评家们和读者们指导我吧。不是故作谦虚，面对着这几年陆续印出的几本小册子，惭愧感常充溢着我的身心。真该"啄"出点更像样的东西来。

愿投向更广阔的生活天地，不懈地俯首啄米，好为祖国和人民再生出蛋来。

只祈愿——勿杀鸡取卵。

1983 年

关于《班主任》的回忆

在由罗德里克·麦克法夸尔与费正清主编的《剑桥中华人民共和国史(1966—1982)》卷中，第 613 页，由荷兰乌得勒支大学比较文学教授杜维·福克马执笔的《1976 年和"伤痕文学"的出现》一节里，他这样说："在新作家里，刘心武是第一个批判性地触及'文化大革命'的不良后果的作家，他的短篇小说《班主任》(1977 年)引起了全国的注意。他涉及了'文化大革命'给作为其受害者的青年人正常生活带来的不良影响和综合后果。"在第 800 页，由加州大学东方语言学教授塞瑞尔·伯奇执笔的《毛以后的时代》一节里，则说："'伤痕文学'的第一次表露，也是实际上的宣言，应推刘心武 1977 年 11 月发表的《班主任》。书中的那位中学教师，是个刘在后来的几篇小说中也写到的第一人称叙述者和受人喜爱的人物。那位老师所讲的故事本身并没有什么戏剧性，但仅寥寥数笔就勾勒出几个互成对照的青年形象。一个是'四人帮'时期遗留下来的失足者，那位老师不顾同事们的怀疑，为他恢复名誉。但这个失足者倒不成问题，问题出在那个团支书思想受到蒙蔽，甚至比那个小捣蛋都不开窍，但她热情很高，而且动不动就天真地把自己看也没看过的文学作品斥为淫秽读物。相比之下第三个学生就是个被肯定的人物了，在整个动乱期间，她的家庭环境保护了她的心灵健全，因为她家书橱里还继续放着托尔斯泰、歌德、茅盾和罗广斌的作品。"然后又说："刘心武向来是正脱颖而出的一代青年作家雄辩的代言人……"接着引用了我在 1979

年 11 月四次文代会上的一段发言，又说："在运用短篇小说的技巧上，刘心武进
展很快。1979 年 6 月他发表了《我爱每一片绿叶》，这篇故事成功地将隐喻、戏
剧性的事件和复杂的时间结构，全部融合进长留读者心中的人物描写里，描写了
一个才华横溢而又遭受迫害的怪癖者。故事中心意象是主人公藏在书桌中的一张
女人的照片……刘心武将藏匿的照片这一象征物，触目惊心地暗喻为知识分子的
'自留地'……在中国这样一个环境中，这真是一个可能引起爆炸的想法。"（译
文引自上海人民出版社 1992 年 10 月第一版）

引用这些"洋鬼子"的话，确实不是"崇洋媚外"，而只是为了简便地说明
以下几个问题：

(1)《班主任》这篇作品，产生于我对"文化大革命"的积存已久的腹诽，其
中集中体现为对"四人帮"文化专制主义的强烈不满。

(2) 这篇作品是"伤痕文学"中公开发表得最早的一篇。

(3) 人们对这篇作品，以及整个"伤痕文学"的阅读兴趣，主要还不是出于
文学性关注，而是政治性，或者说是社会性关注使然。

(4) 这样的作品之所以能引起轰动，主要是因为带头讲出了"人人心中有"，却
一时说不出或说不清的真感受，也就是说，它是一篇承载民间变革性诉求的文章。

(5) 这样的作品首先是引起费正清、麦克法夸尔等西方"中国问题专家"——
他们主要是研究中国政治、社会、历史——的注意，用来作为考察中国社会政治、
社会发展变化的一种资料，这当然与纯文学方面的评价基本上是两回事儿。

(6) 就文学论文学，《班主任》的文本，特别是小说技巧，是粗糙而笨拙的。
但到我写《我爱每一片绿叶》时，技巧上开始有进步，到 1981 年写作中篇小说《立
体交叉桥》时，才开始有较自觉的文本意识。

《班主任》的构思成熟与开笔大约在 1977 年夏天。那时我是北京人民出版社
（现北京出版社）文艺编辑室的编辑。1961 年至 1976 年是北京十三中的教师，从
1974 年起被"借调"离职写作，1976 年正式调到北京人民出版社当文艺编辑。《班
主任》的素材当然来源于我在北京十三中的生命体验，但写作它时我已不在中学。

出版社为我提供了比中学开阔得多得多的政治与社会视野，而且能更"近水楼台"地摸清当时文学复苏的可能性与征兆，也就是说，可以更及时、有利地抓住命运给个体生命提供的机遇。

写《班主任》时，作为文艺编辑室的编辑，我分工抓长篇小说，当时手里比较成熟的稿子有两部，一部是前面提到的《雅克萨》，另一部是两位农民作者合作的，写农村修路的《大路歌》。他们的稿子生活气息浓烈，文字也活泼流畅。虽说 1976 年 10 月打倒了"四人帮"，但 1977 年 2 月 7 日，当时的最高领导人通过"两报一刊"的社论明确提出："凡是毛主席做出的决策，我们都坚决维护；凡是毛主席的指示，我们都始终不渝地遵循。"这"两个凡是"决定了还得强调以阶级斗争为纲，当然也不能否定"文化大革命"。我们编辑部对稿子的取舍，也就不能不以此为准绳，这可难为了我这个责编和两位作者——我们必须使稿子里有阶级敌人搞破坏，还得歌颂"文化大革命"。可他们那里修路，实在并没有阶级敌人搞破坏，于是我出差到他们所在的农村，跟他们翻来覆去地编造阶级敌人破坏的故事，可是怎么也编不圆。结果，这部书稿到头来没能出版。与《雅克萨》作者谢鲲的接触，使我感到我们那一代人必须抓紧做事（1977 年我三十五岁，已不能算是很年轻了）；编《大路歌》的失败，使我产生出弃瞎编、写真实的求变革的想法。

1977 年夏天我开始在家里那十平方米的小屋里，偷偷铺开稿纸写《班主任》，写得很顺利，但写完后，夜深人静时自己一读，心里直打鼓——这不是否定"文化大革命"嘛！这样的稿子能公开拿出去吗？在发表欲的支配下，我终于鼓起勇气。有一天下了班，我到离编辑部最近的东单邮电局去投寄它，要把它投给《人民文学》杂志。柜台里的女工作人员检查了我大信封里的东西，严肃地跟我指出，稿子里不能夹寄信函，否则一律按信函收费。我心理上本来觉得自己是在做一件冒险的事，她这样"公事公办"，毫不通融，令我气闷，于是我就跟她说不寄了。从东单邮局骑车到了中山公园，在比较僻静的水榭，我坐在一角，想作出最后决定：这稿子要不要投出去？还是干脆拉倒？后来我取出《班主任》的稿子，细读，竟被自己所写的文字感动，我决定，还是投出去吧，大不了发表不出来，还能把我怎么样呢？过了若干天，我到另一家邮电所寄出了它。

《班主任》小说稿在《人民文学》杂志编辑部的具体处理过程，我自己并不十分清楚。我是一个性格内向的人，不善公关交际，有人问我为什么不把稿子直接送到《人民文学》编辑部去？其实从我当时居住的地方骑车过去只需十多分钟，可是出于羞涩，我还是宁愿花钱费时通过邮局寄去。小说发表出来时已是12月（刊物脱期了）。我从报纸上看见目录，自己骑车到编辑部，没好意思见编辑，直接到总务人员所在的大屋，拿现金买了十本，那屋里的人当时也不知道我是谁。出了编辑部，我赶紧骑车回家，展读那油墨喷香的刊物，心里很高兴。不过，那并不是我头一回闻见自己文章印出的油墨香——我第一篇公开发表的文章是《谈〈第四十一〉》。我在"文化大革命"前发表过约七十篇小小说、散文、评论什么的，大都非常幼稚。1974年到1976年，为调离中学，我为当时恢复出版业务的机构提供合乎当时要求的文稿，发表过若干短篇小说、一部儿童文学中篇作品、一部电影文学作品。这虽然都是些现在提起令我脸红的东西，但它们也可能使当时《人民文学》的编辑们多少对我有些印象，因而能及时审阅我的稿子。我对《班主任》敝帚自珍，因为那毕竟是我第一篇根据自己的真实感受，写出自己真实认知的作品，我并因此成名，为世人所知。

《班主任》发表后，读者反响强烈，看到这篇作品的人纷纷给我来信，尤其是当中央人民广播电台改编成广播剧播出后，影响就更大了。北京一些来往密切的业余作者，也都纷纷给予鼓励，我所任职的出版社的同人们也都为我高兴。大家在一起，兴高采烈地创办了《十月》（开头还不叫刊物，叫丛书，实际就是大型文学刊物）。我趁热打铁，在《十月》创刊号上发表了《爱情的位置》，电台也马上就广播了。我又在复刊不久的《中国青年》上发表了《醒来吧，弟弟》，电台又予广播。这些作品虽然"思想大于形象"，但也有读者向我表示，他们在阅读中感受到一种审美愉悦。如有个工厂的工人，打听到我家地址，找上门来，他手里拿着一本发表《班主任》的杂志，递给我看。他在那小说的很多文句下画了线、加了圈，他说那些地方让他感到很生动，比如小说里写到工人下班后，夜晚聚到电线杆底下打扑克，他就觉得那细节"像条活鱼，看着过瘾"。当时文学界一些影响很大的人物，像张光年不消说了，正是他拍板发出了《班主任》这篇作品，此外像冯牧、陈荒煤、严文井、朱寨等，都很快站出来支持。但反对的意见也颇强烈，有人写匿名信，不是写给我和编辑部，而是写给"有关部门"，指斥《班主任》等"伤痕文学"作品是"解冻文学"（这在当时不是个好谥号，因为苏联作家爱仑堡曾发表过一部叫《解冻》的长篇小说，被认为是配合赫鲁晓夫搞"反斯大林"的修正主义政治路线的始作俑之作。"伤痕文学"既然属于"解冻文学"，自然就是鼓吹在中国搞"修正主义"了，这罪名可大了）。也有身份相当重要的人指责有的"伤痕文学"作品是"政治手淫"（倒不是针对我的《班主任》，不过在那种情况下，"伤痕文学"绝对是"一荣俱荣，一损俱损"，所以我也闻之惊心）。更有文章公开发表，批判这些作品"缺德"，我还接到具名的来信，针对我嗣后发表的《这里有黄金》（那篇小说对"反右"有所否定），警告我"不要走得太远"（来信者称他曾犯过"右派错误"，而那之后对他的批判斗争和下放改造都是非常必要的，收获很大，不容我轻易抹杀）。而同时，港、台及海外对《班主任》又大力介绍，有些言辞相当夸张，如说我是"伤痕文学之父"等等。那时候，这样的"海外反响"越多，便越令一些人对当事人侧目。因此我在颇长一段时间里，心里都不是非常踏实。1981 年，我应日本《文艺春秋》社邀请访日期间，主办方带我们参观一座日本古代监狱模型时，翻译林美由子小姐"触景生情"地对我说："你是不是差一点被关起来？"她是"文化大革命"期间在中国待过的人，根据切身体验，在初读《班主任》时（那时已回日本），确实为我捏了一把汗——这种心理状态，二十九年过去，不要说现在的年轻人难以理解，就是我这个当事人，回想起来，也恍若一梦！但以下的事情却绝不是梦，而是切切实实经历过的：在1977 年 11 月《班主任》发表之后，1978 年 3 月，报纸上还刊登出当时最高领导人的讲话精神，强调"两个凡是"，强调要"继续批判邓小平的右倾翻案风"，甚至强调"文化大革命"的必要性和"伟大战果"（只是说"这一回"的"文化大革命"结束，而以后必要时还要搞），还说"四人帮"是"极右"，以此阻挠党内外批极左的强烈要求。1978 年，《光明日报》发表了《实践是检验真理的唯一标准》，随之《人民日报》转载，这让我心情为之一振，我意识到这些事情都与我生死相关。1978 年 12 月，党的十一届三中全会召开，政治格局发生了根本性变化，同时"四五"天安门事件获得平反，我欢欣鼓舞。1989 年，复苏的文学界第一次评选全国优秀小说，《班主任》获第一名。当时茅盾在世，我从他手中接过了奖状，同时有多篇"伤痕文学"一起获奖。1981 年，党的十一届六中全会通过了《关于建国以来若干历史问题的决议》，正式彻底否定了"文化大革命"，它被指为是一场浩劫。紧跟着，改革、开放的势头风起云涌，呈难以逆转之势。说实话，这时候我才觉得悬在《班主任》上面的政治性利剑被彻底地取走了。但《班主任》作为特殊历史时期里，以小说这种形式，承载民间诉求的功能，也便完结。它被送入了"博物馆"（各种当代文学史，或《剑桥中华人民共和国史》这一类的资料性著作），它不可能再引得一般文学爱好者在阅读中产生出审美愉悦了，甚至于，反而会引出"这样的东西怎么会一时轰动"的深深疑问。进入 20 世纪 80 年代，想再靠这样的创作路数和文本一鸣惊人，获得荣誉，是越来越难了。自《班主任》以后，我笔耕不辍，一方面坚守社会责任感，越来越自觉地保持民间站位，不放弃以作品抒发浸润于我胸臆的民间诉求，一方面努力提升自己美学上的修养，努力使自己的小说更是小说，并大大展拓了以笔驰骋的空间。

《班主任》发表至今已有二十九年。我本不愿重提这粒"陈芝麻"，但最近我从年轻一代那里听到了两种截然不同的说法。一种说，《班主任》的写法，以及一度的轰动，是畸形的文学景观；另一种说，像那样的作品，在适当的社会发展阶段，还一定会卷土重来，是文学史上惯常的一元、时不时会一闪的正常景观。我不能确定他们谁说得更有道理，也许，唯有未来文学发展的轨迹本身，才能确认或否定种种不同的预测。

风正一帆悬

1984 年冬天,我应邀到当时的联邦德国维尔茨堡大学汉学系作题为《中国新时期文学概貌》的报告。报告在汉学系的图书馆里举行。听讲的大约有三十多位汉学系的教授、教师、研究生和高年级学生。维尔茨堡大学汉学系以研究中国的道藏而闻名于世,在他们的图书馆那独占一面墙的高大书架上,密密麻麻地摆放着多达五千四百八十五卷的影印明刊《正统道藏》和《万历续道藏》。当他们把我领到那巍峨的书架前参观时,我感到很惭愧,因为我除了读过只有五千字的《道德经》外,其他道教经典从未过目。但正如我对浩若烟海的道教经典感到茫然一样,维尔茨堡大学汉学系的师生们对我们的当代文学,也同样隔膜得很。

我刚刚结束讲述,一位栗色鬈发的姑娘便耸起眉毛问我:"究竟什么是'新时期'呢?"

我是按照近年来我国文学界的习惯提法来概说我们的文学发展历程:从 1919 年五四运动前后到 1949 年中华人民共和国成立,是现代文学;从 1949 年以后直到眼前,是当代文学;而在当代文学之中,自 1976 年 10 月粉碎"四人帮",特别是自党的十一届三中全会以来,是新时期文学……我费了好大的劲,才终于使那位德国姑娘和在场的一些别的联邦德国朋友,弄懂了若干在我们国内已经约定俗成的概念。

当我乘火车离开维尔茨堡,前往法兰克福时,我一个人坐在一间厢房中,望着窗外静静流淌着的莱茵河，望着对岸那些不算险峻的山脉，以及山顶上高踞着的雄伟古堡，不禁陷入了沉思默想。

据我所知，在西方各国中，大概就数联邦德国对我国新时期文学作品翻译出版介绍得较多一些。在我访问联邦德国期间，包括四个短篇和一个中篇的中国当代小说选集《风筝飘带》已由著名的猫头鹰出版社印行了袖珍本；我在科隆为德得利出版社编定的《中国当代小小说选》写了一篇短序，当我回国以后，不过四个月，便得到了出版社寄来的样书；而到了1985年夏天，当张洁等中国作家去联邦德国访问时，慕尼黑一家有影响的出版社便正式出版了张洁的长篇小说《沉重的翅膀》；张洁他们还没有回来，我便又收到了联邦德国朋友寄来的《时序》杂志，该杂志的第一百三十八期是中国现当代文学特辑，从鲁迅、老舍、冰心、巴金……一直介绍到王安忆、孔捷生、舒婷和北岛。

尽管这些书籍和杂志在信息大爆炸的西方出版物中只占一个极其微小的比例，但这毕竟标志着我们的新时期文学大摇大摆地走向了世界。

那时中国的新时期文学已经快满十周岁了。世界上只要是不抱偏见的人，都会承认它是一个宁馨儿。作为中国新时期文学运动中的一个积极参与者，我感到自豪。当我在联邦德国一些大学的讲坛上向听众介绍中国新时期文学时，我不仅自豪，而且自信。

我翻看过一本关于胚胎发育的画册，那上面一幅幅连续性的图片使我知道，人的胚胎在母腹中的发育过程，从某种意义上来说，是用十个月的时间，浓缩性地将人类亿万年的进化史重演一遍。在头一两个月里，人的胚胎同鱼的胚胎相当近似，到了第三个月里，与猪、狗的胚胎区别很小，甚至到第四个月了，在非专业性的眼光之下，人的胚胎与猴子的胚胎还是雷同的，一直要等到过了半年以后，胎儿才呈现出区别于其他任何生物的人的鲜明特征。

从粉碎"四人帮"以来逐步发育成长的新时期文学，我以为就经历了同样的历程。从1976年10月到1977年10月的一年间，新时期文学处在受孕期，那时候出现了一些只反对"四人帮"而并不否定"文化大革命"的小说，写法还是图解式的，但每个人都在文学的大苦闷中寻找一个新的生命，我是比较幸运的一员，赖于《人民文学》的果敢支持，1977 年 11 月发表了短篇小说《班主任》；后来，到了 1978 年，王亚平又在《人民文学》上发表了《神圣的使命》，卢新华在《文汇报》上发表了《伤痕》，当然还有一些别的类似的作品，于是形成了一个迄今被国内外称作"伤痕文学"的文学浪潮。今天回过头去看，"伤痕文学"的文学性大多不甚强，正如刚在母腹中开始分裂的受精卵，它们还远不具备一个宁馨儿的身形和灵气，但一个新的文学时期，一种新文学的生命，确实是肇始于斯的。后来又出现了一个接一个的新浪潮，相继被人们称作"反思文学"、"改革文学"、"人生文学"、"'知青'（这是中国特有的一个概念）文学"、"强者文学"等等。新时期文学的进展当然值得从各个方面各种角度去加以描述和评价，但最主要的一点，就是它越来越成其为名副其实的文学了。

1978 年秋天，我发表了短篇小说《爱情的位置》，并由电台加以广播，我一下子得到七千封读者来信，其中一封来自西安的信劈头便说："当我从电台里听到《爱情的位置》这个题目时，真是吓了一跳。我甚至有一种'是不是发生了政变的感觉'！"而仅仅六年之后，1984 年秋天，一封来自某个大学的信却对我说："当我从你的小说集里读到《爱情的位置》时，真是大失所望。我真不懂你靠这样的东西怎么能当上作家，这里面的观念真是不仅原始，而且落后！"这说明我们的社会生活和人们的观念发生着多么迅猛的变化。在如此迅猛变化的社会环境中，新时期文学飞快地落生和发育起来。到 1980 年以后，更是新风新潮层出不穷、彼此交叠，哪一位作家也不可能再独秀文坛，哪一篇作品也不可能再一花独艳，理论家们很难再用一个词儿覆盖众多的文学现象。随着作家以算术级数、作品以几何级数迅速增长以外，特别令人瞩目的特征起码还有如下几个方面：美学观念逐渐趋向多元；作家个性和作品风格之间的差异越来越明显；文学的不同层次开始显现；统一的带有一定盲目性的读者群渐渐分化为各有选择的不同读者群；竞争性的加强促使有志向有追求的作家进入锐意求新和刻意求精的最佳创作状态；横向地把眼光投向世界和竖向地把眼光投向民族文化传统开始成为风气；不再羞于表露向世界进军的雄心和希图拿出传世之作的气概……

在这条越来越宽阔的文学江流中，我的小船一直在千帆万舸之中顺流而下。

我不为写过《爱情的位置》那样幼稚的作品而脸红。就我个人的创作历程而论，也正如一个婴儿原本来自一个最单纯的受精卵一样，在短暂的时间里，我在自己的创作中几乎重演了从"说真话"到"写人生"的现实主义文学观的全部进化过程。我有自信心，因为我知道《班主任》尽管不过是"实话文学"而已，但在谢惠敏这一剪影式的人物中已有着符合文学本性的基因。而《爱情的位置》尽管回过头去一看甚觉好笑，它毕竟是篇带头冲破禁锢达十多年的禁区的筚路蓝缕之作。也许我那篇《我爱每一片绿叶》是使我的文学胚胎呈现人形的开始。我的真正称得上是文学作品的落生，也许应当以中篇《如意》为标志。而中篇《立体交叉桥》的出现，也许算是离开了襁褓并开始学会用自己的双脚走路。

我真羡慕眼下一些青年作家，他们一登上文坛，所拿出的第一篇作品便是一个英俊少年或一位摩登佳女。但每个人都有自己独特的命运。细想起来，我的命运并不坏。我的小船在越来越壮大的船队中尽管越来越显得渺小和平凡，但我应当为壮观的文学船队而自豪，并且，我觉得自己这只船尽管不大而且不新，却还有着乘风行驶的能力。更重要的是，我总觉得我足有与别人不同的文学个性，我所写出的作品尽管可能不好，却不至于与别人雷同，我似乎还有自己那不可由别人取代的某些创造价值。

在浩荡的大江里，在百舸争流的一侧，我相对地开始了一个寂寞阶段，也许还会一直寂寞下去。主要是我好几年拿不出引人注目的力作，此外，我那"我掘一口深井"的思考，以及《黑墙》等试验，也曾使我承受了一些当然是不愉快的压力。但我并不像一些朋友所猜测的那样痛苦，我始终处在思考和行动之中。我的思维一直非常活跃。我的笔一直没有停，并且，我在经过一段比较充分的准备之后，用了一年多的时间，写出了最能代表我当时追求的长篇小说《钟鼓楼》，并在 1984 年秋冬发表了出来。

我的文学儿子也许没有发育好，他不漂亮，甚至还缺乏某种维生素，因而不那么强壮，但我确信他是脱离童年和少年时代了，他终于长大成人，固然他面前的路还十分漫长，但他应当有了这样的资格：以成熟的身心跻身于文坛，并承受对成熟者的最严格的磨炼。后来我文学儿子的名字就叫《钟鼓楼》。

也是在维尔茨堡大学，当我对新时期文学进行了一番尽可能全面的描述以后，一位蓄着卡斯特罗式胡子的研究生问我："那么，在众多的文学流派之中，您自己属于哪一种呢？"

当时我是这样回答的："也许我会被大体上归于注重于写人生世态的那一种。目前我的确是比较醉心于尽可能忠实而精确地描述出我所了解到的世态和人心，追求一种达到社会生态学和人类文化学高度的认识价值；同前几年的创作心态相异，目前我更愿意用冷静的笔调来叙述一切。我希望我的小说能增进人们心灵间的相互理解，因而导致谅解和最广泛最深刻意义上的爱。"

当我在从维尔茨堡驶往法兰克福的火车上回味着这番问答时，我感到我未能把我的想法说全，我还应当接着补充如下的想法：尽管我现在是这种状况，但是我从来不愿意把自己框死在一个哪怕是自己一时热衷的范畴之内。我肯定还是要变的。我期望自己能在变化中体现出一种越来越清晰的坚实的内核，同时也期望自己作品中那些恒定的因素能越来越以全新的面目呈现出来。

但是那时候我没有想到，回国不久，我们的文坛就发生了更大和更令人眼花缭乱的变化。我这只小船，已处于更加活泼的水流之中。特别突出的变化是文学有了彻底的层次分离，出现了最低层次的仅求消闲消遣的通俗文学和极高层次的只求少数高口味知音的纯文学。有人对这种状况忧心忡忡。我却以为这是江河临近出海口的宏大气派。有极少数的通俗文学实际上确实已无文学味道可言，而且对极个别沦于准色情、准暴力地步的东西我也厌恶，但对于大量哪怕是仅仅具备消闲消遣作用的通俗文学，我却以为有允许它们存在的必要，它们是社会生活的填充物，引导和约束得当，它们可以起到某种社会润滑油的作用。对于某些将社会生活内容淡化到不但看不出时代，甚至看不出国度的只是表现静态画面、瞬间印象的唯美主义纯文学作品，我是不能欣赏的。但我以为它们的存在，使文学花园更加丰满斑驳，绝不是什么坏事。文学花园中哪种花开得最盛、香味最烈、吸引的观赏者最多，以及哪种品种延续和发展的前途最为可观，都是不能以己的好恶，贸然宣布出个结论来的。至于对一位作家究竟有没有后劲，能够取得多大的成就，在文学史上留不留得下和留下多深多浅的痕迹，就更不能棺未盖便作定论了。一切都需要放眼长量。

在国外访问时，到处都有人提出这样的问题："你们中国作家有没有创作自由？"

我总是告诉他们："我不能代表所有的中国作家，也许有的人是感到不自由的，但是，我自己，以及我平时所接触的许多作家朋友们，都感到自己享受着并运用着创作自由。这自由主要体现在：我总是写自己愿意写的东西，并且总能尽兴地在作品中体现出自己的创作个性。"我的小船同整个文学船队一样，自然也遇上过风浪，历经过急流险滩，但是毕竟都绝不是1957年或1966年所出现的那种情况，新时期文学的进展应当说还是顺利与幸运的。但愿载动新时期文学风帆的一江春水，能够继续浩荡而雍容地奔泻流淌。

就我个人的感受而言，眼下恰是"潮平两岸阔，风正一帆悬"。我有信心，顺着越来越开阔的河道，驶到那浩渺雄浑的海洋中去！

1985 年 10 月 7 日写于北京垂杨柳

人生不能缺此情

我好几天没睡好觉，眼圈黑如熊猫；天一亮我忙去倒尿罐，天黑净我要倒洗脚水；是谁病了，要我陪床吗？不，是我小哥来京小住，我每晚跟他一个屋睡，十二年不见，俩人躺下后，有聊不完的天；他大我十一岁，前几年摔坏了左腿股骨，手术后行动不便，伺候他，我心甘情愿！

我有四个哥哥一个姐姐，大哥、三哥都过世了，现在二哥、四哥——也就是小哥——定居成都，我和姐姐定居北京，我们从小就手足情深，父母过世后，我们的心似乎贴得更近了。

我上高中时，有一回在教室里谈笑，我提到奥勃洛莫夫，语文老师恰巧进来，听见吃了一惊。如果我提到的是叶甫根尼·奥涅金，他大概不会那样吃惊，那时喜欢俄罗斯古典文学的高中生阅读过普希金的著作不能算太稀奇，可是阅读过冈察洛夫的《奥勃洛莫夫》，并且拿那小说里的主人公当谈资，这确实让他想不到。那本厚厚的翻译小说没有什么有趣的情节，好几百页过去，那从第一页就在床上的奥勃洛莫夫竟还没有起床！老师问我是怎么读到这本小说的，我告诉他，是我小哥介绍给我的。我们家小哥学历最光彩，他是北京大学俄罗斯语言文学系本科毕业生，本来是应该成为一个俄罗斯文学翻译家的，没想到他毕业时中苏关系开始恶化，俄语人才过剩，把他分配到湖南一所县级中学去了。小哥虽然没能从事上俄罗斯文学的翻译研究工作，但他把对俄罗斯和苏联文学那特殊韵味的领悟，传递给了我，我在 1958 年，上高二时，第一回投稿成功，在《读书》杂志上发表出一篇文章，那篇文章是评论苏联作家拉甫涅尼约夫的小说《第四十一》的，不消说，这跟小哥对我的熏陶分不开。

小哥在北大是京剧社的活跃分子，他专攻梅派青衣，在北大礼堂粉墨登场，出演过《玉堂春》《大登殿》《二堂舍子》，高腔遏云，低哦婉转，身段飘逸，表情细腻，常常博得满堂喝彩，当时的校长马寅初和许多著名的教授，都喜欢和同学们在一起观看北大京剧社的假日演出。小哥那时发愿要排出梅派名剧《宇宙锋》的"装疯"一场，以飨厚爱他的观众；那出戏里的赵艳容唱段吃重，还有大量复杂的身段，许多身段必须是与哑奴一起配合着完成；于是，在家里，小哥就拉我权充哑奴，与他一起排练，我不断地笑场，还故意捣乱，未必对他有多少帮助，但在那样的嬉戏中，我对京剧艺术多了一份理解与爱好，这对我后来的文学创作，是难得的营养。

我们全家都热爱《红楼梦》，小哥对金陵十二钗常有其独到的见解，有一回他从湖南回北京，那时我已经在北京十三中任教，他借住在我宿舍里，晚上我们俩聊《红楼梦》，开始低声细气，后来不知怎么的争执起来，声音都变粗了，结果第二天隔壁宿舍的同事善意地把我们的争执学舌一番，闹得我脸上发烧。近年来我撰写《红楼三钗之谜》，小哥提供了若干很好的建议。

我走上文坛以后，小哥是我最热心的读者，他对我的每一本书都细读详批，尤其是对《四牌楼》，他把"批注本"从成都寄给我，我读到他那些认真的批评，心弦颤个不停。我告诉他《四牌楼》虽然得了上海的一个奖，但离轰动、畅销距离不小，他鼓励我说："莫求一时灿烂，丝从心里吐，线从魂里拽，才能织出耐久的锦缎——能有一批人欣赏，你也就该知足了！"

小哥从成都一所大学退休后，生活虽然清贫，却情趣盎然、自得其乐，他陆续撰写出一些关于京剧艺术的文章，发表在《中国京剧》等杂志上，我们通信、通电话，大多是交流对文学艺术的看法。

现在城市里二十岁以下的，绝大多数是独生子女，他们对所谓"手足之情"，越来越陌生了。我以为即使是几世单传的独生子女,他们的人生里也不该缺失掉手足之情,没有生理意义上同父同母的兄弟姐妹,可以把那份情感寄托到若干同学、邻居里的同龄人身上,北京有"发小"一说,就是指小时候一块儿玩耍亲若兄弟。人生需要坚实的情感支撑,除了爱情、友情,家族成员间的相濡以沫、砥砺鼓舞也是很重要的。更何况,我们常用"同胞"一词,来涵括所有血管里流淌着跟我们一个源头的血液,那样具体的一个个,而又非常庞大的一个集群。

静夜里写着这篇文章,心儿插上翅膀飞向了成都,小哥啊,你在睡梦里,可还在与我排练那赵艳容和哑奴的身段?

2001 年

姐弟读书乐

我读初中时,姐姐已经上大学了。我和父母住在北京,姐姐是在哈尔滨上大学,因此,每临近寒暑假,我就盼姐姐回家。

放假了!姐姐回家了!我真是快活得不得了!记得我学会了在墙壁上"贴饼子",就是两手撑地,把双腿往上甩,牵引身体倒竖,把一双脚落到墙壁上;姐姐刚回家,我就迫不及待地在她眼前"贴饼子",希望她发出惊叹声;可是姐姐一点也不夸赞我,还批评我用鞋底弄脏了墙;后来,我又学会了完全不用墙壁支撑身体的"竖蜻蜓"(或称"拿大顶"),姐姐一到家,我就得意地倒立着,在她眼前走来走去,姐姐也仅是淡淡地夸我两句,使我很是败兴。

可是,我还是很喜欢姐姐回北京过寒暑假。姐姐除了帮妈妈做些家务事、跟中学老同学聚会,以及用妈妈的一架老式的手摇缝纫机给自己做新衣,就是看小说。我记得,有时候,她甚至除了吃饭、睡觉,几乎一直斜躺在床上,倚着被褥枕头看小说,可以说,看得昏天黑地!我们的父母,对子女一贯很温情,尤其是对子女看书,只要看的是好书,那么就很纵容,比如说姐姐那么样地一看小说竟看上一整天,爸爸妈妈绝不干涉,更不会催她去做什么家务事。姐姐如此这般地看小说,不跟我玩了,我当然不高兴,有时就跟她捣些乱,比如在她旁边发出怪声呀,假传爸爸妈妈的"圣旨",让她去做某件事呀,可是大都收效甚微,她依然津津有味地只顾读手中所捧的书,而且,她还会忽然命令我,让我给她送杯茶,或让我把她的梳子找出来递给她，以便梳一梳倚靠中搞乱了的头发，我虽嘴里嘟嘟囔囔，实际行动上，却很乐于为她服务。

姐姐读小说的嗜好，很快地，传染给了我。记得有一天，姐姐的中学同学约她出去玩，我便到她床上枕边，翻看她读的那些书，结果，好像是一本《简·爱》，意外地吸引了我，我竟趴在她的床边，一页页地读了下去，直到她玩完了回来，我还在那里读。

那时，作为一名初中生，我原来读的，大体上是些少儿读物，如美国童话《绿野仙踪》，苏联童话《哈哈镜王国历险记》，意大利童话《洋葱头历险记》……当然更少不了安徒生童话和格林童话；除了童话和民间故事，那时我喜欢读的小说有苏联盖达尔的《铁木儿和他的伙伴》《远方》《蓝杯》《鼓手的命运》，中国古典小说《西游记》，以及那时《少年文艺》杂志上刊登的一些短篇小说。当然，也读过《钢铁是怎样炼成的》《牛虻》等少数成人读物。是姐姐，通过她的假期阅读，把我正式引入了成人读物的天地，记得那时，一般是，她先读，然后我接过去读，所读的，大体上分三类：一类是苏联长篇小说，如《远离莫斯科的地方》《茹尔宾一家》《钢与渣》《青年近卫军》《虹》等等；一类是外国古典名著，如《大卫·科波菲尔》《巴黎圣母院》《欧也妮·葛朗台》《卡斯特桥市长》《安吉堡的磨工》《贵族之家》《复活》《被侮辱与被损害的》等；一类是中国古今名著，如《红楼梦》《家》《骆驼祥子》《死水微澜》等；那时像《青春之歌》等后来风靡一时的当代长篇小说还没出现，所以我们读当代长篇小说不多。渐渐地，我们姐弟也就读过的小说，很随意地交换些意见，当然，姐姐免不了笑我幼稚，我也免不了跟她抬杠犟嘴，但"开卷有益"，在独自默思与相对笑谈之中，也就体现出来了。

初中生读《红楼梦》《复活》这类的文学作品，是否早了一点？我个人的体验是：只要阅读动机是以渴望了解世界、人生为主，又有年长的人加以指导，初中生读这样的文学名著，并不能算过早。现在的初中生即使在寒暑假，也难得有时间读"闲书"了，我以为这种局面应予改变。现在城里的初中生，绝大多数都是独生子女，但同学之间，其实也还是可以结成我和姐姐那样的"读伴"，在共同吮吸好书精华的活动中，使心灵变得丰富而美好。

1999 年

妻子晓歌

妻子晓歌是一所印刷厂的装订工人。她技术娴熟，掌握全套精装书的工艺流程，经她手装订出的书，我想已足可绕地球赤道一周。妻生下我们唯一的爱子不到一年，便去参加当时"深挖洞"的"战备劳动"，结果身体受损，至今仍显瘦弱。但妻有一个特点，就是极少失眠，我因系"爬格子的动物"，又属"夜猫子"型，所以妻入睡后，我常仍在灯下伏案疾书，这时妻平稳的鼻息，便成为我心灵中的一种无形伴奏。我很羡慕妻的不受失眠折磨，她说："我一天为书累，为你和孩子累，上床的时候心里坦坦然，为什么要失眠？"我想这世上无数平凡的"上班族"，无数的普通劳动者，都同她一样，诚实劳动，默默奉献，他们带着一颗无愧的心上床，上帝也确实不该罚他们失眠。当然，这并不等于说失眠者便都是为上帝所罚，即如我，因选择了作家这一职业，又养成了昼夜不分随兴而动的习惯，所以夜间失眠是常有的事，但我自知并非做了什么亏心事，清夜扪心，于失眠中还是很坦然的。

在诚实劳动、竭诚奉献的前提下，自自然然地享受单属于自己的那一份生活，这启示，还是来自于妻的。

妻爱逛商店，穗港人称之为"行公司"。我原来最惧怕的，便是妻要我陪她"行公司"，我常常惊异于她的兴致何以那么浓厚——比如对我们家根本不需要的货物，或以我们的消费水平根本不能问津的货物，她也能细细检阅、观览一番，似乎当中有许多的乐趣。倘若她决定购买某种物品,那么,好,售货员是必得接受《服务公约》上那"百问不烦,百拿不厌"的考验了,我就常在柜台外为售货员鸣不平,催她快下决心。直到很久之后,我才略能领会她那认真挑选中的乐趣——那是一种于女性特别有诱惑力的琐屑的人生乐趣。是的,琐屑,然而绝对无害甚至有益的人生乐趣——我现在懂得,妻那样认真地用纤纤十指装订了无数的书,奉献于社会,那么,她用纤纤十指细心地在社会设置的商品交换场所里挑选洗面奶或羊毛衫,并以为快乐,实在是顺理成章的事。

妻喜欢弄菜。在饭馆吃过某种菜,觉得味道不错,妻就常回家凭着印象试验起来,倒并不依仗《菜谱》。妻一方面常对我毫不留余地地倾泻她的牢骚:"你就知道吃现成饭! 你哪里知道从采购原料到洗涮碗盘这当中有多少辛苦! "这时候我觉得她就是"三闾大夫屈原"。另一方面她又常常一个人在那里琢磨:"这个星期天该弄点什么来吃呢? "我和儿子出自真心地向她表态:"简单点,能填饱肚皮就行! "而她却常常令我们惊异地弄出一些似乎只有在饭馆里才能见到的汤菜来——除了中式的,也有西餐菜。当我和儿子咂嘴舐舌地赞好时,她得意地笑着,这时我又觉得她就是刚填完一阕好词的"易安居士李清照"。当然太频密是受不了的,但隔两三个月请一些友人来我家,由她精心设计出一桌"中西合璧"的饭菜,享受平凡人的吃喝之乐,亦是她及我们全家的生活乐趣之一。我出差在外,人问我想不想家,我总坦率承认当然是想的,倘再问最想念的是什么,我总答曰:"家中开饭前,厨房里油锅热了,菜叶子猛倒进锅里所发出的那一片响声! "婚前,是母亲使然,婚后,便是妻的"拿手好音"。这当然更属琐屑到极点的人生乐趣,然而,如今我不但珍惜,并能比以往更深切地享受。

妻喜欢弹钢琴。她虽是个平凡到极点的装订工,但爱美之心,人皆有之,她亦绝不例外。美的极致,有人认为一即音乐,一即高等数学。高等数学之美,少有人能领略,音乐之美,却相当普及。妻上小学时,家境不好,而邻居家里,就有钢琴,叮咚琴声,引她遐想,特别是一曲贺绿汀的《牧童短笛》,她在少女时代的梦,就频有自己竟坐在钢琴前弹奏出旋律的幻境。因此当我们手头有了买下一架钢琴的钱币时，她一议及，我便呼应，两人兴冲冲地去买了一架钢琴。钢琴抬进家门时，我俩都已年近四十，然而妻竟在工余饭后，只凭着邻居中一位并不精于琴艺的老合唱队队员的指点，练起了钢琴来，并且不待弹完整本"拜厄"，便尝试起《牧童短笛》。也许是精诚所至吧，一阕连专业钢琴手也认为是难以驾驭的《牧童短笛》，经过一年的努力，硬被她"啃"了下来，后来又练会了《致爱丽丝》《少女的祈祷》等曲目。自此以后，我家的生活乐趣，又大有增添。在妻的鼓励下，我以笨拙的双手，也练会了半阕《致爱丽丝》。当春风透入窗隙，或夏阳铺上键盘，或秋光泻入室中，或窗外雪片纷飞，我和妻抚琴自娱时，真如驾着自在之舟，驶入忘忧之境。感谢生活，给了我们一架钢琴。感谢妻子，使我能更细腻地品味生活。

与妻子重游北海

那是一个阳光灿烂的日子，病中的妻子晓歌身体渐好，由可以下楼散步，进步到可以到稍远的地方闲逛。

这天我陪她去了北海公园。

在楼下，遇上了 G 君，听说我们要去北海，笑对我说："你那《北海三部曲》还没写完啦？还要去补充生活么？"我也就笑笑完事，懒得解释。

一些朋友听说我写了三个互有内在联系的系列中篇《北海三部曲》，都很感兴趣；这三个中篇的题目分别是《九龙壁》、《仙人承露盘》、《五龙亭》，都取自北海公园里的景点名称；其中"仙人承露盘"位于琼岛的一个角落，很多游人未能注意，所以用它做小说题目，颇令人感到奇诡，加以有人听说这个已送到《钟山》的中篇，竟是写同性恋的，就更等着看"刘心武又在弄什么怪"；G 君笑嘻嘻地那么问我，一定也是出于这样一种好奇心。

我写北海，何用去"补充生活"，我对它，岂止是熟悉而已，不仅早将其"十二栏杆拍遍"，那公园的角角落落，实在络挂着我太多的生命丝缕！

也不仅是我，晓歌何尝不如是？她甚至比我，对这个昔日的皇家园林，更有着一言难尽的人生依恋。她十多岁时，便随父母迁居于北海后门外东官房胡同，后又移到离北海后墙更近的羊角灯胡同；从小学到中学，到后来参加工作……她的个体生命，有多少时日傍着北海公园周围的空间燃烧的啊！

　　我呢，自十九岁到北海后面柳荫街的北京十三中当教师，一当就是十五年，我的整个青春期，也都是在北海周围度过的啊！不消细说，我与晓歌的遇合，这北海便是一个具有生命的布景。是的是的，北海啊，你那泱泱湖波、巍巍白塔，还有环湖的古柳，嶙峋的山石，都是我们青春、爱情、悲欢与歌哭的见证！

　　……进到北海公园，前湖东面荷叶田田、粉莲怒放。我们且不去别处，先到游人较稀少的东岸，觅一空椅坐下，任熏风拂面，深吸着荷香，虽一时默默无言，却胜似滔滔互诉，我们的心头，一时都有无数往事涌来……

　　自然，我们心尖托起的，首先是那些欢快的、亮丽的，也就是鲁迅先生所说的那种"好的故事"。晓歌想是忆起当年到隔壁景山少年宫参加合唱团活动，"小鸟在前面带路，风啊吹着我们，我们像小鸟一样，来到花园里，来到草地上……"或者她又忆起，当年参加国庆游行，跳"荷花舞"，一人发一套长裙，那长裙底部用藤圈撑开，裙底边上又"长出"几朵荷花，那是多么美丽的服装，多么令人兴奋的舞动啊！……我呢？我忆起了什么？晓歌一定不难想象，比如说，我们恋爱期间，我为了表示我有多么的豪爽，竟一下子买了一大兜杨梅（那在当时实在是很破费的奢侈行为），我非让她吃，自己也吃，结果，吃得我们两个终于捧着双腮，嚓着酸牙，面面相觑……

　　长大成人的儿子，有一天问我们："你们为什么还要怀念那些个岁月？那时候不是一个政治运动连着一个政治运动，当中还有个十年的'文革'吗？"当时，我和晓歌只是对望一下，笑笑，没有马上回答他。现在，我想对儿子说，个体生命，是无从自由选择落生时间，并且也往往难以自由选择生存空间的，他或她无法逃逸于时代风云，无法回避社会与群体的裹挟，而且，他或她也应尽量与时代、社会、群体的大走向协调，但是在任何一个时代一个社会一个群体之中，个体生命也都应尽可能创造出那属于自己的世界，特别是情感世界……

　　从北海公园回来，我和晓歌在对望中，都感到又年轻了许多。

1993 年

看儿子慢慢长大

我爱我的儿子。

儿子从小戴着眼镜，初次到我家做客的人见了总不免要问："近视眼吗？多少度？"

总作出如下的回答："不是近视，是远视，很难矫正哩！"

其实，更准确地说，应是左眼有内斜的毛病，因内斜而远视，由于久经矫正而收效甚微，现在已成弱视。一直说实在矫正不过来就去同仁医院动手术，但那只有美容的意义，左眼可不再略显偏斜，却无法改变弱视，甚至还会导致近盲效应，所以，至今也就还没有去动手术。

儿子的左眼为何斜？是先天的，还是后天的？若说先天的，他两岁以前，我们只觉得他一对黝黑的瞳仁葡萄珠般美丽，从未感到左眼略向内偏。若说后天的，可回忆出两岁多刚会唤人时，被邻居中一位鲁莽的小伙子——他当时尚未成婚，却极喜欢小娃娃——抱到他家去玩耍，后忽然听到儿子大哭，随即他抱着儿子来我家连连道歉——在他没抱稳的情况下，儿子一下子摔向了他家饭桌，正好磕着了眉骨，且幸没有伤着眼珠，当时心中大为不快。但人家绝非故意，而看去也确乎只是左眉棱起，红肿一块，眼珠依然黑白分明，只觉得是"不幸中之万幸"，便敷上一些药膏，渐渐也就平复。但后来又过了不知多久，忽觉儿子左眼球内斜起来！那绝无恶意的邻居莽小伙儿，怕就是导致儿子左眼出现问题的祸首吧？不过后来医院里医生细细检查之后，却又说很难断定是后天摔碰所致，有的先天缺陷，是要到孩子渐大以后，才由隐而显的——于是，后来我就对妻说："你也这样想好了，都是我那精子里潜伏的遗传密码，导致了这一后果。"她颇不以为然，我却从这一自我定性中，获得了很大的心理满足。

我满足于：儿子毕竟是我这一个体生命的延续，我愿我生命中的种种优势遗传给他，我也承认我必有显性或隐性的弱点乃至劣势，延续到了他的个体生命之中，我坦然地承担我对他先天素质的全部责任。同时，我相信就如同我从不怨责我的父母给我遗传着某些弊病似的，儿子将来也不会怨责我没有把他生成得更完美，更具有在这人世上的生存竞争优势。

我从没觉得儿子如何超常地可爱，超群地聪明，然而不管怎么样，他是我的——我的亲子。因为我有浓酽的父爱，我常常把他抱在怀中，除了亲吻他那结实的脸蛋，又总不住地摩挲他的头发，他的胳膊和小手，双腿和脚丫，脊背和肚皮……

十几年以后，儿子长成一个大小伙子了，当年邻居中他的一位同龄人，也长成一个大小伙子了，那小伙子有一天到我家新住处来玩时，对我这样说："刘叔叔，我真羡慕他——"他说着指着儿子，"您从小就总抚摸着他，我小时候可没人抚摸过我，稍大点以后，我渐渐懂事了，看见您把他揽在怀里，轻轻抚摸，心里就痒痒。到后来，再看见这种情形，我就浑身的皮肤全都麻躁起来！"啊，他所说的，即"皮肤饥渴症"，他生母早逝，生父娶了后妻之后，两人都对他非常不好，尤其是后母又生下个弟弟后，他简直就成了"多余的角色"。当然还没有发展到打骂或不管温饱的虐待程度，但从未给予他轻抚柔摩的父爱和母爱，令他成人后回忆起来，再加对比时，铭心刻骨地感到哀痛！

爱自己的子女，特别是做父亲的，也如母亲般地乐于抱着他，把他拥在怀中，亲吻他的脸蛋，抚摸他裸露的皮肤和头发，挠他的胳肢窝而逗他欢笑……是非常、非常重要的人生责任和人生乐趣啊！从某种意义上来说，使子女温饱，教他们知识，予他们训诫，驱他们读书劳作……都还不足以体现出父母对他们的亲子之爱。轻轻地抚摸他们吧，给他们以温柔的摩挲吧，这应是他们童年乃至少年时代最重要的身心滋补剂，这也应是初为人父人母的你我所能享受到的最大快乐之一！

爱幼子，同爱一切新生的、幼小的生命、事物的心态，是相通的。

即使是狮虎狼豹那样的猛兽，其幼兽只令我们觉得活泼生动，绝不致产生恐惧之感。

即使是犀牛、河马那样的丑兽，只要一缩小为稚嫩的小兽，乃至缩小为仿制的玩偶，我们也就消除了丑感而生出欣赏之心。

甚至小鳄鱼也有种娇媚之态，刚从破裂的蛋壳里爬出来的小蛇也有种令人怜惜的憨相。

更不用说幼小的孩子，无论黑、白、黄哪种肤色的，也无论他们的眉眼如何，只要显现着一派稚嫩的情态，我们就忍不住心生爱意，想去摩摩他们的头发，拉拉他们的小手，乃至吻吻他们的脸蛋……不能爱好幼小的生命，起码是一种病态的心理。生命的历程有其两端，我们中华民族传统上一贯崇尚尊老，这其中有着值得永远发扬的精华，然而我们的文化传统中确也有过流传甚广的"二十四孝"，有。过褒扬"郭巨埋儿"那种古怪做法的文字。生命的两端本来都值得格外重视。爱幼与尊老本应成为相辅相成的旺健民族的生命力的驱动轴，然而"郭巨埋儿"那样的故事偏把新生命与老生命人为地对立起来。对立的结果，是肯定了老生命的无比崇高的价值，而主张以鲜活的新生命的彻底牺牲来成全老生命的有限延缓——早在半个多世纪以前，先贤鲁迅先生提及此"孝行"时，便愤懑地发誓，要用世界上最黑最黑的咒语来诅咒"郭巨埋儿"一类的文化心态，那真是传统文化中地地道道的糟粕！小说家钟阿城在一篇纪念其父钟惦棐的文章中所忆说，他十八岁那年，父亲坐到他对面，郑重地对他说："阿城，我们从此是朋友了！"我不记得我父亲是从哪一天里哪一句话开始把我当做平辈朋友的，但"成年父子如兄弟"的人生感受，在我也如钟阿城一般浓酽。记得在"文革"最混乱的岁月里，父亲所任教的那所军事院校武斗炽烈，他只好带着母亲弃家逃到我姐姐姐夫家暂住。我那时尚未成家，只是不时地从单位里跑去看望父母。有一天只有我和父亲独处时，父亲就同我谈起了他朦胧的初恋，那种绵绵倾吐和絮絮交谈，完全是成人式的，如兄弟，更似朋友。几十年前，父亲还是个翩翩少年郎时，上学放学总要从湖畔走过，临湖的一座房屋，有着一扇矮窗。白天，罩在窗外的遮板向上撑起，晚上，遮板放下，密密掩住全窗。经过得多了，便发现白天那扇玻璃不能推移的窗内，有一娟秀的少女，紧抿着嘴唇，默默地朝外张望。父亲自同她对过一次眼后，便总感觉她是在忧郁地朝他投去渴慕的目光，后来父亲每次走过那扇窗前时，便放慢脚步，而窗内的少女，也便几乎把脸贴到玻璃之上。渐渐地，父亲发现，那少女每看到他时，脸上便现出一个淡淡的，然而蜜酿般的微笑。有一回，更把一件刺绣出的东西，向父亲得意地展示……父亲呢，每当再走近那扇矮窗时，也不禁嗓子发涩、心跳急促起来……后来呢？父亲没有再详细向我讲述，只交代：后来听说那家的那位少女患有"女儿痨"，并且不久后便去世了。那扇临湖的窗呢？据父亲的印象，是永远罩上了木遮板，连白天也不再撑起——我怀疑那是父亲心灵上的一种回避，而非真实。也许，父亲从此便不再从那窗前走过，而改换了别的行路取向……

对父亲朦胧的初恋，我做儿子的怎能加以评说！然而我很感念父亲，在那"文攻武卫"闹得乱麻麻的世道中，觅一个小小的空隙，向我倾吐这隐秘的情愫，以平衡他那受创后偏斜的灵魂！

也许，就从那天起，我同父亲成了挚友。

如今父亲已仙逝多年，我自己的儿子也已成人，当我同儿子对坐时，我和他都感到我们的关系已进入一个新的阶段——他不再需求我的物理性爱抚，我也不再需求他的童稚气嬉闹，我们开始娓娓谈心……

这是更高层次的人生享受。

五十自戒

算来今年要满五十了。参加工作以后，听惯了"小刘"的称呼。后来专门搞创作，也很享受过一番"青年作家"的头衔。现在年届五十，渐渐有人叫我"老刘"，无论如何再不能划归青年行列了。

据孔夫子立下的标准，五十岁时应达到"知天命"的境地，我能么？实在没有信心。

但也不甘自暴自弃。我曾说过，自己以往十多年写的小说，对人性善的挖掘，比较执著，但对人性恶的探微发隐，就比较薄弱了。现在我想说的是，对人性的探索，无论是善的一面，还是恶的一面，以及善恶难辨乃至善恶杂糅与相激相荡的一面，还有不能以善恶概括的其他侧面，包括那些微妙的、神秘的、深隐的、混沌的、基本粒子般难以把握和天体星云般难以穷尽的种种构成，固然需要沉淀到社会生活中去作不懈的体验，同时，勇于以自己的心灵作探究的标本，把自己"皮袍下面的小"，乃至心底最深处的污垢作一番扫描、剖析、化验与涤荡，恐怕也是必不可少的。

清夜扪心，便感到自己心灵深处至少有两种恶，在五十将临时有蹿动膨胀之势，不能不引以为戒。

一是对同辈人的嫉妒。据说嫉妒之心，人皆有之。又据说嫉妒心是有规律可检的——几辈人之间，差辈间的交叉嫉妒，相对要弱于同辈间的平行嫉妒；

同性之间的嫉妒，相对要强于异性之间的嫉妒；同行间的嫉妒，亦相对强于隔行间的嫉妒；渐进者对暴发者的嫉妒，却又往往弱于暴发者对一贯顺利者的嫉妒……又听到过一种理论，是说嫉妒之心不可无，但不可太强，适度的嫉妒是人奋发向上的心理原动力之一；社会的良性竞争中，实需适度的嫉妒心做润滑剂……

我对这种种说法都没有作过深入的研究，但就我个人而言，冷静自视，那心底里咬啮着灵魂的对同辈人的嫉妒，却无论如何是一种即使不能涤除也必须自觉压抑的人性恶。

在同辈人里，我一度算是幸运儿。情况众所周知。但在知足的心理层面下头，我不得不汗颜地承认，竟仍然时常蹿冒着对同辈人的嫉妒。对人家才能方面成就方面名方面和利方面实惠方面实力方面前景方面眼眉下方面……种种超过自己的地方，总有一种针刺般的隐痛。从而不仅在暗中巴不得人家或自然衰竭停滞倒退或触个霉头栽个跟头，甚至也还有一种隐藏得很深连自己也死活不愿承认说出来写出来要鼓起老大老大勇气并且脸上不禁火辣辣——可那又是千真万确存在着的恶浊想法———旦有机会，少不得要臊一臊他的面皮，扫一扫他的兴头，坏一坏他的声誉，阻一阻他的前程……年届五十，面对自己的心灵，我不禁自问，会有那么一天，我由于自己竞争力的衰竭而进一步发展到借助于"拉大旗作虎皮"，以冠冕堂皇的符号系统，掩护着我那对同辈人的嫉妒毒焰，去达到"卧榻之侧，岂容他人酣睡"的目的吗？

另一种蛰伏于我灵魂深处的恶，便是对年轻人的嫌厌。其实也还是一种嫉妒。所谓对年轻人，是含混其辞。干脆更坦率些说吧，针对的是比我年轻的作家——当然，那对他们的嫌厌度，是与他们的走红程度成正比例的。我走上文坛那阵，有多艰难，他们现在多容易！我从茅盾手里领过头名奖状时，他们还在哪儿窝着哩！看他们那狂放劲儿，知不知道天高地厚？他们见到我的时候，居然没有足够的礼貌，没有应有的微笑，没有引出我谦让之辞的必要恭维，没有征求我的批评指正，甚至没有最低限度的敷衍……他们写得太多因而太滥！写得太快因而太粗！写得太轻松因而太浅薄！写得太新潮因而太危险！写得太火暴因而太讨厌！他们应该沉下去！应该暂停！应该知趣！应该安于寂寞！……我心灵深处的恶啊，其实，恐怕是我自己难耐寂寞吧？因为不能将我的高峰期、我的走红期、我的轰动期加以延长、发展、上扬，所以，我不能承认年轻一代超过跨越我的现实！我希望改变这个现实、抹煞这个现实、倒退这个现实！……从心底深处挖出的这些黑臭的"意识流"，如一堆蠕动的蟑螂般令我自己恶心，天哪，难道迈进五十岁，走向六十岁，我会变得把骂年轻作家，渐渐当做我的日常功课吗？我再写不出像样的作品，甚至连不像样的作品也写不出来，剩下的事情便是坐在客厅里，同一二同辈相投者叹息年轻一代作家的不肖，或者出席一些这样那样的会议，满足于在有关报道的一串名单里见到自己的芳讳，又或者在会议上，作出气急败坏的发言，抨击年轻作家的所作所为——当然在我所使用的符号系统里，我会频频嵌入诸如"多数"、"大多数"或"少数"、"极个别"一类字眼显示出自己并非"以偏代全"，但最要命的是，无论是"多数"还是"少数"的年轻作家的作品，我其实都不耐烦阅读，或简直根本不读，我对他们的义愤大多来自"听说"，有的是同辈人辗转告知，有的则仅仅来自餐桌上子女的议论——并且还是赞赏的议论……天哪，我会变得那样吗？会吗？

　　一身的冷汗在慢慢干掉。值得庆幸的是自己还能自信说一句"江郎并没有才尽"，灵感仍时有爆发，创作冲动涌起时似乎也还虎虎有生气，短至一二百字的极短篇，长至几万字十几万字几十万字的小说，也都还能写，并且在散文、随笔的写作方面更有空前的兴致与产量，下笔绝无枯涩感而有汩汩流淌之势，并且写出来的东西也还大都能找到地方发表，也还能出书，还有竞争力，没有衰竭，所以迈进人生的第五十个年头时，占据着心灵大部分空间的，似乎也还是些光明的、向上的、健康的、善良的、美好的、有益的、宽容的或至少是平实的、无害的、中性的、庸常的东西。

　　但搞一搞自我的心理卫生，挖一挖自己灵魂深处的恶浊，给自己提出一点警戒，确实不仅是必要的，也是及时的。把它公布出来，自我示众，也是企盼前辈、同辈、后辈能助我一臂，使我能更有自知之明，要能踏实精进，并且能抑制住乃至荡涤那心灵深处时不时往上拱动的恶浊，使我五十岁后至少还是一个正常的作家。

1992 年 2 月 2 日

我的平民朋友

有评论家指出，我的作品中，常体现出一种"平民性"。远的不说，即如我1992 年发表在《收获》杂志的中篇小说《小墩子》，1993 年由中国电视剧制作中心拍成八集电视连续剧，于 1994 年初播出以后，就很有些评论家说，我这个作家真是改不了"旧习"——北京如今有了很多的"摩天楼"，更有很不老少相当富丽堂皇如燕莎友谊商城、赛特购物中心那样的商场，三环路外出现了多少高楼林立的新居民区，又有几多北京游乐园、世界公园、九龙游乐园那样的娱乐场所，可是，你这《小墩子》所写的人生浮沉，还是小胡同大杂院里的事儿，虽然你这些人物、故事，都鲜明地折射着时代的光影，可在读者、观众面前晃来晃去的，还是"胡同串子"和"土鳖婆儿"……你对他们怎么就那么有兴趣呢！

是的。我对所谓底层的这些小人物，确实有浓厚的兴趣，而且不只是兴趣，对于他们当中的某些人，我还很有感情，有的，我们之间的关系，已达互为"铁哥儿们"的程度。

有一回，文坛圈里的一位熟人，偶然看见我在一处街角的马路牙子上跟一位壮汉并坐闲聊，他并不惊讶，而是跟我打个招呼，本能地对我笑说："体验生活啦！"然后脚不停步地走了。后来他还在某个圈子里的场合，对别的人说："那天我看见刘心武在大街上体验生活呢！"自然是揄扬的意思。可在我听来，却真是"这话从何说起"，因为那条汉子是我多年的朋友，我跟他交往，实在是与写作无关，也许我的小说中会有些他给予我的无形影响，但我至今并没有用他做模特儿写过小说，他是一个从不看小说的人。

我自从当上作家以后，也确实正儿八经地去为创作具体的作品体验过生活，在那过程中也和一些人建立了较深入的关系，其中有基层的工农兵，也有干部和知识分子。我和他们当中的个别人，直到如今也还保持着联系，但都称不上朋友。

我的平民朋友，都是怎么交上的？大而言之，那是因为我原来就是一个平民。众所周知，我曾在一所中学里当了十五年的普通教师。中学教师的社会地位，至今仍是"黄柏木磬槌——外头体面里头苦"。我又曾在胡同杂院里居住过十来年，虽然我后来从教师群里"出来了"，也搬进了楼房里住，甚至于享受到了所谓"正局级待遇"，人五人六的好赖算个"角儿"了，可是，我还是喜欢跟那些人们称为"平民"的人交往。至于每一位具体的平民朋友是怎么交上的，那是我和我朋友的私密，我不大愿意公开。

有的这样的朋友，我也写过。比如我的一位修鞋匠朋友，我叫他郤大哥，我在《私人照相簿》里直接写到他，印出了他的照片，还以他为模特儿，在长篇小说《钟鼓楼》里塑造了一个荀师傅的形象。他不幸去世十几年了，现在，回想起我们交往中的许多琐屑往事，心中还是不能平静。比如，我们哥儿俩几杯"二锅头"下肚，他就会毫无保留地把他心中难与一般人言的烦闷，向我倾诉，有时，他把头晚的梦境讲给我听，他多多少少有些个迷信。其实我也一样，我无宗教信仰，虽基本上倾向于无神论，却也还够不上一个"无神论者"。所以在那种情况下，他要我给他析梦，我也就很投入地为他的梦作解析，解出来，连我自己也很以为然，于是我们便浮一大白。

后来看到一篇评论我的长篇小说《风过耳》的文章，这位评论家注意到，我这部小说虽以写"儒林"百态为主，可是也写了不少"平民"。他认为这上下两个层次的人物，都还堪称描写生动，但他认为我没能把这两个层次的人物用更多的矛盾冲突纠葛在一起，是结构上的失败。我小说里写了一个在大科技文化单位里给头头脑脑开车的司机，他住的地方是"平民"聚居区，这样，我通过他把两个层面的生活交错在一起。但这位评论家还不满意，他认为成功的结构，应是将小说的主要人物，比如说副局级的干部，同最下层的人物直接构成"戏"。评论家的意见，我愿参考，但就我本人迄今为止的生活经验而言，我感到北京这个大都会的"上层"和"底层"之间，就单个的人与单个的人相互的交往沟通而言，是并不多见的。当然，所谓"上层"、"上中层"、"下层"、"底层"，都是借用的词儿，因为在我们这样一个国家里，是不应把人分为三六九等的。不仅从理论上说凡公民都是平等的，在具体的生存状态里，比如住很宽的楼房和住又小又破的平房的人，家里都拥有相同的日本进口原装大彩电，共享着改革开放的某些成果，也是其他发展中国家并不多见的景象。但人们毕竟过着各自那个层面上的生活，在相当程度上，是无直接相关性的，不仅很难纠葛到一起，构成"戏"，而且，有时简直就不甚清楚别的层面上的人是在怎么活动。比如，一位大学老教授，因为一个偶然的原因，进入了五星级大饭店，并且进入了其中的"演歌台"，他不禁目瞪口呆，特别是当他想到，这社会上有某些人，成天泡在这类场所，消耗他们的生命，更不禁连连唱叹。同样，某些大款，从豪华轿车上跳下来，进入五星级大饭店，动辄就开瓶"路易十三XO"，他们也死不理解，一个大学教授家里，怎么就没一件像样的家具，却到处撂着些"破书烂纸"！

我并不认为，我们这个社会上的一个人，必得越出自己所在的那个层面，去交朋友。就是作家，他可以为写一个表现"下层"的作品而去深入生活，结识一些平头百姓，却也不一定都要交成生活中的朋友。所以，要特别说明的是我一点没有炫耀自己怎么"保持平民本色"，或隐含否定别的作家"不平民"的意思。记得1993年我给《中华儿女》写了篇谈自己现状的文章，编辑突出了我"为了尊严，我不下海"的话，结果就有人来问："难道人家下海，就是不要尊严吗？"其实我只是说我自己，并不涉及别人。我的意思是说，我现在依靠写作，尚能维持一种有尊严的雅致生活，所以不打算下海。现在我写到这里，也只不过是承认，我确交了些市井朋友，这未必是我的什么优点，我的创作也未必因此就更好，这只不过是提供一点花絮，让关心我的读者朋友，多了解我的一个侧面罢了。

　　夏日，在街头巷尾的路灯下，蹲坐着些甩扑克的人群，这情景，许多身份比他们高的人，是都见到过的，如果发现我也兴致勃勃地混迹其中，那当然会讶怪。我和我的朋友，加上他的邻居，还曾在高层居民楼的电梯过道里，摆开小炕桌，坐着小马扎儿，打过一宿的麻将。小输小赢，插科打诨，让过堂风吹得优哉游哉的，那情景儿，恐怕"儒林"里能知道的，就不多了。在那里搓麻，一是家家住得都不宽敞，二是楼道灯与电梯的用电，都不与各住户电表相干。你爱怎么鄙夷就怎么鄙夷吧。反正我跟他们在一起，感到是处在一种无大恶亦无大善的自然状态中，这状态很适合我，能调剂我有时为沉重的思绪弄得无比焦虑的心情。

　　骑车去野地里，寻找点野趣，这是我和一两位平民朋友的共同爱好。但现在野地已萎缩得所剩无几了。1992 年我们还曾在三环路外找到个野撂着的废窑坑，坑边长着不少芦苇，还有些蒲草长在水中，我喜欢芦苇和蒲草，他们就帮我采拔。其中一位为了拔蒲草，索性脱光了跳进水去。那窑坑是漏斗形底，积水里长满了水草，他一下去就往下沉，还被水草缠住了脚，吓得我们在岸上大喊大叫。但他终于浮了上来，摆脱了水草纠缠，还为我拔下了若干花多少钱也买不到的蒲草。我还注意到，一般来说，文化人的肢体语言，使用得最多的是手势，而我的这些平民朋友，他们的肢体语言却常常表现在头颈部的摇动上。我就很喜欢我的一位壮汉朋友，说到兴致处，把他那颗大头豪迈地一摆的模样。总而言之，"读"作家朋友，自然乐趣全在读其文章，而"读"平民朋友，那乐趣往往在有声的话语之外，在其生动的肢体语言之中。比如我一位当过消防队员的朋友，他说到不平事，或仅仅是听到我说起委屈，便每隔几分钟重系一次腰带，每次胸臂肌肉都块块饱胀，他言简语罕，这肢体符码的表达，却含意丰富。

　　要保持和这些朋友的恒久关系，也不是那样容易的。主要的原因在我，我自己的事太多，而我的这些事又往往跟他们所忙的事不在一个社会层面上，交叉点太少。所以，有的这样的朋友，我总不去找他，就渐渐疏远了（虽并不淡忘）。比如前些时我跑到南城去找一位这样的朋友，发现他所住的那一片地方，原来是些破破烂烂的平房，现在已改造成了一片崭新的居民楼，我到居委会去打听，人家说原拆迁户只有十分之三回住此处，其余的分散到五六个新居民点上去了，哪儿查得出！我只好怅怅而还。当然，我为那位朋友高兴，他一定大大改善了居住条件。或者会有人问：你们不见面时，就不通信么？不打电话么？是的，我和这样的朋友，从不通信，他们也极少和我打电话。你看，如果我搬了家或他搬了家，我们也就很可能失去联系。你如追问：你们这样交往，算得上朋友么？那我要告诉你，相互间没有任何利害关系的朋友，往往是这样的，在文化人之间，也如是，倘失去了联系，心里还是忘不了的。偶尔回忆起来，友情滋味是不减的，一旦又偶然地邂逅，那重逢的快乐，是难以譬喻的。

一位平民朋友有一天认真地对我说："总听你说，这个朋友那个朋友，好像你就那么趁（意为拥有很多）朋友。走着瞧吧，等你崴了的时候，你再转脑袋瓜看看，你究竟有几个朋友！"

崴了的时候我转脑袋看了，圈内的所谓朋友，少了许多，而平民朋友，大体都还依旧。当然，若要以真正深交，能相互理解相互补阙而处之欣欣然为标准，则我的所谓平民朋友，说到底也并没几个。

友情是一种微妙的感觉，朋友之称实不应谬安。什么平民不平民，既是朋友，便无平与不平之分。一条溪水清清爽爽长长流淌，穿越世事，不计岁月，满盈着善意，这便是友谊的象征。

惜别老罗

老罗，我的一个平民朋友，从家乡来北京几年了，换过几种工作，从前年起在火车站附近一家餐馆打工。凡是营业时间，都站在卫生间外的洗手池旁，按照老板要求，给上完卫生间的男女客人递擦手纸，并至少要每一小时，趁里面没人的时候，轮流进男女卫生间去打扫卫生。他跟我说，女客大都不接他递过去的纸，也很少使用电动烘干机，而是用自己带的擦手纸或手绢解决问题，女用卫生间打扫起来也比较容易。男客们则即使烘干了手，也都愿意接他递过去的纸，不过经常是用来擤鼻涕。男用卫生间打扫起来可就麻烦透顶了，因为喝醉了酒，在里头呕吐的实在太多，老罗形容起那情景，使我极其反胃。我跟老罗说，像他这样的服务，是应该给小费的，他可以在洗手池旁，放一只小碟，每到营业时间，自己先把准备好的两元、一元和五角的"引子"搁在里面。老罗说老板开会时说了，谁也不许收小费，如果有客人给了小费，必须上交。

一大早，以及午、晚两次营业之间，老板还安排老罗打扫餐馆外面的停车场。人们都说北京秋天最好，老罗却最怕秋天，因为停车场两边的大杨树总要掉一季的叶子，每回他清扫起来都非常吃力，有时这边还没清扫干净，营业时间已经到了，老板巡视时发现卫生间门外洗手池边没有他，便会扯开嗓门喊他，搞得他跑动起来脚底下打绊儿。

那餐馆给打工者吃的，分成三等，厨师、配菜的，可以自己做来吃，只是别太过分就行。收银员、采购员、领班，允许分吃从餐厅、包房里撤出的剩菜。餐厅服务小姐、洗碗的以及老罗，则只能吃大锅熬菜，里面很少有肉。有一回，厨房里一只龟死了，厨师不敢做给客人吃，报告老板，让老罗去扔掉，老罗舍不得扔，餐馆打烊后，封火前跟厨师打了招呼，自己炖来吃了，吃的时候也没觉得味美，也没感到恶心，但第二天身上好几个部位就都爆出了肿块，奇痒难熬。在那餐馆打工是不给休息日的，每月工资先是 300 元，后来涨到 350 元，老罗把挣到手的钱全折叠在一起，用两根橡皮筋箍得紧紧的，搁在裤腰上的一个皮制烟袋盒里，晚上睡觉，把裤子连同那烟袋压在枕头底下。那摞钱也不是越来越厚，因为每隔一个时期，他就请假去趟邮局，给他老婆寄回一笔钱去。去邮局的假，至多两个钟头，老板当然批准。因为吃死龟身上肿出怪东西，老罗不得不上医院看病，老板大发善心，准了他一整天的假。老罗去了医院，花了挂号费，可是他舍不得花钱买医生开的药，跑到我家找我，说是看看我家有没有现成的药。我一听、一看，马上把他领回那医院，给他买下那些药，再把他带回家，口服的，立即让他开始吞服，外敷的，就给他用药棉敷上，他憨憨地跟我道谢，说："可怎么报答你？"我说："你又来了，我们既然交了朋友，说这些岂不见外了？"后来我们下楼到一家小饭馆吃饭，怕他喝了含酒精的东西不利治疗，就没像以往那样要四两"二锅头"，菜也不敢点辣的，主菜是糖醋里脊，吃完了我才想到醋恐怕也是不利于内毒发散的，后悔没点红烧排骨。因为有一整天的假，老罗越来越觉得是因祸得福——我们两个同龄人吃完饭后又在护城河边遛弯儿，边遛边聊，十分尽兴。我特别喜欢他讲农村里的种种人和事，二十多年前的故事大体都跟饿肚子有关，近十年的则大体都是吃饱了生出的怪事情，那生动的内容是我从印刷品和互联网上获取不到的。他呢，则喜欢我讲些科学技术方面的事情，其实我也是一知半解，比如为什么电视能映出那么多节目，电话，特别是手机为什么能让老远的人听见声音，等等。我很怕我讲得并不对，他回家后再讲给晚辈听，以讹传讹。

老罗身上起的肿块没多久就完全消失了。但那家餐馆换了老板，新老板认为根本不需要派一个人专门负责看管、清扫卫生间，就把老罗辞了。老罗找到我，不甘心就此回家,他说给独孙的教育费还没有攒够,还想在城里挣钱。我想起来以前的一个邻居,相处得不错的,也在开餐馆,而且生意很红火,前些天来过电话,邀我去他新辟的分店同喜尝新。我那天虽然没去,想来我的面子还是会给的,于是当着老罗给那位姓李的老板打了电话,让他尽量收留老罗,他果然立刻应承了,让老罗第二天去报到,我对老罗说:"你可真是吉人自有天相啊!"

没有想到的是,半个多月后,老罗来找我,说是对不起我,他实在不想干了。这家餐馆的李老板安排老罗洗碗兼打扫院落卫生,不能说比以前累,而且一个月还给三天休假,但是,每月工资只有 270 元,还说定每月工资要暂扣 50 元不发,为的是防止雇员领工资以后忽然不辞而别。李老板还规定,作为洗碗工,老罗必须花 50 元买下他给的白大褂当工作服——尽管老罗自己有一件还能穿的半旧大褂。那厨房里总是非常热,洗碗却只能用冷水,而洗涤剂严格规定用量——每天三餐至多只许用一瓶,这样,生意越红火,老罗洗碗就不仅越吃力,最后没了洗涤剂也就很难把油腻洗净。李老板给雇员吃的饭菜倒不分等,都一样,油水稍大,但规定一律要在厨房里站着吃,即使餐厅打烊了也不能到客堂里坐着吃。厨房里不设坐椅板凳,唯一的一只高脚凳是给厨师长工作用的,也只有他闲下来时可以坐在上面休息。李老板没给老罗安排宿舍,晚上老罗和另两个雇员就在餐厅里各用六张餐椅拼起来当床睡,那西洋风味的坐椅上挖有凹槽,坐时屁股舒服,当床睡腰身可就难受极了。最让老罗难以接受的,是李老板要求他自费一次性办理一年的暂住证、上岗证、卫生合格证,合起来约 300 元。老罗提出来先办半年的行不行?老板说:"要签合同就签一年,半年你就走人?"我提出来支援老罗 300 元办齐那一年的三证,劝他尽量还是留下来,还说我打电话给李老板,在某些问题上给他求求情,看能否改进一下工作与居住条件,老罗却摆手说:"算了。替他细想,若不是这样行事,他那生意怎么能发达,开了一家又添一家?"又说,"真的,我这几天觉得自己老了,做不动了,我还是回家去吧。"

老罗真的要回家了。他来告别那天,递我一张浸着他汗味的纸条,上头写着他家的地址,好长啊,先是省,然后是市,再后是区,区后是镇,镇后是乡,乡后是村，村后呢，写的是"二社"，我说怎么会叫"社"呢，应该是"二组"吧？他说要么写"二队"，反正到了那最后一个字，怎么写都无所谓，肯定收得到了。他要我多给他写信，别怕他多花钱。我明白，他们那个"社"或者"队"或者"组"或者不管叫什么的管事的人，让邮递员把所有人的邮件都先放在那里，收件人去取时，一般信函要交他两毛钱，汇款单则要交五毛。老罗说："你写来吧，我一个月花一块钱也愿意。别怕我认不全，我孙儿念到第九册了，他能读给我听。"

　　我没有去送老罗。但我记得他搭乘的那趟车开车的时间，老罗买的硬座，要三十多个小时才能到达省城。我坐在书房电脑前，电脑上显示的时间告诉我老罗坐的那趟车开出北京了，我觉得心里出现了一大块空白。我从电脑桌抽屉里取出一张照片，那是我和老罗在护城河边的合影。儿子给我们拍照那天，河边玩耍的人很多，照片上除了我和老罗，身后左右还有些别人的身影。记得老罗拿到照片后说："啊呀，怎么净是些野人啊！"他们那地方把陌生人称作野人，并无谩骂的意味，但相对来说，我于他而言，不是野人而是亲朋了。越来越远去的老罗啊，我们什么时候才能再聚？人生苦短，真情难觅，而我们确实也都老了，磨砺得粗糙硬冷的灵魂，如何维系住那一缕超越功利荣辱的心线？

我爱夜凝珠

虽然按人均计中国称不上报纸大国，但按种类计我想一定名列世界前茅；我个人目前就起码同不下二十家报纸有应约供稿的关系——这还不包括香港和台湾——并且我还在五六家报纸的副刊上设置过个人专栏；光是在广州我就给好几家报纸副刊投搞；我曾在《粤港信息日报》上有个《静夜思丝》的专栏，写法虽然同在南京《扬子晚报》上的《灯下拾豆》专栏不同，却都显露出我在夜间写作的习惯。

夜间写作，中外古今早有先例，无足怪，难称奇；但不少爱护我的朋友，都劝我把这习惯扭过来，其中最重要的劝辞，便是"夜作昼眠有悖人体生物钟的正常设置，对健康大大不利"；朋友们的呵护，我心领神受，但我的自我感觉，却是唯其如此，我的生物钟才走动得畅快，所以目前并无改弦易辙之意。

人们把夜里反比白天活跃的人称作"夜猫子"，我想起曾看到丰子恺的一幅画，画一只夜游猫，朝主人的房门里张望，眼瞳炯炯，腮须挺挺，神态宛然；那点睛的画题，记得是《探索者》或《探险者》——的确，在静夜里无论细品人生百味还是扣心细掘人性底蕴，都别具一种白天里在忙乱、匆促、喧嚣中难以享受的探微发隐的奇趣与喜悟。

1993 年我才购置了电脑，在北京作家群的"换笔"潮流中是个迟到者；久未购置，一非观念抵牾，二非经济因素，主要是不愿大大改变书桌的景观——我又无单设一电脑工作台的富裕空间——我书桌上除了有一只鱼缸外，还有一盆绿叶纷披的巴西木，它们伴随我度过了许多个探索或探险之夜。我很难想象，一旦它们搬离了我习见的位置，写作和冥想的间隙里，我的视线将从哪里去获得难以解说的愉悦与慰藉……前些时有人向我推荐了一种便携式的美制286电脑，搁放到我书桌上，不但绝不"触目惊心"，而且完全不用挪动原有的任何东西，小金鱼照样一抬眼便悠然摆鳍摇尾，巴西木照例一举目即鲜绿扑眼沁心……我当然喜出望外。

我既把自己的居处称作"绿叶居"，所养观叶植物当然不止一种，但书桌上的巴西木确是一号宠儿。这并非它有多么珍贵，或其来源有什么特别的纪念意义——它是我四年前从护国寺花店用四十元买来的，坦率地说，我也没有怎么细心地养护它，它的发育状态，只是堪称正常而已。

难忘那一夜，停笔时注视巴西木，忽然发现好几片长叶的叶尖上，都凝着水珠，使我眼睛一亮心中一震；那静夜里默默凝出的珠滴，显得醇厚而鼓胀，缀在叶尖上毫无坠落之势。我望它，它显然也在看我，我们相对无言，但魂魄交融。

蚌类凝珠，为人类所看重，被荣称为"珍珠"，究其实，蚌是为了克服进入自身的异物，防止那危害，才把一部分生命力集聚到那里，在自卫中奋力将异物层层围裹，营造出一个光润的珠面，凝珠的过程，不啻是一曲悲壮的生命之歌。巴西木呢？那叶尖上的凝珠，是汗？是泪？是血？显然，它也是为了维护生命本体，才把涸流完而无须储留的水分，在静夜里凝成珠滴，那本是不期望别的生命对之凝视的，而一旦有另一生命对之相望动情，乃至达于心灵互契，该是多么幸运、多么快乐！

我的静夜写作，也是在凝珠么？凝不出珍珠，但我与蚌类有共同之处——为排除与我个体生命有妨碍的异物而进行抗争；当然我与巴西木更贴近——凝出的只是很快就要坠落干枯的水珠，不过，滴滴都带有涸游过生命深处的歌哭……

这世界变得越来越喧嚣，静地是越来越少，声光色电的"夜生活"越演越烈,"不夜城"乃是一种美称,然而我还是喜欢静夜,喜欢在静夜里默默地凝珠。

时常暗祷:在尽兴地投放沸扬的人际斡旋之后,能保有一份单单属于自己的寂静,不受干扰地从生命本体深处凝出自己的珠来——一滴,一滴,再一滴……

1993 年 3 月 24 日夜

我的生命消费方式

一

一位我尊敬的老作家有一回有所感地对我说："刘心武，我觉得你是一个纯粹的作家！"我觉得这是对我极高的评价。

是的，我写作，首先是因为我的生命本体中有一种不可抑制的需求，写作成为我个体生命生存的最佳方式。

当然，我和大家一样，也常会陷于困境，我爱写作，但有时也会写得很少，或竟至停笔。不过这种情况不多。

最近几年，我经过短暂的休整，全力投入写作。我为自己拟定了几条规箴：

1) 耕耘时不要想着收获，一定要真正做到"埋头"；

2) 不再将就心外的牵动，自己爱写什么就写什么，爱怎么写就怎么写；

3) 原有的思路轰毁，不足惜；保持终极关怀，但不必焦虑；

4) 深知这个世界不是单为我而存在的，但相信自己必能找到可以一抒胸臆的空间；

5) 我不可能为任何人代言，却自信人间有知音；

6) 为我自己高兴，并乐于自嘲。

我就这样自得其乐地消费我的生命。

二

　　这几年我的作息时间和常人很不一样，一般晚上十点我开始写作，到次日凌晨四点左右结束，上午睡觉，中午起来吃一顿早、午合餐，午睡自然免了，下午我看书报杂志、会客（我一般只会事先约定的客人）；晚上是家人团聚的黄金时间，我家对晚饭相当重视，不仅菜肴比较丰盛，而且餐桌上要点烛台，享受温馨的亲情；我常同家人一起看电视，看最具消遣消闲性质的诸如《戏说乾隆》那样的节目，并随口闲扯……

　　我的生存离不开写作，但写作当然不是我生活的全部快乐，更不是全部内容，每过一段时间，我就和妻子一起去逛街，我们近几年似乎很少去公园，主要是去逛商店；妻子很嘲笑我一个男子汉其实也很喜欢在商店里东张西望，并忍不住在经过大镜子时偷偷照镜子，每当有人夸我能耐心陪妻子逛商店时，妻子便不禁叫屈。她当然冤枉，因为近年来去逛商店的动议确实常常是我首先提出来的，他人哪能得知？有人说我是去体验生活，可是我觉得自己的生活同北京城里芸芸众生的生活本是联在一起的，我就在生活之中，我内心的体验从未空虚过，我总是感到来不及把自己的体验及时地写出来。

　　一些同行知道我有若干市井朋友，与我通电话时常常开玩笑地问："是不是又找你那'小 per'和'二 zuai 子'去啦？"他们用那两个外号概括我的那些多少有些"不入流"的朋友们，我确实每隔一段时间就会去同他们玩玩，这于我也非"体验生活"，跟他们玩有特殊的乐趣，我生活中需要这种乐趣，而我倒不一定去写他们。

　　不消说我有不算太多也不算太少的文化圈里的朋友，来往是免不了的，也构成我生活的一大有声有色的内容，幸运的是这几年我不必与那些我讨厌而对方也讨厌我的人敷衍应酬。

　　除了写作我还喜欢画水彩画和油画，年末总自制一些贺年卡寄给朋友。尽管有浪费之处，但总的来说，这几年我对自己生命的消费是划得来的。

1993 年

消化自卑

报刊编辑让我说说自卑与成功的关系，显然，那前提，是把我设定为成功者了。我算不算得一个成功者？面对这个问题，老实说，我就相当地自卑。就我从小喜好文学，想从事写作，发表文章，出书，名字为人所知，文章和书有人读，这个方面而言，我得承认，算是基本达到目的了；但是，若从别的角度来看，比如，所写的文章，所出的书，究竟有几篇，有几本，是具有久远的审美价值的？所获得的社会性名声，究竟是经得起推敲的，还是实在不过虚有其名而已？那恐怕，就很难说是一个成功者了。当然，成功之心，人皆有之，我亦至今茫然，虽然究其实情，属尚未成功，但毕竟已有过一段奋斗，跌过跤，碰过壁，挨过批，受过嘘，翻过筋斗，遭过挫折，总算也在通向目标的阶梯上攀了几级。所以，倒也愿意说说在攀进中，是如何心生自卑，以及如何对待自卑这个心理问题的。

我自幼性格内向，属于不但不具备性格优势，甚至可以说有性格缺陷的一类人。我心中暗自高骛，却很难在人际竞争中将心中的向往外化，所以，我从中学时代，便屡屡在重大的关节上失败。其中败得最惨的，是我 1959 年以优等成绩高中毕业后，没能考上理想的大学，只被一所如今早已不复存在的北京师范专科学校所录取。从师专毕业后，我被分配到北京十三中任教，在那所中学，我度过了自己最宝贵的青春期（十九岁至三十三岁）。我的未能进入比如北大那样的名牌学校，据当年同班任过班长的同学近年再一次证实，并非我高考成绩差，而是遭人从政治上暗算，在操行评语上注明此人不宜录取。本来那是连师专也上不成的，但那年师范类院校招不满生，这才又从"不宜录取"的档案中拣出一些考生来，我也在内，补其不足。在很长的时间里，我都为自己总是不得不在履历表里填上毕业于师专而自卑。这一份自卑，我也常试图以"我是遭人暗算才落入此校的"来平衡自我心态。值得庆幸的是，我终究并没有陷落在此种"平衡术"中。后来我常向自己说的是：不要怨天尤人，我宁愿把事实设定为根本没有人暗算我，而确实是我自己没有考好；再说，师专也毕竟教给了我若干必要的知识与技能，我为什么就不能以师专为起点，来走好我的人生之路呢？记得到了师专我便将罗曼·罗兰的一段话抄在了自己的札记本上："累累的创伤，便是生命给予我们的最好的东西；因为在每个创伤上，都标志着前进的一步！"我努力把只上到师专的自卑心理转化为自尊、自强的奋斗意识，拼命读书，飞扬想象，尝试创作，勇于投稿。1960 年，尚在师专学习时，我的散文便刊载于《人民日报》副刊了。到1966 年"文革"爆发前，我已在报刊上发表了几十篇作品，虽然都是些稚嫩的小小说、散文、小品、影剧评论，但自幼的文学梦，可谓初见虹影，倒未必是上了北大中文系，就一定能实现到那个程度的。至今有人以为我在 1977 年发表于《人民文学》杂志的短篇小说是我的处女作，其实我早非"处女"，"失身"于文学久矣！我第一篇被印成铅字的文章，是 1958 年发表在《读书》杂志的《谈〈第四十一〉》（《第四十一》是苏联作家拉甫涅尼约夫的一部备受争议的小说），那时我还是高二的学生，十六岁（我上学比同龄人早两年）。上高三时，我已常给中央人民广播电台的《小喇叭》写广播剧和广播故事，其中广播剧《咕咚》甚至到今天仍是一个保留节目。在《班主任》之前，我已出版过整本的书，是儿童文学，写一群孩子与教唆犯开展斗争的故事，属于那个时代框框里的时髦货。记得 1988 年香港《大公报》搞报庆，把我也请去了。从内地请去的基本都是资深的老先生及其夫人，其中一位是吴冷西，他的夫人肖岩当年恰是北京师专的校长。当她得知我是师专毕业时，说："哎呀，真是鸡窝里飞出了凤凰啊！"连她提及师专也不免卑称为"鸡窝"，我的这份学历现在曝光于此，不知读者诸君各抱何等感想。在我来说，这已成为我生命中不可改易的事实，并且，我也不想比如说再到北大读个学位来弥补它；我想做的事，只是承认自我学历的这个缺憾，并消化掉自卑感，面对每一个新的"今天"，去扎实努力地提高自己、发挥自己。

我注意到，除非不得已，很少有作家在自报履历时提及自己在中、小学任教的经历。毋庸讳言，甚至直到今日，我的十几年中学教师的履历在一些人眼中仍属于非光彩的部分，"他当年不就是个教中学的吗？"这类响在我耳边的话语曾使我心中的自卑感浓酽旋升。许多人认定我写《班主任》时是个中学教师。其实1977年我写《班主任》时已是北京人民出版社的一个编辑了。我1961年分配到北京十三中任教，那时我只有十九岁，比我教的初二学生大不了几岁，当时十三中的高三毕业班的学生有的与我同岁。严格来说，我当正经中学教师的时间只有四年半，因为1966年6月爆发了"文革"，北京的中学是首先乱套的，直到1970年后才算恢复了一点文化课的教学，但没多久因"黄帅事件"导致了"反师道尊严"的大混乱，就又学校不成其为学校了。那时我最强烈的愿望便是脱离学校，所以后来有机会借到出版社写书，并进一步正式调入成为文学编辑，是非常高兴，也非常得意的。但是随着我在文学创作的路上走得越来越久，我就逐渐意识到，倘若没有我那十几年的中学生活，没有在中学经历了"文革"的狂暴，以及在那些苦闷而辛酸的生活际遇中得以亲近了许多底层的学生家长，以及学校附近的普通居民，亲身感受到了北京这座古城的某些神韵，熟悉了北京市民的语言，又苦苦思索了许多问题，我是不可能在1977年写出《班主任》，引起轰动，以及嗣后几年喷涌而出了《我爱每一片绿叶》《如意》《立体交叉桥》，直到获得茅盾文学奖的（《钟鼓楼》等作品的。后来我进一步认识到，并且至今在加深着这一认识：我不仅不应为十几年的中学教师身份而自卑，反应感谢命运对我的这一份恩赐。

自卑于我似乎是身移影随。《班主任》曾一度使我春风得意，但时过境迁，现在回头再看，真是不忍卒读。1978年我有一篇《爱情的位置》甚至于比《班主任》还轰动，经电台一广播，读者来信雪片般飞来，但是现在，它的粗陋也徒令我自卑。80年代中期以后，一批年轻的作家涌现于文坛，他们可不像我当年那样直奔主题，他们绝无概念化的毛病，勇于创新，注重技巧，尤重语言，出手便不凡，起点高，艺术味浓，我虽努力提高自己，向他们学习，也算是有些个进步，但对比之下，自觉珠黄，岂不自卑？到90年代，我的自卑感更是有增无减，比如，我在《班主任》之前，为脱离中学，调入出版社，所出的作品，系遵循"样板式"模式，表现"以阶级斗争为纲"的儿童故事，我的"写作史"很不纯洁；再，我至今不通任何一门外语，又不会开汽车，虽能用电脑写作，却并无"上网"的能力；到国外访问，基本上只能在华裔圈和搞汉学的洋人圈里活动，根本进入不了那边的文化主流；活了五十六岁，人际上却仍不会圆融应付……如之种种，有时自卑感忽淤积于心，真恨不得自己把自己一笔勾销了事！

自卑过甚防肠断。但自卑感的升腾，也未始不是一种尖利的自知之明。从这个意义上说，不要害怕一时的自卑，尤其不要自己对自己遮掩自卑，乃至强把自卑扭为赌气式的自傲，最糟糕的是放下自己去琢磨别人，试图搜罗出别人的许多可卑之处，以化解自己因自卑所产生出的焦虑。产生自卑的原因无非两种：一种，是事实本身本来并无可自卑自弃之处，比如上师专、当中学教师，之所以会自卑，是因为社会上存在着对师范院校和中、小学教师的歧视与偏见；另一种，是事实本身确实构成了缺憾，如不通外语，不懂计算机语言。消化这两种自卑，前者宜高扬自尊、自强的奋斗精神，后者则可量力而行，如尚能补救，可从头学起，如实在已经来不及，大可不必强求，需知人生实在是不可能十全十美，过分求全，苛求完美，弄不好反会使自己的人生更添划痕，徒增烦恼。

虽然经常感到自卑，深知自己无非是个过渡性的人物，所发表的文字，能在文学发展史上有一点仅仅属于资料性的痕迹，已属幸运，但总体而言，清夜扪心，倒也真没做过什么伤天害理的事，并且自发表了《班主任》之后，也就一直把该坚持的都贯穿了下来。又在小说创作之余，写了大量的随笔，还搞了点《红楼梦》研究，近几年还涉足建筑评论。上个月在美国斯坦福大学东亚中心图书馆查电脑，发现他们那里几乎收藏了我所有的作品，甚至于刚刚出版一个月的《我眼中的建筑与环境》也在索引中。这说明我也真不必妄自菲薄，一个即使是有着许多缺失的人，只要他努力耕耘，播出的种子，总会结实的啊！作为芸芸众生里的一员，我给自己定位于北京的一个老市民（我自 1950 年随父母从四川迁京后一直定居北京，甚至于在"文革"中，因为我已是教师而非学生，所以也不曾上山下乡，又因为我仅是一区区中学教师，我们那所中学无力到外地搞"五七干校"，所以我也不曾有比如下放"向阳湖"之类的经历，我的户口近半个世纪一直未迁离过北京），我是北京这座城市风云沧桑的见证人，是北京居民生死歌哭的参与者。我想天生我材必有用，虽然从性格，到学历，到履历，到身份，到修养，到悟性，我都不完满，但我到头来能消化自卑，尊严地接受现实中的自我，有几分光，发几分热，尽可能从容而潇洒地走完我前面的路！

1998 年 6 月 27 日绿叶居

不应忘记的人

生活中，扶掖别人是一种幸福，感受别人对自己的支持亦是一种精神享受。

相遇两不忘

在浙江永嘉有条楠溪江，溪水清澈晶莹，两岸芳草如茵。1991 年秋天，我在那如画的江边巧遇一位头发全白而面色红润的老人，他就是三十多年前《中国青年报》的总编辑孙轶青，他握着我的手，亲切地说："你就是当年写《水仙花》的那个刘心武么？"我忙点头，高兴地说："终于见到您了！"

那是因盲目"大跃进"而经历了"三年困难时期"之后，我写了一篇《水仙成灾之类》，文章先写到非洲刚果原来没有风信子（洋水仙）这种花，有人不经意地把这种花带到了那里，结果万没想到几年以后那柔弱而美丽的水仙花竟长疯了，把港口都堵塞得船只无法靠岸，政府只得花费巨款，发动了一场清除水仙花的战争。文章由此生发出一点议论，就是我们一定要有唯物辩证法的眼光，懂得任何事物都不能超越限度，否则便可能在客观规律面前碰得头破血流。我把这篇文章投到《中国青年报》以后，本不抱多大希望，没想到竟很快刊登在 1962 年 1 月 1 日《长知识》副刊的头条位置上了，那时我还不到二十岁，兴奋之情难以抑制，后来我又写了一些文章投去，有的也被发表出来。这对我与写作结下不解之缘，形同扎上了一条丝带。

那时候投稿，我总是写好文章往信封里一装，通过邮局寄去，从来没有去过编辑部，我不认识编辑，更不认识总编辑。我是在好久之后，才知道《中国青年报》的总编辑叫孙轶青。但是我直到那年去楠溪江，才终于见到了这位久闻其名的前辈。我很惊异他还记得我那篇文章，因为不仅事隔那么多年，就算是去年的事吧，一位报纸总编辑每天得过目多少文章呀，怎么他就偏还记得这篇东西？孙老却说："那篇文章当时让我眼睛一亮，'文革'结束以后，《班主任》一出来，我看了就说：这个刘心武一定就是那个刘心武！"这话让我非常感动。

生活中，这样的邂逅是多么令人快乐。孙老那时候其实并不老。也不过四十岁出头，他支持版面编辑把名不见经传的作者的文章放到头条，且在元旦刊出，只不过是他做过的许许多多无悔的事情之一。而对身受者来说，这样的机遇却不可能常常得到，有的人甚至一生也得不到。相遇两不忘，这情景恰似楠溪江潺潺流淌，奔泻出谷，两岸芳树丛聚，群鸟欢飞，而前方大河在望，心臆为之一畅。

奇遇谷文娟大姐

2002 年的一天，我应中央电视台十频道邀请去录一个节目，录完正往大院门口走去，忽然听见有人在身后叫我，扭头定睛一看，是久违了的谷文娟大姐。她说："我从背影上就断定是你！"但看到我正面时，她笑说："老了老了……"她的笑容像当年一样总带有些揶揄的味道，头微微晃动着，我不忍心说我觉得她变矮了，低头望着她只是傻笑。十频道"绿色空间"在谷大姐爱人他们单位的招待所里租屋搭棚录像，谷大姐他们宿舍也在那个大院里，正好下楼散步，我们因此不期而遇。

我告诉谷大姐自己已到耳顺之年，她眉毛耸动，大概是在推算我们当年认识的时候我才多少岁，也许是同时意识到我也在推算她那时才多少岁，她爽朗地说："我今年七十三了，早退下来啦！"我们心里都掀起了往事的烟云波涛，却一时不知从何说起。我只说了句："当年你对我是有恩的……"她也没谦辞，仍是一脸灿烂的笑，看得出她在为我高兴。仅仅因为我仍在继续二十四年前开始的事业，没有停歇，她就为我高兴。她的这份高兴，实在是再次施我以恩德。

二十四年前，即 1978 年，那是个历史转硬弯的年头。我在 1977 年 11 月发表了短篇小说《班主任》，又在 1978 年春天发表了短篇小说《爱情的位置》和《醒来吧，弟弟》。杂志负责人和编辑对这些作品的出世当然起着关键的作用，但作品的推广，还需要一个很重要的渠道，就是电台的广播。那时候我那些作品，以及另外一些作家的作品，如卢新华的《伤痕》、王亚平的《神圣的使命》、陈国凯的《我应该怎么办》等等，被称为"伤痕文学"，是有争议的。邓小平同志复出以前，当时最高领导人还在强调"两个凡是"，从理论领域到文学领域，思想解放的潮流屡遭阻挡。那时的文学杂志、报纸副刊刊登那样的作品，特别是电台文艺部将其朗读或改编为广播剧，都还要承担一定风险，必须以胆识和锐气，热情甚至激情，才能迅速地将其发表播出。就是在那样的情况下，谷文娟作为中央人民广播电台文艺部的编辑，连续编录了我的《班主任》、《醒来吧，弟弟》，以及另外一些作家的作品，使当时还不能及时看到报刊的人们，特别是还在农村插队或在边疆生产建设兵团的年轻人，从电波里一下子听到了跟"四人帮"那时候完全不同的声音，以至于印象深刻到终身难忘的程度。有的听众，后来见到我，跟我细说当时情况。那时农村里安装着很多的高音喇叭，地头的电线杆上也有。在"四人帮"倒台以前，那些高音喇叭里充斥着诸如"批孔"、"批邓"的肃杀之声，1977 年里的声音里虽然多了批判"四人帮"的内容，却仍在肯定"无产阶级文化大革命"。那时时兴把高音喇叭的音量调至最大，传出的声浪在广袤的田野上滚动弥散，遇到丘陵山谷还会发出轰隆的回音，透过听觉给人心灵的震撼是无可逃逃的。因此，1978 年仲春，突然有一天他们从那高音喇叭里听到了谷文娟等人编录的节目，内容上对"文革"发出了质疑，宣布了爱情在人生中有合理位置，配乐里出现了贝多芬的《命运》旋律，又有轻柔的絮语与抒情的琴音。这让在田野中的他们惊奇、惊喜，"世道要变了"，他们也因之释放出了求变履新的青春情怀。在这样的田野聆听里，他们感受到被启蒙的喜悦与激动，于是他们记住了那些作品与作者的名字。许多青年是先听到广播，再去找报刊书籍阅读相应文字的。到了现在，有的文学史家可以说那还不是文学，有的批评家可以嘲笑那些文本的僵硬幼稚，我们自己也可以真诚谦虚地一再地申明那时候实在还没有真正迈进文学的门槛，但是这些都改变不了一个基本事实，就是包括我在内的一些人那时因为时代机遇，思想潮流，文学复苏，加以有这样的广播托举而名噪一时，纷纷涌进文坛，命运发生了重大转折。虽然后来随着时间的推移，我们各有各的浮沉哀乐，但这一事实，无论回忆起来时是自豪还是赧颜，都已嵌在了历史年轮里，不可更改。

1978 年年底，中国共产党十一届三中全会胜利召开，改革开放大势初定，文学的潮流急速奔腾，虽然争论不断，风波不少，但人们心态越来越乐观勇进。那时被谷文娟改编录制的广播剧可以说是播一出红一出，作品因此广为流传。文学评奖活动中，也就成为了一张无形的巨大选票，作品因此获奖，作家因此得福，不是中国作协会员的可望立即入会，有机会被派出国访问，所在地甚至有奖励住房的。记得那时一些作家见到谷文娟真是笑靥如花，不知该怎么亲近她才好，还曾有人私下里来问我："究竟怎么着才能让谷文娟看上（作品加以改编播出）呢？"那时在由冯牧等作家协会领导主持的活动中，我就看到有的人指着谷文娟背影跟旁边的人小声说："那就是她……"仿佛见到了一尊真佛。

但是到了 1983 年以后，大概是因为新电影渐渐多了起来，而且大多是由新小说改编的。电视机开始普及，电视剧也开始活跃，许多电视剧也都取材于小说，广播剧在这种情况下就渐渐不那么稀罕了。于是文学界对谷文娟的黏糊，似乎也就逐步地变成了疏离。到 1985 年以后，许多新锐作家已经不清楚谷文娟是何许人也。我自己也顾不上和谷文娟保持联系，她究竟还在改编录制些什么广播剧，也不太清楚了。

"滴水之恩，当涌泉相报。"这是我们背得烂熟的古训。因为没有什么新意，不能为诡奇的新潮文本增色，倒可能令那些只喜欢颠覆风格的读者嗤鼻，有的作家已经很少再加以引用。但我们的双脚，难道应当从这样的道德基石上挪开吗？检讨我自己，也很惭愧。记得我 1988 年在杂志主编任上，有一天忽然接到谷文娟从美国的来信，说她随在驻美机构工作的爱人暂住美国，希望我们能给她按期寄杂志，我就此事与管财务的副主编商量，都感觉到如果按期给她寄赠，那么相应地就该给另外的许多海外人士寄赠，初步拉了拉名单，因为邮费很贵，单位经费有限，算起来实在吃不消，也就叹气作罢。现在扪心自问，怎么就不能由我个人自费给她按期邮寄呢？不承认是舍不得钱，那么，承认不承认是舍不得时间和精力？更应该承认的，是心里面已经不那么看重她，过了河了，她也不是桥了，自己日理万机，国内海外，要应付的人际丝缕纷乱，对她仅存一份淡淡的忆念，似乎也就仁至义尽了。

回顾近三十年的写作历程，予我有滴水以至更多恩沐的人、事真是不少。我真涌泉相报了吗？也许只有一例，那就是冯牧仙逝后，在他家中的遗像前，我献上自己一幅水彩画后，着实发自肺腑地飞泪嚎啕。其实我后来在文学观念上与冯牧已经疏离甚至有所龃龉，但我的登上文坛，他实为第一扶植者，这是永远不能忘怀，也永远不该讳言的。

细想起来，真要履践以涌泉去报滴水之恩，恐怕也实在很难。滴水算起来总不会很少，自己又哪有那么多泉眼可供喷涌呢？环顾人世，熙熙攘攘，蝇营狗苟，恩将仇报的事情不少，何处在涌泉报恩？那样的风景实不多见。但与谷大姐的邂逅，毕竟牵出了这许多的思绪，像滴滴清露，还是像汩汩活泉？那天分别时，我们都没有询问记录对方的电话号码，偶然相遇，比着意联系，似乎更有淡如水的君子意趣。也许，不必涌泉，心存一份善意祝福，而终于相忘于江湖，更是真实的人生，也更符合真实的人性吧。

凌乱一点才是家

朋友 D 君，自从他家第二次装修以后，总打电话约我出去闲逛。我问他：听说你家花了好几万，装修得极好，怎么反而不爱在家待着了？他哼哼哈哈的，不正面回答我，及至有一天他带我去他家小坐，我才恍然大悟。原来，他家装修得不像个家，倒像高级宾馆的模样。光是模样像高级宾馆，也还不失为一种审美追求，令我吃惊的是，他家的过日子的整体风格，竟也仿照高级宾馆的"管理模式"。他那也已退休、因而有了大把时间的老伴，俨然扮演着经理兼服务员的角色，不仅 D 君的一举一动常被她的"规章制度"限制着，就是我这样的客人，也得在她蔼然可亲的提示下，不断提起精神，格外注意，以免"破坏"了那空间里的既定秩序和"完美和谐"。比如说，茶杯一定要放在茶几上的固定位置，那位置是以美丽的茶杯垫为标志的，我无意中移动了那位置，女主人发现后便过来，微笑着，默默无语地将其"纠正"。再比如，我翻动了报纸和杂志后，随便地往沙发上一撂，女主人发现后，又是微笑着过来，默默无语地将其"及时"折叠摆放到"规定位置"……女主人对他们家所达到的"档次"非常自豪，主动邀我到各处参观，连卧室也让我细看。那卧室给了我一个强刺激：太像宾馆里刚由服务员收拾妥当、等待新客入住的客房了，床上用品没有一丝皱折，床头柜和镜台上不多不少的几样摆设井然不紊……使我觉得，那门背后该贴着"损坏物品照价赔偿"的"旅客须知"！做客完毕，离开D君家，他送我下楼，我对他说："怪不得你不爱待在这个家里……"他无可奈何地说："是呀，她现在一定忙着把咱俩坐走形的沙发靠枕，一个一个拍平复原呢……"

　　D君家的情况，也许是太过分了一点，但类似的"家如宾馆"的弊病，在若干家庭里都不同程度地存在着。依我拙见，家之所以为家，是因为那是一个私密空间，是个体生命暂离社会与公众，自己与最亲爱的少数几个人，可以很放松，很随便，可以马虎一点，将就一点，怎么舒服怎么来，怎么方便怎么行的场所。我以为，唯其无妨凌乱一点，家才成其为家，也才可贵，才可爱，才值得留恋，值得思念。我有时离家远行，想家时，常常想到的，可能恰恰是家室略显凌乱的温馨镜头：沙发的坐垫与腰枕上还留有家人坐过的凹痕，翻过的报刊像坡形屋顶般暂搁在沙发边的地毯上，剥开后只吃了一半的橘子自自然然地搁在了茶几上，卧室里妻子的妆台上斜撂着发卡和箍发带，音响边有没摆齐的唱盘与盒带，自己随便涂鸦的画幅用图钉并不端正地固定在了墙上，书桌上更有摊开歪放着的书本，拉开抽屉，里面乱放着来信、贺卡、某次音乐会撕掉了副券的废票、旅行时曾挂在行李上的小牌、一些硬币，还有其他许多能唤起生命记忆的杂七杂八的玩意儿……还有，冰箱上的几个冰箱贴已错乱了最初的位置，儿子的吉他琴横在他的床上，厨房里有脚踩式掀盖功能的垃圾桶边一时撒落着些葵瓜子皮，卫生间里的恭桶水箱上抛着几本小人书……我也算住过若干五星级宾馆的人，那装修布置，富丽堂皇，色色精细，特别是乍打开房门住进去的一刹那，窗明几净，满眼整洁，确实令人心旷神怡，加上服务往往也不错，值得说它几句好话，但一经离开，我从不会对之思念。绝不能让自己家和宾馆画等号，无论从装修布置上，还是总体氛围上；这是我家庭观中很重要的组成部分。

　　社会是大海，家是小小的港湾。在社会上我们是全神贯注的编队海员，回到家我们是身心松弛的快乐自我。家应是一个充满琐屑却又宝贵的人生乐趣的地方。上面所说，还只是外在形态上的一些例子，其实，家作为个体生命的心灵休憩地，家人间相处，虽说有时也须严肃深入地交流，互劝互慰，讨论乃至争议，但更可以毫不设防，口没遮拦，甚至漫不经心，语无伦次，答非所问，自言自语，发点牢骚，闹点脾气，拌几句嘴，开点子玩笑；只要大的想法一致，感情上没有裂痕，互相摸透了脾性，磨合得好，在家里思维和语言凌乱一点，也正是有家人的一种福分。

1995 年

我的"绿宝石"

熏风吹进我的书房，挟来大田上淡淡的粪肥气息。选择京郊温榆河畔一处农村，设置我晚年的书房，意在躲避热闹，特别是虚热闹。在静静的乡野怀抱里，心灵顿时浸润在清凉的憬悟中。

村旁有个苗圃，暖房由土坯砌成，钻进去，一股浓烈的沃土气味，里面的花木长得出奇的旺盛，跟城里那些豪华的花卉市场里的景象很不一样，有种简陋而自足的特殊韵味。我从那苗圃请回了一大盆观叶植物，是蔓生类的喜林芋，已被培养成了高耸的图腾柱，三十来片盾形的硕大叶片从中央攀附在柱体上的粗壮藤蔓朝四面八方怒放，妻来书房看我时，笑指着说："你怎么总喜欢这种张牙舞爪的事物啊！"

张牙舞爪，却并不妨碍他人，应该正名为个性张扬。是的，我喜欢。这种喜林芋，最流行的品种是叶片有紫红色光泽，嫩叶叶梢呈玫瑰色的，俗称"红宝石"。我请回的却是叶片浓绿，嫩叶鹅黄的，俗称"绿宝石"。在除了一墙图书、一台电脑、一套音响、一张床而外，就是一大盆绿宝石的书房里，听着比如说拉赫马尼诺夫第二钢琴协奏曲，把手中的《红楼梦》暂且搁下，凝望着那"绿宝石"的雄姿，想想往昔无悔与有悔的诸事，实在是宝贵的生命时段。

那天，我从城里绿叶居回到村里绿叶居（它又名为温榆斋），发现"绿宝石"上端藤蔓上，从叶腋生长出了两个形态优美的佛焰苞，啊，难道这种观叶植物也会以花娱人么？正好一位友人来电话，我便把这当做一桩喜事报告给他，没想到他说："唉呀，那恐怕是不祥之兆吧，就像竹子要开花一样……"放下电话，我赶忙查书，一本专门介绍观叶植物的书上明确写着："喜林芋一般不开花，如开花说明植株快死了；花由佛焰苞及白色的肉穗花序组成。"我去细看那绿宝石顶端的花，其中一朵已经微张，里面果然露出白色的肉穗。

我的"绿宝石"，它的生命经历过了青春与高潮，现在正急速地往谷底滑去。想想自己，青春已逝，事业高潮已远，年至花甲，精力大不如前。真是卿需怜我我怜卿，我觉得，应该为"绿宝石"格外地奉献些什么。虽然它已到了生命的尽头，我还是应该像青春少年那样对待它！我精心地为它修剪，恰到好处地给它浇灌，本来打算以莫扎特的《安魂曲》为背景音乐给它拍照，后来却有意放送了《乡村骑士》间奏曲，在充满青春幻想的音乐里，我和"绿宝石"对望了很久。

回城一周，又来到温榆斋，开门锁时，心情紧张，不知蓦地会看见怎样的一盆"绿宝石"。门开了，我愣住了。绿宝石不仅没有死，它的叶片朝四面八方更狂放地舒张，顶部则蹿出了三簇利剑般尚待展开的鹅黄嫩叶。花呢？仔细观望，呀，那两朵怫焰苞花头萎落在地板上，已经乌焦，拾起来察看，原来那朵已经微张的花苞又闭得紧紧的，把外皮剥开，里面的肉穗花序没有长足，而且软烂如泥。这不是童话，这是真事，我的"绿宝石"，它战胜了死亡的威胁，延续了自己的生命，并且仍然活泼地创造着新的局面。

早有医生指出，也有患者现身说法——有时候乐观的情绪比药物更能化解癌细胞；衰老虽是一种自然规律，但保持旺盛的生存欲望，使自己心理永葆朝气，就会获得二度青春；如果本是年轻的生命，那就更应该懂得：最低潮也就是最高潮的开始，万不可任由"谢幕之花"滋生心头，一旦冒了出来，要当机立断地将其甩掉……我的"绿宝石"，你是在默默地宣叙这些真谛么？是呀，特别针对我，你在提醒：怎么能把"老了"的意念酿成一片酸涩的乌云，任它遮蔽自己的心灵呢？啊，"绿宝石"，感谢你！这回，咱俩要一起聆听《春之声》。

2001 年

这里叶子常绿

我爱我的书斋，尽管它只有七平方米。

一位素昧平生的青年人跑来找我，他很为我书斋之小而抱不平。承他相告，若干外地中青年作家的书斋不仅宽敞，而且华丽，藏书自然丰富，还有名家字画点缀，他对我的书斋由讶怪而鄙夷，最后竟这样问我："你怎么会是这样的呢？"

我觉得很难向他解释。反正这肯定不是因为我犯了什么错误。再说北京的作家住房困难的也不止我一个。我企盼像他这样的生客以后不要总"哪壶不开提哪壶"，我受不了鄙夷，也不需要怜悯。我是好客的。但我的书斋中最多只能坐下三位客人（要挤着坐），所以误以为我既然怎么怎么了便一定会有大书房大客厅的来客，务必不要成群结伙地来。前几天一群高中生就上了当，他们鱼贯而入以后，发现我的住房中并无过厅，而且除小书斋外，一间要祖孙合住并兼饭堂，一间要当我们夫妇的卧室，他们将我家所有座椅全部坐满以后，还需有几个人站着。我倒并不尴尬，但他们中似乎很有几位红了脸，他们原是打算搞个集体采访的，拟定了只有在大客厅中才能实施的，最后当然只好因陋就简，草草收兵。

我晚上不常做梦。但一做梦，大多是梦见同书斋有关的事。有时梦见不知怎么的竟得了一间大书斋，可以放下八九个书柜，于是急切地想把一直向往而始终未引进的图书弄来。其实我梦里想弄来的图书，说出来怕会惹得人哑然失笑，无非是平装的《二十四史》及《全唐诗》之类，购买这些图书的钱我是早已有了，奈何七平方米的书斋已无空隙容它们安身！"作家学者化"的呼声日高，看来光有"化"的愿望还不行，总得也有个"化"的客观条件，一间比较宽敞的书斋，当是最重要的条件。另外常常出现的梦境是找书，其实那简直就是我日常生活的延续。因为小书斋中只能塞进三个书柜，所以我有许多书只好堆在书柜之上与地下。写小说虽不比写学术论文，摆摊儿查资料毕竟也不能全免，有时为了找一本书查查，挪东移西，登高俯地，竟总寻觅不得，怅怅然，悻悻然，只好到睡梦中去继续苦寻了。说来也怪，竟有在梦中得到启示，起床后按梦寻踪，手到擒来的例子。常常幻想，哪一天我的书都能排列在书架上，要查哪本一抽而出，该有多好！看来这幻想成为现实，也许并不遥远。因此，我时时抑制自己，不要总发牢骚！

我这七平方米的书斋，小虽小，却是地地道道的书斋，不兼饭堂，也不安床铺，并且在我自己眼中，它也并不陋。我不让它陋。墙上贴有图画，有的不过是复制品，有的是原作，但并非出自名家的手笔，更有我自己画的，最近贴出的是一幅水彩《芍药》和一幅干棒油画《情绪》（前者是我十几岁时的旧作，后者是 1985 年春天所作）。这些画幅若用钱衡量可能一钱不值，但我望去却觉得既悦目也赏心。我屋里还点缀着不少各式各样的小摆设，如从罗马尼亚带回来的小陶盘和小陶壶，从法国带回来的纪念章，从北海团城买回来的泥塑兔儿爷，以及刚从地坛庙会买回来的布老虎等等。我这间书斋虽是一间背阴的南屋，不可能养活喜阳的花卉，但我却想方设法养活了一些绿色植物，如吊兰、伞竹、万年青等，我特别钟爱的是一盆从书柜顶上垂下的玉叶，它那张开的心形厚叶永远绿得那么浓酽，一望见它，我的心便不再因房屋的狭小而郁闷，它似乎提醒着我：窗外有着广阔的天地，有着跃动而活泼的生活……一位同行对我书斋的评价颇高，他说："小虽小，却充满了生活的情趣！"是的，因为我热爱生活，热爱整个的生活，既热爱我小小书斋中的生活，更热爱书斋外面那宏阔博大的生活，所以我的书斋不可能是枯涩与阴郁的。我在书柜旁倚着我心爱的六弦琴，在沙发下放着我不时拿起来推推举举的铁哑铃，书桌上的录音机尽管型号已然过时，但我难得让它消停，不是放着柴可夫斯基第五交响乐，便是放着程砚秋的《锁麟囊》（这是我最喜欢的两盘磁带）；小小书斋中也竟然还有个正式的画架子，兴致上来，还煞有介事地画油画呢！更不消说还有围棋和象棋，以及有待泡开、晾干和整理的已经盖销的邮票……

我的书斋称得上"谈笑有鸿儒"吗？嗯，当之无愧，不仅有当代著名作家和众多热心的编辑来过，也曾接待过国外知名的汉学家。但我的书斋绝非"往来无白丁"，我有若干文化界以外的朋友，他们是最普通的老百姓，不仅本身默默无闻的，他们甚至对于我的作品也不甚闻问，他们不追究我的来历，不因我在文坛上的热闹或寂寞而调整他们对我的态度，并且也不猜测或预言我的前途，因而我从他们那里所获得的信息、启迪与情感，都更加珍贵。我想，倘若有一天我的书斋中从此消失了他们的身影，那么，一定是我的心枯萎了，纵使我的书斋变得很大很大，我又怎能伸展我的根须，挺拔我的枝叶，开放我的花朵呢？

我爱我的书斋，尽管它只有七平方米。这里叶子常绿。这里能开出我的花。

1987 年

90年代的 "边缘生活"

1994 年 9 月的一天又有远客来。问及前些时报上的一条报道,该报道冠以"名家售书,购者寥寥"的标题,说是我 6 月在上海图书馆售我的文集,只有三个人买。记者的立意,在为"严雅纯"的文学之失落鸣不平,其实此报道不准确。因为那天在上海图书馆的一个分馆所搞的活动,并非签名售书,而是一次座谈。实际销书者从北京带去的十套文集,在座谈会前即已全部被订购一空。座谈会后,有三位与会者顺便拿出所购到的文集,让我当场逐册签名,事情的全貌就是这样。

不过,"严雅纯"的文学创作,尤其我这样的作家所写出的"沉甸甸"的作品,在目前的世道中,确实已再无领风骚的可能。

虽说如此,我这样的创作者,欢迎这种创作的读友们,仍有我们也不算太窄狭的享受空间。

回忆那夏日的情景,当我坐在上海图书馆分馆的会议室里,面对着虽然不多,却都是诚心而来的听众,真有一种如梦如幻的感觉。是的,没预料到。当我断断续续、写成一些又撕掉一些、重写许多又反复修改,终于在 1992 年初秋完成了长篇小说《四牌楼》时,我所想到的只是:能找到一个愿接纳我的出版社,能遇上一个能理解这部书稿的编辑,能顺利地印成书,能有不多的人买它、读它,也就行了。

我不曾有过梦想,无论睡眠中的梦还是所谓"白日梦"里,我都不曾有过《四牌楼》受褒奖、受欢迎的幻象。

我清醒地认识到，无论从什么角度看，我都已从"中心"向"边缘"转移了。不仅所谓的"商业大潮"已宣布了我这种不以畅销为目的的小说必得"靠边站"，刻意创新的锐进一族在与我相处友好的同时，也以他们并不针对我的美学宣言，令我自知：不管我的小说里融进了多少新潮的营养，毕竟我小说的骨架还是"写实"，所以纵使写得再好，也不过是一种"古曲"式的美学掘进，其时代价位，是不可能高的。

我对这种从"中心"向"边缘"的转移，是不仅处之泰然，而且甘之如饴的。我的所谓"边缘化"，其实是相对而言，离"最边缘"还远，更无"出局"之虞。

进入20世纪90年代，我算是找准了自己最恰当的位置。

却忽然得到通知：我的《四牌楼》，在上海市第二届长中篇优秀小说大奖的评定中，荣获了二等奖，并且是唯一的二等奖。

喜出望外，去上海领奖，并参加了上海文艺出版社组织的，在他们的读者服务部的签名售书活动。再版的《四牌楼》，一个上午，两个多钟头里，买书的人竟络绎不绝。有的从很远的郊区赶来，若干购书者还留下了他们的名片，希望建立联系，名片的头衔有经理、教师、处长、军医、制片人……据说共卖出了三四百本，会这么多吗？

上海图书馆提出，要收藏《四牌楼》的手稿。他们此前还没收藏过我这一辈的作家的手稿，为此，馆长还在百忙中亲自来参加接收仪式。

这一连串的幸运，都很容易使我糊涂起来，以为自己"重返中心"了。可是，当在上海图书馆分馆的会议室里，与二十多位与会者围坐在长桌边时，我终于还是清醒过来。

清醒，可为什么感觉上还如梦如幻？

是因为，超级的清醒，如同绘画里的"超级现实主义"一样，反派生出奇诡的效应。

一位与会者对我说："希望你一定坚持你这样的写法，我们需要！"

他在文学读者的群体中，大概属于不算太多的那个"子系统"。我们对视着，很有点相濡以沫的味道。

我作了《文学与心灵》的讲话。他们静静地听。

我的讲话没有进攻性，同我这个人一样。

我不掌握也没有资格掌握并且也不想掌握"中心话语"，我只想说说自己，说说我的处于"边缘"地带的，也许确是比较古典的美学追求。我所希望有的，只是现在的自己同以往的自己比，在坚持的前提下，又有新的掘进，并且在吸收包括"中心话语"和更其"边缘"的种种话语的营养方面，也更通达。

我认为写实的文学，没有，也更不会死亡。

当然，那种镜面似的描摹现实的小说，也许确会被淘汰。视听文化已如此发达，用文学去跟它们拼，你怎么拼得过？

但是文字自有其威力与魅力，往往恰是视听文化乃至造型艺术所难以企及的，那便是对人的心灵的深入、细腻的开掘。

我所追求的，便是从写实入手，去探索人的心灵，或说是灵魂，干脆说是人性。

我使用一张"三齿耙"。

它的第一个"齿尖"，对着自我。常常惊悚：怎么自己的某些"心思"，竟也埋藏得根植得如此之深？而且，有些最本原的生命冲动，究竟是怎么生发的？在心灵的最漆黑浓酽的地方，所闪动的，是磷光还是燔火？层层剥去那外面的包装，撕开往深里探究，宁不悲苦？

它的第二个"齿尖"，对着他人。所爱者，所仇者，爱恨交糅者，超越情感者，那大千世界中的芸芸众生，他们的所作所为，生死歌哭，悲欢离合，其隐蔽于深处的，也应是人性的涌动激荡，能窥见几分么？偶有洞若观火时，不胜诧讶么？不胜欷歔么？

它的第三个"齿尖"，对着大大小小的集群，对着不断变幻的"集体无意识"，也就是"群魂"、"族魄"，那些威武雄壮的群体行为，那些紊乱无序的族间冲撞，其底蕴，究竟是些什么无形而有影的东西，是些何等诡谲而可辨的因素？

或问：为什么只是一张"耙"？"耙"能触及多深？可能仅及"浮皮"。

当然，这只是一个比喻。蹩脚吗？姑存之。

文学之"耙"，当能比农用之"耙"，更深入一些吧。

但这"耙"的三齿，也并非想起社会科学论文的作用。社会科学中的人类学、生理学、解剖学、心理学、医学、性学、社会学、行为学、现象学、符号学、语言学、逻辑学、紊乱学……虽然都间接或直接涉及人性，却都不足以另确立出一门"人性学"。文学之"耙"，一旦"学问化"，离文学的本性便远了——文学是必须有浓厚的非理性因素来宰制的。

我的《四牌楼》，便是用这文学探索的"三齿耙""耙"出来的。是的，"耙"得还不够深，但也还打动了一些人，包括不少的评委，更有勉励我"不要放弃此路数"的热心读者。

离我们座谈的地方不远，便是万丈的"后现代"红尘，是活生生的"同一空间里不同时间的并置"。里弄里拎马桶的老妪与刚从"伊势丹"买回金手链的少女没工夫互相鄙视，吃完肯德基炸鸡的少年与踱出老城隍庙的老叟全都心满意足，看完《天龙八部》的闲人与奔忙的出租车司机更能和平共处，而暗斗的商人与明争的小贩各自吞咽着他们的苦乐。是的，许许多多的人，他们所需要的是直观的、简便的、快餐式的、卡通化的、一次性的、强刺激或绝无刺激的、软性的、花花绿绿的、省力省心的、拼盘式的、一次够的、一步到位的文化消费，"严雅纯"的文学？对不起，管你"写实"还是"造境"，古典还是新潮，容易读还是"读不懂"，他们统统"不感冒"！

所以，我在那座谈会上，思路虽极清醒，感觉上却"相对如梦寐"。

我与我的支持者，我们，小小的一群，有一个属于我们的共同的"境域"，那是位于与这历史时期的文化中心有一段距离的"边上"，在我们自己的园地中，我鼓舞自己，他们勉励我，仍以"写实"为风骨，挥动"三齿耙"，埋头创作我的小说，造我的"楼"。

《红楼梦》系列讲座的自白

应中央电视台十频道（科学·教育频道）《百家讲坛》栏目邀请，我去录制大型系列节目《刘心武揭秘〈红楼梦〉》，该系列节目从 2005 年 4 月 2 日开播，大体上是每周星期六中午 12：45 播出一集，连续讲了 23 讲。

没有想到的是，这样一档时间安排上远非黄金——有人调侃说是"铁锡时间"，甚至说是"睡眠时间"，12：45 本来是许多人要开始午睡，重播的时间为 0：10，就更是许多人香梦沉酣的时刻了——的讲述节目，竟然产生了极强烈的反响。追踪观看的人士很是不少，老少都有，而且其中有相当一部分是年轻人，包括在校学生。在互联网上，很快就有非常热烈的回应：激赏的、欢迎的、鼓励的、提意见的、提建议的、深表质疑的、大为不满的、"迎头痛击"的，都有。而且，这些反应不同的人士之间，有的还互相争论，互相驳辩。最可喜的，是有人表示，这个系列节目引发出了阅读《红楼梦》的兴趣，没读过的要找来读，没通读过的打算通读，通读过的还想再读，而网上关于对《红楼梦》的讨论，也就角度更多，观点更新，分析更细，揭示更深，我从这些不同的反应里，真是获益匪浅。

红学研究应该是一个公众共享的学术空间。我在讲座里引用了蔡元培先贤的八个字："多歧为贵，不取苟同"。谁也不应该声称关于《红楼梦》的阐释独他正确，更不能压制封杀不同的观点，要允许哪怕是自己觉得最刺耳的不同见解发表出来，要有平等讨论的态度、容纳分歧争议的学术襟怀。当然，面对聚讼纷纭的学术争议，又要坚持独立思考，不必苟同别人的见解，在争议中从别人的批评里汲取合理的成分，不断调整自己的思路，提升自己的学术水平。

我在讲座里还引用了袁枚的两句诗："苔花如米小，也学牡丹开。"我常用这两句诗鼓励自己。我因为种种原因，并没有能够上到名牌大学，也没有受到过正规的学术训练，先天不足，弱点自知，但是我从青春挫折期就勉励自己，要自学成才，要自强不息。我为自己高兴，因为经过多年的努力，我成了一个作家，除了能发表小说、随笔，我还能写建筑评论，能涉及足球文化，并且，经过十多年努力，还在《红楼梦》研究中创建了秦学分支。我只是一朵苔花，但是，我也努力地像牡丹那样开放。我们的生命都是花朵，我鼓励自己，也把这样的信念告诉年轻人，特别是有这样那样明显弱点和缺点的年轻人。要清醒地知道，相对于永恒的宇宙，我们确实非常渺小，应该有谦卑之心，但是跟别的任何生命相比，我们的尊严，我们的价值，我们的可能性，是一样的。就算人家确实是牡丹、玫瑰，自己只是小小的、角落里的一朵苔花，也应该灿烂地绽放，把自己涨圆，并且自豪地仰望苍天，说："我也能！"

上世纪二三十年代，苏联有位戏剧家叫梅耶荷德，他对文学艺术家的成功标准是什么，提出了一个见解。他认为，你一个作品出来，如果所有人都说你好，那么你是彻底地失败了；如果所有的人都说你坏，那么你当然也是失败，不过这说明你总算还有自己的某些特点。如果反响强烈，形成的局面是一部分人喜欢得要命，而另一部分人恨不得把你撕成两半，那么，你就是获得真正的成功了！后来有人夸张地将他的这一观点称之为"梅耶荷德定律"。

忽然想起"梅耶荷德定律"，是我觉得按他那说法衡量，自己这回到 CCTV-10 讲《红楼梦》，算是获得成功了么？说真的，还没自信到那个份上。但是，"另一部分人恨不得把你撕成两半"的滋味，确实是尝到了一些，对自己的心理承受力，应该是一种锻炼。在一个文化格局日趋多元化的社会里，如果"恨不得把你撕成两半"只不过是一种言论，并不具有法律宣判效力，也并不会形成新的政治运动要对你实施"揪出来斗倒斗臭"，不影响领取退休金，不打进家门，那么，我觉得，就我个人而言，应该能够承受，而且必须承受。我算何方神圣，有何特权，不许人家恶攻？不许人家讨厌？不许人家出言不逊？你到中央电视台节目里高谈阔论，人家就有不喜欢、觉得恶心的权利。有些厌恶我的人，似乎对我的每一讲还都牺牲午觉或熬夜地盯着看，我感觉这也真好，至少对于他们来说，我具有反面的不可忽略的价值。当然，有些人士并不是厌恶我，他们对我心怀善意，只是把我当成一个辩论的对手，因此每讲必看，看过必争。没想到我花甲之后，还能如此地被诸多人士赐以如此的关注，总的心情，确实必须以欣慰两个字来概括。

我的秦学研究，有的人误解了，以为我只研究《红楼梦》里的秦可卿这一个人物，或者我只把《红楼梦》当成一部清代康、雍、乾三朝政治权力的隐蔽史料来解读，不是这样的。我的研究，属于探佚学范畴，方法基本是原型研究。从对秦可卿原型的研究入手，揭示《红楼梦》文本背后的清代康、雍、乾三朝的政治权力之争，并不是我的终极目的。我是把对秦可卿的研究当做一个突破口，好比打开一扇最能看清内部景象的窗户，迈过一道最能通向深处的门槛，掌握一把最能开启巨锁的钥匙，去进入《红楼梦》这座巍峨的宫殿，去欣赏里面的壮观景象，去领悟里面的无穷奥妙。

对于我的秦学研究，我有基本自信，因为：一、别辟蹊径；二、自成体系；三、自圆其说。但我也一直提醒自己：一、千万不能以为真理就只在自己手中了；二、千万要尊重别人的研究成果；三、广采博取，从善如流，欢迎批评，不断改进。

说到头，我的秦学究竟是否能够成立，并不是一个多么重要的问题。现在的情况是，我的这个系列讲座，引发出了人们对《红楼梦》的更浓厚的兴趣，读《红楼梦》的人更多了，参与讨论它的人更多了，红学在民间的空间因此大大拓展了，这才是最重要的。

一个民族，它那世代不灭的灵魂，以各种形式在无尽的时空里体现，其中一个极其重要的形式，就是体现在其以母语写出的经典文本中。正如莎士比亚及其戏剧之于英国人，是他们民族魂魄的构成因素一样，曹雪芹及其《红楼梦》，就是我们中华民族不朽魂魄的一部分。阅读《红楼梦》，讨论《红楼梦》，具有传承民族魂、提升民族魄的无可估量的意义，而所有民族发展的具体阶段中的具体问题、具体症结、具体的国计民生，无不与此相关联。我们如果热爱自己的民族，希望她发展得更好，那么，解决眼前切近之事，和深远的魂魄修养，应该都不要偏废，应该将二者融会贯通在一起，不能将二者割离，更不可将二者对立起来。

附：关于《红楼梦》的问答

[按]这是中央电视台录制的一个访谈节目，已于 2006 年 7 月 10 日分别在中央电视台 1 频道和 10 频道播出四次。现将节目中我对主持人及现场观众提问的回答摘录如下：

主持人：您最早读《红楼梦》是在多大岁数？

刘心武：我想应该是在上小学的时候，因为发现父亲睡觉的床的枕头特别高，我就掀开枕头，发现里面就有这个，还不是线装的，但是印刷年代非常古老。书里面还有绣像，那我就觉得挺有意思，他怎么看这个，我看看行不行啊？我的父母觉得我小，是不提倡我看的，但是真发现我从枕头底下薅出来看吧，他们也没有谴责我。所以我最早看应该就是在上小学，大概那个时候应该是十二岁这个段上。

主持人：我不知道您最早看《红楼梦》的时候，您爱挑着什么看？

刘心武：爱看打架的那段，也就是第九回：起嫌疑顽童闹学堂。因为我在学校里面是一个比较内向的，就是肢体语言比较少的人，我读这个的时候就觉得书里面的人替我发泄了。还有那个醉金刚倪二那段我喜欢看，这些都是配角，别人会觉得很奇怪，但是因为我当时住在隆福寺附近，什么东廊下、西廊下，《红楼梦》里有这个地名，有这个西廊下的地名，所以特感兴趣。

主持人：后来到多大的时候，您觉得开始能懂一点《红楼梦》这本书的味道了？

刘心武：我觉得那还是在青年时期了，应该说是在"文化大革命"的后期。那个时候看《红楼梦》就很安全了，因为毛主席对《红楼梦》发表了他的一些意见，后来评红是一件非常安全的事情，而且《红楼梦》又重印了，所以那个时候读《红楼梦》。读《红楼梦》我有自己的心得，就是人生的那种沧桑感。过去读，比如说里面有一个角色叫林红玉，小红，她说"千里搭长棚，天下没有个不散的筵席"，原来哪能被这种话打动啊？其实那个时候自己还很年轻，不是很老，可是觉得好像经历了很多事情以后，人与人之间，人情，就开始琢磨这些东西，我觉得那个时候就开始读出味儿了。

主持人：那您到什么时候开始觉得自己真的是懂得《红楼梦》了？可以出来说说《红楼梦》了？

刘心武：坦率地说，直到今天，我也不敢说我就已经读通《红楼梦》了，敢出来说了。我再强调一下，是《百家讲坛》一而再、再而三地非把我拉到这儿来讲，我一再跟他们说我不讲，因为我没有自信。录的时候我很认真，我这个人是这样，要不我就不答应，答应以后我就挺认真。比如说今天这个节目，我既然答应了，我就在这儿老老实实，你问我什么我能说我就都说。效果怎么样，我既没有预期，也没有预料到，完全是无心插柳柳成行。有人说你想出名，其实说句难听的话，我早就出过名了，我不需要再出名了。（掌声）所以应该说是这么一个状态，到现在我觉得自己仍然保持着一份敬畏之心，不敢说把《红楼梦》就读懂读通了。我觉得越这样倒越好，因为我如果都觉得自己完全都读懂读通了，完全正确了，在这儿讲《红楼梦》，我就是告诉大家什么是正确的了，那就不是现在这个状态了。我就不会再去读了，因为我就会觉得还读它干吗？我还要读，还是仍然充满了新鲜感，我觉得自己可能还会有新的收获。

主持人：《红楼梦》这本小说中，您最喜欢的人物是谁呀？

刘心武：这个在我录的节目里面我已经说了，我说我最喜欢妙玉，这使很多人大吃一惊。王蒙，我的一个同行，也是我的一个朋友，跟我通电话，他就曾经说，你怎么会选妙玉啊，妙玉最讨人嫌了，他最不喜欢的就是妙玉。

主持人： 清高、孤僻。

刘心武： 是啊，很多人就这么理解，特别是被后四十回高鹗的续书给糟蹋了，连起来形成那样一个形象，其实我就觉得妙玉她是很不容易的。每个人喜欢什么都有自己的个人原因，因为我的性格就是比较孤僻，不合群，我为自己的个性问题在人生当中遭受到好多挫折。其实说到底的话，外包装可能是觉得政治性或者是社会性的，其实就是性格悲剧！其实我觉得自己没有恶意，也挺好的，但是人家就觉得你，德行，是吧？所以现在我就觉得从妙玉这面镜子里能看到自己。我喜欢她并不等于说我就觉得她是一个正面形象或者是一个应该去学习的楷模，不是那个意思，我就是觉得曹雪芹对这个生命的解释，让我觉得最能接受。她的全部的优点、缺点、弱点，就像那个邢岫烟批评她，"男不男，女不女，僧不僧，尼不尼"，这是很尖刻的批评。但是妙玉身上有很多闪光的东西，因此我对自己也有一份自尊，一份自信，一份自爱。

主持人： 我想问的就是，妙玉身上的什么东西让您如此喜欢和敬重？

刘心武： 因为从书里描写她具体的出身、后来的生存状态来说的话，她保持一种个人尊严是很困难的，可是她保持下来了。比如说她已经到京城了，师父圆寂了，师父又不让她回南方，贾府要请她，她要求你下帖子，你可以说她拿架子，你不下帖子，你这个权贵之门以势压人，我不去。再比如说她接待贾母，贾母第一句就说"我不吃六安茶"，她是老祖宗嘛，她说话就可以爱怎么说怎么说，最慈祥的话和最专制的话，她想说她就说，妙玉就敢软顶她。而且妙玉早就防着她这点，这是妙玉聪明之处，我觉得很厉害。另外像林黛玉，谁敢说林黛玉俗呢？你说林黛玉小心眼、体弱多病，你敢说林黛玉俗？她还俗？但妙玉就不客气，点一句，"你是个大俗人"，不是一般的俗。这就是直来直去的语言，在社会交往中敢使用这样的一种语言直抒心臆很不容易。所以我觉得妙玉的为人处事，她有一个前提，她在维护自尊和自爱的前提下，她并不去妨碍别人。她对别人没有进攻性，没有侵略性，甚至于根据我的探佚，她后来还能够去救助别人，所以我觉得这样的生命存在应该容纳。我呼吁我们社会要容纳怪人，要容纳社会边缘人，要容纳性格孤僻的人，要容纳内向的人，要容纳说话难听的人。

主持人：我先代表您的反对者问您一个问题。就是因为您进行的这种原型研究，在历史中去找寻人物来跟小说中的人物做对比，这样就使得您整个的研究带有了一种侦探小说的色彩，所以有些人质疑您，说您是不是在编故事？您是不是把您当作家的、写小说的才能给用在了学术研究上？对此您怎么看？

刘心武：我觉得他产生这样的想法，作出这样的评论是他的事，我不一定非要面对这样的问题再去寻找一个答案，因为我这个事已经做成了，我就是这么做的。我觉得现在实际上所有《红楼梦》研究者都遇到一个很大的困难，就是真实可靠的历史记载的欠缺。这是我们大家面对的一个共同问题，包括曹雪芹究竟是不是《红楼梦》的作者，起码最近出了两本书，其中一本书的作者他就认为《红楼梦》的作者是曹頫，可能是曹雪芹的父亲，但是曹頫是不是曹雪芹的父亲，也仍然没有过硬的史料能够鉴定这一点。还有一个人士，他主动把书寄给了我，他认为《红楼梦》的作者是洪昇，就是写《长生殿》的那个作者，都能够举出不少的旁证。所以我觉得都应该尊重，虽然我是站在《红楼梦》的作者是曹雪芹这样一个立场上，从这点出发来研究的，但是我很尊重人家的不同的看法。所以我觉得有人认为就是说我这个跟他不一样，我属于编故事，怎么怎么样，那我觉得他可以有这种看法，就好像我觉得，那个人说是洪昇，他也找些根据，我觉得他可以有他的看法。在一个社会上，对一个事物有多种多样的看法，供大家去选择，这个社会不才是一个和谐社会吗？

主持人：我不知道为什么您会把《红楼梦》中的秦可卿这个人物，当成一个解读《红楼梦》的钥匙。

刘心武：这有两个原因，有一个是非常私密的原因。我呢，你看我坐在这儿，基本上我自己的定位就是我是个北京人，因为我八岁到北京的，然后我就没离开过这个城市，短期出去访问不算，我就定居在这儿了。但是我的诞生地是四川成都，四川成都什么街呢？育婴堂街，什么叫育婴堂？育婴堂就是养生堂。我不是养生堂的弃婴啊，我不是。（笑声）但是在抗战时期，我们当时的经济条件比较差，那条街房子租起来比较便宜，我母亲当时很艰苦地在那儿，都不是到医院把我生下来的，是在家里面，请一个人把我接生出来的，所以我生在育婴堂街。因此我阅读《红楼梦》文本的时候，发现秦可卿是养生堂抱来的，我就跟别的读者不太一样，我就比较敏感，这当然是一个太私密的原因了。所以，从小我读到这儿就有一个心理反应，哎哟，养生堂，因为我母亲多次跟我说，育婴堂就是养生堂，这是一个原因。

还有一个原因，就是说我觉得她引起我的疑问最多。其他的角色当然都会有疑问，因为我是认为前八十回基本上是曹雪芹写的，后四十回高鹗是另外一回事。因此拿十二钗来说，除了秦可卿以外，那些人的结局怎么样也都是一些疑问，但是那些疑问不那么尖锐，秦可卿是一个在前八十回里面就已经死掉的人，而且在十三回就死了，可是她却留下那么多的疑问，所以引起我探秘的兴趣。

主持人：把秦可卿跟历史上的真实人物找寻原型做研究，这种原型研究的方式是您发明的方式，还是自古就有的一种研究方法？

刘心武：这种研究方式自古就有，古到什么时候我不敢说。其实我的研究方法是两个，一个方法是原型研究。原型研究起码是从上世纪以来，中外文学界很常见的一种研究模式，比如说英国，一般认为《简·爱》这个作品就是作者自己带有自传性的作品；再比如说《大卫·科波菲尔》，一般就认为是狄更斯的自传性作品；比如像俄罗斯的列夫·托尔斯泰，认为他的《复活》里面那个聂赫留朵夫就是以他自己作为原型，里面那个妓女马斯洛娃也有一个原型；像巴金的《家》，巴金去世前后有很多关于巴金的文章，都指出来，他的《家》群体原型就是他自己成都的那个家族，其中大哥觉新就是他的亲哥哥。所以这个原型研究不是我的什么发明，实际上是一种比较古典的研究方式。

我另外一个研究方法，就是文本细读。文本细读是上个世纪在西方出现的一个文学研究的流派，就是主张文本细读。你作为一般的读者，你可以粗读，而现在有一种叫做对角线的读法，更可怕，就是很大的一版文章，溜一下，就是划一个叉子,他就算知道内容是什么了。因为现在社会信息量很大,这也是一种读法。但是你要研究《红楼梦》的话就得文本细读,我是用这两种方法的结合,结合起来以后我觉得有成果,我很愉快,我就继续往下走。

主持人: 既然原型研究是早已有之的一种研究方式,为什么这次在这儿,咱们遇到了这么大的风波呢?

刘心武: 我觉得这是因为一些现在的被人称为是主流红学家的人,他们思想僵化了,当然这样批评人家,我挺不好意思的,可是没办法,因为他先批评我。(笑声)你看我的那个讲座,从头到尾有一句批评别人的地方吗?没有,是吧?而且我一再说我的不一定对,我说你的看法跟我不一样,我也很尊重。我记得还有一次我里面还有一个细节,我说我给你作揖了什么的,好像都保留在剪辑出来的节目里面了。

主持人: 我们在节目里看见了,您一直在承认错误,说我说得不一定对,仅供参考。

刘心武: 可是他们那么生气,我觉得他们就比较僵化,他们僵化就是他们把《红楼梦》的研究模式,认为是一种规范,把它凝固住了,不能流动了。比如说他们认为《红楼梦》就是一部阶级斗争教科书,你就在这个前提下研究就行了,研究的办法就是,比如说以第四回为总纲,四大家族怎么压迫奴隶。

主持人: 护官符。

刘心武: 护官符,这个是很值得尊重的一种研究的角度,而且观点也自成其说,也非常有参考价值,但是你得容许别的人有别的办法。因为他们经营那么多年,是吧?他们是一个很强大的存在,觉得你怎么一下子闹腾这么欢,影响这么大,可能他们是不能接受的。

主持人: 我想听听您的看法。就是整个揭秘《红楼梦》又引起巨大反响之后,在这个事件中,您觉得会让您感觉比较欣慰的事情是什么?让您觉得比较遗憾的一个状态是什么呢?

刘心武: 比较欣慰的就是我觉得好像确实引起了一些原来对《红楼梦》不感

兴趣的，特别是年轻人，对《红楼梦》产生兴趣，这是我要达到的目的之一，我觉得这个意义很大。因为有一种说法就是说你原来是写《班主任》，你关注社会现实，现在你为什么不关注社会现实，你去关注《红楼梦》了？我就觉得在改革开放以后，西方文化大量涌入，这种涌入是必然的，也是不可阻挡的，也是有好处的。但是在这种情况下，我们有的年轻一代，他的时间完全用来看美国大片，看韩剧，或者看翻译小说，他们对中国的传统文化、古典文化就比较轻视，或者没有轻视的前提，他们就没工夫，没有兴趣。

所以我通过这样一个讲座和两本书，起到了我作为一个退休金领取者所能发挥的余热。《班主任》的时候我三十多岁，现在我六十多岁了，我还能够引起一个轰动。这个轰动的效应之一使我欣慰，就是说有些年轻人原来不知道中国还有《红楼梦》这么有趣的书，先不说它多伟大，你可以先说它不伟大，就是说它怎样的有趣，我需要引起他们的兴趣。

主持人：其实刘老师也已经间接地回答了另外一个问题，就是有很多人说他有点儿"不务正业"，他现在告诉我们了，他是一个退了休的老大爷，他的正业是颐养天年。在这种情况下，他干什么都可以算正业，是吧？您继续。

刘心武：我不是专业作家，我也不是有工作任务的人，我现在完全可以过自己的退休生活。可是你看我还介入社会，而且介入到这种程度，引起大的争议，所以我自己感到挺欣慰。

不欣慰的、不开心的，就是我不太愿意再抛头露面，不太愿意再成为社会的一个热点。说良心话，咱们说真格的，我也不太愿意在招人喜欢的同时，又那么招一些人恨。可是这次就出现这个情况，喜欢的，确实喜欢得要命；不喜欢的，恨不得把我撕成两半，这不是我所希望得到的。实际上《百家讲坛》开头请我来讲的时候，我是很勉强的。因为我当然跟像你这样的大明星还两回事，可是，你先别摇头，我也沾了点上电视的光。我到百货商场，人家说，哎呀，你是不是讲《红楼梦》的那个老头啊？是吧，我也能被人认出来，所以别光以为能认出你来，他现在也能认出我来，可是就特别难为情。有一次的表现，我现在挺后悔的，因为我到一家餐馆去吃饭，马上大堂经理就过来，刘老师，欢迎你，你是刘老师吗？我当时因为跟几个朋友在一起，就特不愿意让人知道，我说对不起我不姓刘。当时她脸上的笑容瞬间消失，我也没法纠正。

主持人： 那您在面对其他的听众、观众的时候，您期待的是哪种态度？不管对方是同意您的看法，还是不同意您的看法，您愿意他的态度是什么样的？您愿意跟他们做什么样的交流？

刘心武： 我没有办法控制别人的态度，我也觉得没有资格去预设一个前提，你必须得对我什么态度，你既然做了这个事，什么态度你都得承受。比如说我到王府井新华书店去签名售书，有人背上贴着一个大红心，"刘心武骨灰级粉丝"，看了吓我一跳，什么意思？是不是咒我呢？人说不是，现在流行，年轻人，这是最铁杆的，叫"骨灰级"。还有一个，我看了以后不说吓一跳，但也很吃惊，就是"我爱李宇春，更爱刘心武"。这种我也得接受、承受，因为人家支持你。还有比如说网上，就是一种谩骂，或者是一种有点"文革"大字报气息的文章，人格侮辱或者是人身攻击什么的，那你也得承受。因为人家就有这个想法，是不是？你没道理禁止人家，所以我现在的态度就是说我都承受，因为这个事是我做的，我讲了，播了，书出了，好像那个钢琴的键，从高音到低音，那你就都得承受。

主持人： 其实来我们的节目讲《红楼梦》的学者不仅您一个，但是引起反响最大的是您一个，所以我就想除了您的研究的内容之外，其实它还跟一件事情有关，就是您的表达方式。您的表达方式比较利于观众接受，所以大家听懂了，有兴趣了，我想跟您聊聊您的表达方式，比如您专门学过吗？演讲啊？训练过自己吗？

刘心武： 我在接受这个节目的录制之前，跟编导接触，跟制片人接触，我很同意他们的一个定位，就是咱们电视，不是一个电视大学，它就是一个为普通老百姓，为中等文化水平的人服务的。上了班挺累的，上着学作业好不容易弄完的，是给这些人，某种意义上来说看着玩儿的。就是讲学问，也是以一种消遣、消闲的形式，去激发他们对学问的兴趣。

主持人： 也就是说在做节目的时候，其实您是有意识地把这些学术研究用一个比较通俗的、有趣的方式表达出来。

刘心武： 对，有人说我编故事，其实我所讲的都有依据。有人说你为什么不把你的依据讲出来呢？这是很麻烦的，比如说我讲到秦可卿，她的原型，跟胤礽家族有关，胤礽他开头呢，为什么叫胤礽？后来为什么叫允礽？我一一说明出处，是哪部书的第几页，或者我参考了哪些人的有关的著作，那你想这个节目能播出来吗？播出来以后能有人看吗？是吧？毕竟这是《百家讲坛》，我不是要完成一个我的学术成果，也不是说听了我的节目的人以后就纷纷做《红楼梦》的学问，他能够对《红楼梦》感兴趣，目的就达到了。

主持人： 我想可能学者们是担心怕观众如果听说过很多其他版本的东西之后，他把各种各样的版本混为一谈，把文学作品、把戏曲、把电影、电视剧跟真实的历史混为一谈。比方说你问一个小孩说，你讲讲清朝历史，康熙皇帝是什么样的人，小孩会跟你说，他是韦小宝的哥们儿，韦小宝有七个老婆，其中有一个是他妹妹，这就毁了，大概学者是担心这个。但是如果我们观众有足够的识别的能力，我们知道是怎么回事，应该也不至于发生这种问题。

好，现在我们要给一点时间，给现场的观众，关于刘老师的红学研究，有愿意提问的，现在可以提问。

观众： 刘老师到《百家讲坛》来，揭秘《红楼梦》，揭秘秦可卿，在《红楼梦》红学当中又创了一个分支——秦学，对他这种钻研精神和研究态度，我是很佩服的。我想问一个问题，就是刘老师怎么创意或者是当时的动机是什么？为什么要研究《红楼梦》人物的原型？作为我这么一个普通的读者来讲，我一下子搞不清这个关系，知道了《红楼梦》人物的原型，对我们理解《红楼梦》、阅读《红楼梦》这本书，或者是研究《红楼梦》，有什么关系？

刘心武： 他问得非常好。他这个问题是两个部分，一个就是我的研究动机，是否有不良动机。现在我就跟大家说，我觉得我的动机是良好的。因为我自己写小说，在写作当中就碰到一个问题，特别是上个世纪 80 年代以后，外国文学的翻译越来越旺盛，外国文学的新潮传到中国来了，那个时候作家之间言必及比如马奎斯、福克纳什么的，你见面不谈的话你就落伍了。很多作家也是进行揣摩，他们怎么写的，怎么魔幻的，怎么变形，或者怎么意识流等等。我自己也很热心，也参与这样一个过程，而且我从中也获得很多营养。但是我一想，我还是用母语写作的一个人，在中国我也还是坚持用自己的母语来写比较传统的写实性的作品。这样我就觉得，我首先还是要向咱们中国自己的古典文学里面的经典作品来借鉴，首选就是《红楼梦》。特别是那个时候我正在构思我的第三部长篇小说叫做《四牌楼》，这个小说构思的总体来说，它是具有自传性、自叙性、家族史的性质，而《红楼梦》正好是这样一部书。怎么把自己掌握的生活素材，这些生活当中真实的人、活生生的人，把他转化为艺术形象，就是从原型升华为艺术形象，这是我要完成的一个事，这是我的动机了。当然研究《红楼梦》就要反过来了，因为它是一个成品，它呈现在我面前的是一个曹雪芹写完的东西，我就要看看它这个人物形象从哪里来的，这样对我的创作有好处，所以这是我的动机。

第二个问题刚才问得特别好。你要写小说，你这么去探索，你去搞秦可卿原型研究，从秦可卿入手，把所有那些你感兴趣的人物都研究了，对我们来说，我们听你这个有什么好处呢？我觉得呢，我在这儿还要再次声明，就是我的研究是很个性化的，是一个个案，绝对不要觉得我的研究就是一个标准，一个正确的东西，一个你必须接受的东西。我到电视台录这个节目的时候，我就一再声明这一点，没有这个意思。那你没这个意思，你又不保证正确，你讲给我们听干吗呢？我要引起你对《红楼梦》的兴趣。

主持人：那您目前的工作，您称之为很边缘的工作是由哪几部分组成的？

刘心武：我的工作是四部分组成：

第一，我当年是以写小说引起大家注意的，所以我继续写小说。最近我还在《羊城晚报》上发表六千字的小说，六千字小说是很典型的短篇小说了，是我从美国访问回来以后写的，所以我不断发表新的小说作品。

第二项工作，我写大量随笔。我这些随笔多数都是排解我自己心中的郁闷的，因为现在社会压力太大，得忧郁症的人很多，心理问题很多，我经常对自己清理，自己进行心理卫生，所以我首先是写给自己和自己的亲人，以及那些跟我境遇相同的人，然后大家共同地做心灵体操。我记得我在十几年前写过一篇叫做《五十自戒》，这篇文章当时在一定范围之内有一定影响。我觉得我五十岁了，我会不会变成这样一个人，突然坐在客厅沙发上，想到自己已经不那么有名了，现在出名的作品都是别人写的了，特别是年轻的，开始叨唠年轻人如何不对，我说我要警告自己，不要这样生活。我觉得十几年来我现在可以很欣慰地给自己一个评价，我没有那样生活，我不嫉妒年轻人，我不嫉妒那些现在销量比我大的小说作家，不嫉妒那些排行榜上的作家，不嫉妒那些新获奖的作家，我继续做自己的事。这个当中我也通过随笔不断调解自己的心理。这是第二个工作。

第三个，我写建筑评论，这个很多人不知道，这算文学吗？这个东西就是跨领域的一种书写，我已经出过两本书。

第四，《红楼梦》研究。我研究的大的方向其实主要是私淑一个红学大家，就是周汝昌先生，我是在周汝昌先生的指导下完成我的秦学研究的。我们这个研究是有两个最根本的出发点，说起来非常简单，一个是我们坚持让大家注意，《红楼梦》曹雪芹的前八十回是一回事，高鹗是一个续书者，他的后四十回是另外一回事。这两个人不认识，生活的年龄段也不一样，没有过交往，因此就是说高鹗你说他续得好那也是他一个续书好，所以我们研究就是研究前八十回。第二个，我们的前提就是认为前八十回、现在流行的版本也不好，所以你看我在我的讲座里面一再提到古本《红楼梦》。现在我就要告诉你，我现在正在做一件什么事？我就打算把周先生，他和他的哥哥，已经去世了，叫周祜昌，还有他们的女儿，用了半个多世纪所完成的，把十三种古本《红楼梦》，一句一句地加以比较，然后选出认为是最接近曹雪芹或者符合曹雪芹的原笔原意的那一句，构成了一个新的版本，这个版本已经正式出版了，但是很寂寞。我打算向特别是年轻的读者推荐这个版本，我作为一个评点或者导读，我要做这件事。并不是说我们最后这个版本一定是最好的，但是我们努力地把我们这一个共同观点的这些研究者或者爱好者，把我们的成果奉献给这个社会，奉献给读者，特别是年轻读者。

    主持人：这是您的边缘工作的四项，您的边缘人生主要包括些什么内容？

    刘心武：我边缘人生其中一个非常重要的内容就是到田野里面画水彩写生画，这构成我生活当中一个非常大的乐趣。我为什么在农村画，我农村有一些村友，有的村友跟我特别好，他们知道哪儿有野景、野地。在我选择的书房附近还有残余的湿地，还有一些具有野趣的田园，我去到那儿画水彩画，是我生活当中非常大的一个乐趣。

    主持人：就是说也许某一天，我们也会看到您的画册。

    刘心武：这个不敢说，这个主要是自娱。

我看《金瓶梅》

生活在现代的中国人，尤其是中国内地的普通读者，一般都读过《红楼梦》，甚至是熟读过。一般也会知道有一部先于《红楼梦》的《金瓶梅》，却直到20世纪80年代以前，仍难以读到这部书。

我个人也是先读了《红楼梦》，才读到《金瓶梅》的。这两部巨著，有其相似之处，它们从《三国演义》、《水浒传》、《西游记》那种为帝王将相、英雄豪杰、神佛仙人树碑立传的长篇小说格局中突破了出来，将笔墨浓涂重染地奉献给了"名不见经传"的"史外"人物，展现出一幕幕俗世的生活景象，充满了前述那几本"英雄史诗"里罕见的关于"饮食男女"生活方式的精微刻画。人物不再是粗线条的皴染，而是工笔画似的须眉细勒，而且极为注重人物语言的铺排，往往通过生猛鲜活的性格语言，使书中人物跳脱纸上，令读者过目难忘，掩卷如邻。

但读过《金瓶梅》后，我一方面得知《红楼梦》在艺术技法上深受它的影响，另一方面，却又深刻地意识到，这两部巨著有着重大的区别。那区别主要还不是前者展现的是土财主和市井小民乃至地痞流氓的生活风貌，而后者主要是表现钟鸣鼎食、世代簪缨的贵族之家的盛衰流程。那重大的区别在于，《红楼梦》的创作者在叙述文本中充满了焦虑，贯穿着努力从"生活原态"里升华出哲思的"形而上"痛苦，整部书笼罩着浓郁的悲剧情怀和浪漫色彩。因此，我们虽然在阅读的过程中会产生若干解读上的困惑，但一定会多多少少体味到那文本中所蕴含的独创性思想的魅力，如"女儿是水做的骨肉，男子是泥做的骨肉"，以及"意淫"说，等等。《金瓶梅》的文本却全然异趣，它固然也用了一些诸如"因果报应"、"恶有恶报"之类的"思想"包装，但究其实，它却基本上没有什么"形而上"的追求。因此，体现于叙述风格，便是非常之平静，没有焦虑和沉重，没有痛苦和浪漫，要论"现实主义"，它不仅远比《三国演义》、《水浒传》"够格"，也比《红楼梦》更"严格"。读《金瓶梅》，我们往往会产生出一种惊异，我把这种惊异称之为"文本惊异"，研究《金瓶梅》的"金学"之盛，不亚于"红学"，已是成果累累，我也涉猎一些。但依我看来，仔细研究《金瓶梅》这个"文本特点"的，却还不多。

对于《金瓶梅》，一般人对之感兴趣的，毋庸讳言，是里面为数不少的性描写，那确实是直露到放肆程度的色情文字，《红楼梦》里也有性描写，但处理上或含蓄而不失美感，或虽粗鄙却点到为止，并都为塑造人物而设，没有卖弄招徕之意。《金瓶梅》产生的时代（最早的刻本出现在明万历年间），因为皇帝公开征求春药，达官贵人更荒淫无耻，"房中术"成为最大的时髦，一时淫风甚炽，影响到民间社会，直达底层，不仅性行为相当地"解放"，戏曲演唱乃至茶肆说书，包括野史小说，直到市俗俚语，在表现性行为上也相当地"没遮拦"。《金瓶梅》在这方面的"成就"，放在那样的大背景中，算不得具有独创性，因此，我以为一般论者（性学专家例外）对此书的色情描写评价不高，乃至多予诟病，是可以理解的。

不过，把《金瓶梅》里的性描写全看作著书人招揽观者的"噱头"，那又不对了。《金瓶梅》的构思十分巧妙，它从《水浒传》里"武松杀嫂"一节衍化出来，西门庆通过王婆拉纤勾引了潘金莲，潘金莲用药毒死了亲夫武大，武松得知后追杀西门庆，在《水浒传》里是武松在狮子楼上杀死了西门庆，《金瓶梅》却告诉我们武松是错杀了他人，并被发配，西门庆把潘金莲娶进了他家，当了第五房小老婆，于是由此展开了对西门庆这个恶霸的全方位描写。其中，占最大篇幅的，是他的性生活，他不仅周旋于六房妻妾之间，还勾引仆妇奶妈，养外遇，宿青楼，乃至于潜入贵妇人卧房尽兴淫乐。有人统计，西门庆在书中几乎与二十个女性发生了性关系，在关于西门庆"性史"的生动而细腻的描写中，《金瓶梅》由此辐射出了关于那个时代的丰富而具体的人际存在与相互倾轧，并且常常有超出历史学、社会学、伦理学、心理学、性学意义的人性开掘，显示出此书作为长篇小说的独特的美学价值。或许这个价值不是作者有意识向我们提供的，但却是客观存在。

《金瓶梅》这一书名，可以理解成"金色的花瓶里插着梅花"，但绝大多数读者都认同于这书名里概括着全书三位女主角的解释，"金"是潘金莲，"瓶"是李瓶儿，"梅"是庞春梅。相对而言，李瓶儿可能是更能引起读者兴趣的一位女性，因为在她和西门庆的关系里，有着超越肉欲的爱情。西门庆这一纵欲狂人，也因在与她的爱情中显示出了人性中的温柔、宽容与善意，从而更有血有肉，更具认知内涵。潘金莲的形象，作为无时无刻不思淫纵欲的一个"性存在"，未免失之于"单纯"，但她的性格，却是刻画得最活灵活现，凸现纸面，令人难忘的。庞春梅是在全书后五分之一的篇幅里，才升为"重头人物"的，这是一个比潘金莲和李瓶儿都更复杂的艺术形象，她表面上有时非常"正经"，骨子里却比潘金莲更加淫荡无度。她的复仇手段，或直截了当而且残酷至极，或曲折隐蔽如软刀子割心。她对西门庆女婿陈经济的追求，怪异而执著，变态而宽容，折射出那个"世风日下"的市民社会对传统礼教的公然蔑视与无情"解构"。

《金瓶梅》是以写西门庆一家的食色生涯为主的，但《金瓶梅》确实又并不是一部"唯性"的小说，尤其不能因为其中有色情文字，便定性为"色情小说"、"淫书"、"黄书"，因为它有大量的篇幅，展现着西门庆家门外广泛而杂驳的社会生活。这部托言宋朝故事其实是表现明代社会生活的小说，把大运河的南北交汇点一带的商贸盛况，市廛车辐，滚滚红尘，描绘得光怪陆离、栩栩如生，特别是书中几次酣畅淋漓地描写了清河县中的灯节盛况，那种世俗生活的"共享繁华"，显示出一种超越个人悲欢恩怨的人间乐趣。不管作者本人是否有那样的寓意，善思的读者或者从中可以悟出，不管人世间有多么多的苦难、阴谋、残暴、荒淫、堕落、沉沦，毕竟冥冥中还存在着某种推进人世发展的"规律之手"。因而人世中的"阶段性文明"即便不可避免地含有不公正乃至污垢阴秽，个体生命仍应保持对生命的珍视，这珍视里包括着对俗世生活琐屑乐趣的主动享有。

《金瓶梅》的描写空间，越过了一县一府，直接写到京都，写到豪门，写到宫廷，一直写到皇帝本人。有研究者考证出，此书是刻意影射明嘉靖朝的政治黑暗。因为此书写作时，已在嘉靖死后，那时嘉靖宠臣严嵩及其儿子严世蕃已被斥逐诛杀，所以著者可得以放手影射他们的弄权行为，表现他们如何卖官鬻爵，收贿纳凶，豢养鹰犬，鱼肉黎民，败坏世风，制造人祸。据考，书中的蔡京、蔡攸父子，便是用来影射严嵩、严世蕃的。其实，书中所写的那种官场黑暗、税吏腐败、官商勾结、淫靡成风，并非只是"前朝"的"绘影"，也是"如今"的白描，从这一点上来说，《金瓶梅》也是一部"胆大妄为"的"政治小说"，有的论家从这一点上格外肯定《金瓶梅》的价值。不过，我以为通观全书，这一因素终究还只能算是《金瓶梅》这棵大树上的一个枝丫，就"全树"而言，市井生活与食色之事，毕竟还是主要的枝叶，并且参差披拂，葱郁蓊翳。

回过头来，我还是要强调《金瓶梅》那令人惊异的文本，为什么在那个理想暗淡、政治腐败、特务横行、法制虚设、拜金如狂、人欲横流、道德沦丧、人际疏离、炎凉成俗、背叛成风、雅萎俗涨、寡廉鲜耻、万物标价、无不可售的人文环境里，此书的作者不是采取拍案而起、义愤填膺、"替天行道"、"复归正宗"等叙述调式，更不是以理想主义、浪漫情怀、升华哲思、魔幻寓言的叙述方略，而是用一种几乎是彻底冷静的"无是无非"的纯粹作"壁上观"的松弛而随意的笔触，来娓娓地展现一幕幕的人间黑暗和世态奇观？此书的作者究竟是谁？学术界众说纷纭而尚难归一。或许此书的成书过程中确有多人多手参与，从其"拟话本"的风格上看，可能也是当时茶肆酒楼说书人的一个时髦的"保留节目"，众多的参与创作者可能都在其故事里加进了一些"训诫"。但那些牵强附会的生硬"训诫"完全不能融合于故事与人物，只是一些"套话"，乃至于显得"累赘"多余。为什么经过"兰陵笑笑生"归总刻印，仍不见"起色"？这究竟是因为所有参与创作者都缺乏"思想高度"，还是因为，就小说创作的内在规律而言，像《红楼梦》那样充满叙述焦虑，洋溢着理想光芒与浪漫情怀固然是一种很好的叙述方式，而《金瓶梅》式的"冷叙述"，并且是达到七穿八达、玲珑剔透、生猛鲜活、浓滋厚味的"纯客观叙述",也是一种在美学上可能具有相当价值的叙述方略呢？

　　我们可能更乐于公开地表达对《红楼梦》的激赏，而吝于表达阅读《金瓶梅》时所获得的审美愉悦，这可能与我们所处的时代和大人文环境有关。其实，抛开其他方面不论，《金瓶梅》在驾驭人物对话的语言功力上，往往是居《红楼梦》之上的。我们所津津乐道的"红语"，如"舍得一身剐，敢把皇帝拉下马"，"千里搭长棚，没有个不散的筵席"，"不当家花花的"，"打旋磨儿"、"前人撒土迷了后人的眼"等等，都在《金瓶梅》里娴熟而精当地运用过的。《红楼梦》在20世纪后半叶的中国内地，已经获得了可以说是几无异议的至高评价，但是《金瓶梅》却直到20世纪末，才终于能被一般成年读者正常阅读，学界也才有可能更加开放地进行研究。我这里便对学界，当然也兼及一般的读者，提出这样一个课题，就是请回答，当一个时代里的一个作家，他实在无法升华出理想与哲思时，他便使用《金瓶梅》式的文本，精微而生动地描摹出他所熟悉的人间景象和生命现象，在语言造诣上更达到出神入化的鲜活程度，我们是应当容忍他呢，还是一定要严厉地禁止他，乃至恨不能将他的著作"扼杀在摇篮中"？

　　当然，《红楼梦》是一部不仅属于我们民族，更属于全人类的文学瑰宝。那么，比《红楼梦》早二百年左右出世的《金瓶梅》呢？我以为也是一部不仅属于我们民族，也更属于全人类的文学巨著。而且，在未来的日子里，我们有可能更深刻地意识到这一点，尤其是，有可能悟出其文本构成的深层机制，以及时代与文学、环境与作家间互制互动的某种复杂而可寻的规律，从而由衷地发出理解与谅解的喟叹！

感念茅盾

又到落花时节，郊区书房窗外草地上，粉白的樱桃花瓣仿佛许多个句号。生活总是分成很多段落，每个段落里我们总会遭逢新的境况，随之或自觉或身不由己地调整自己的认知与心绪。窗外继续有花瓣谢落，窗内我整理着橱架上的图书。当我触摸到装帧极为朴素的上、中、下三册《我走过的道路》时，忽然心潮难平。

那是茅盾的回忆录。他去世以后才陆续出版，人民文学出版社按照他生前开列的名单，盖上他的印章，分寄各人，我因此有幸得到。我细读过这三册回忆录，有过很多感慨，但一直没有写过文章。尽管有"鲁、郭、茅、巴、老、曹"一说，但近二十年来除了以茅盾命名的文学奖常被人们关注外，茅盾的作品，对他的研究，都已经很不热闹。"茅学"始终没有形成，他的后人也很低调，不见出来撰文回忆、接受采访、促成昭显，以至在上面所提及的排序名单里，他几乎成了最寂寞的一位。

二十几年前按照茅盾意愿，并且以他捐献的稿费为本金创建的茅盾文学奖，是中国内地目前一般人公认的最高文学奖项。究竟茅盾的文学理念是什么？获得茅盾文学奖的作家与作品究竟要不要符合这一理念？我提出这一问题，一定会被若干人觉得多余，甚至可笑。实际上无论是操办这一奖项的人士，还是争取这一奖项的人士，以及传媒的诸多记者，都已经完全把以茅盾命名的这个奖项，当做了一个可以容纳不同理念的作家与不同追求的作品的"荣誉筐"，其间的争论、调整及最后的宣布，都与我提出的问题了无关系。

毋庸讳言，上世纪80年代中期以来，夏志清那本用英文写成，又被别人译为中文的《中国现代文学史》，在中国内地产生了巨大的影响，以前中国内地的现代文学史里，沈从文、钱钟书、张爱玲根本没有地位，被禁锢、压抑了许久的中国内地学人与读者，忽然读到沈、钱、张的作品，吃了一惊。原来被包括茅盾在内的左翼文学家否定、冷淡甚至根本不转过眼球去看的这些作家，竟写出了具有那么独特的美学价值的精品。从那时以来的二十多年里，沈、钱、张热持续升温，而茅盾却简直是被雪藏的状态。其实在夏志清那本书里，也为茅盾列出了专章，并作出了这样的结论："茅盾无疑仍是现代中国最伟大的共产党作家，与同期任何名家相比，毫不逊色。"

茅盾的小说主题先行，他按照主题要求设置人物、情节与细节，并且有据此开列详细提纲的习惯，当小说作为一门艺术发展到今天这么个状况的情势下，这些都被绝大多数人视为致命的缺点。但是我最近重读他的《蚀》、《子夜》，特别是《蚀》，却还是获得了审美上的愉悦，他的小说是有趣的，时能触及人性的深层。我承认自己当年写《班主任》时，文思里有许多的"茅盾因子"。这也许是他读了《班主任》后竭力鼓励，并且对我以后的创作寄予厚望的根本原因。

我虽然没有与茅盾亲密接触、深入交谈的机会，却是受过他恩惠的。这还不是指1979年3月我获得全国优秀短篇小说头奖时，他微笑着将奖状递到我手中。最难忘的是颁奖前一个多月，在友谊宾馆小礼堂里，当时由人民文学出版社出面，召开了一个旨在鼓励创作长篇小说的座谈会，那时被"文革"破坏的文学园地一片荒芜，茅盾出席了那个座谈会，并且与到会的多半是我这样的还谈不上是正式进入文坛的新手，进行了亲切而具体的讨论。他鼓励我们写出彻底摆脱"四人帮"影响的、无愧于新时期的长篇小说。那天他在讨论中忽然问主持座谈的严文井："刘心武在吧？"我赶紧从座位上站起来，严文井说："就是他。"我永远不会忘记那一刻茅盾眼里朝我喷溢而出的鼓励与期望。人在一生中，得到这般注视的机会是不多的。

　　我得承认，《钟鼓楼》的整个写作过程里，茅盾的那股目光一直投注在我的心里，是我发奋撰著的原动力。《钟鼓楼》写完已经是 1984 年夏天，一直关注我这部长篇处女作的某文学双月刊告诉我他们只能跨年度分两期连载，我心里怎么也迈不过这个坎儿，我找到《当代》杂志，求他们在 1984 年内把全文刊出，因为第二届茅盾文学奖的评定范围限定在那一年年底前。我憋着要拿这个奖，因为开设这个奖的人曾经那样地看重过我，我如愿以偿。我觉得自己是以符合茅盾文学理念的作品得到这个奖的，那理念的核心就是作家要拥抱时代、关注社会，要具有使命感，要使自己的艺术想象具有诠释人生、改进社会的功能性。

　　茅盾在 25 年前的暮春谢世。我走出书房，从绿草上收集那些美丽的花瓣，掬在手心里的花瓣沁出缕缕清香。我心中翻腾着感恩的情愫。不管时下别人如何评价茅盾，在我心目中，他是一种具有旺健生命力的文学流派的永恒典范。

我与古典文学

我不想正襟危坐地写一篇《我与中国古典文学》。我想坦白我在这个领域里的好恶，也许这可以帮助批评家和读者更理解我的创作。

我写过两篇评论文章。一篇是评论电影导演黄建中的新片《良家妇女》，题目作《碧海青天夜夜心》，一篇是评论前辈冯亦代的形式主义散文集《龙套集》，题目作《池塘生春草》。选用这样的诗句作文章题目，实在是因为我对这两部作品的感受，自然而然地与记忆中枢中的这两个诗句碰撞在了一起。

这就说明，古典诗歌对我的影响，是潜移默化的。

我曾经在一个笔记本上，译过数十首《国风》，那些被圣贤指认为有着微言大义的爱情诗，对我来说并不存在着少男少女热恋以外的情愫，比如"青青子衿，悠悠我心"这一首，我便毫不犹豫地翻译为：你为什么还不来？我的心，我的心，我的心里只有你，只有你那着青衣的身影，就算我不能去找你，可你为什么就不通个音信？

那时候，我大概十七岁。

《诗经》读过，《楚辞》啃过，乐府诗诵过，最后目光停留在唐诗和宋词上。早就听说领袖喜欢"三李"，也随着一种无形的潮流把三李的诗找来读了。李白自然是好的，李商隐的《无题》诗令我心醉，但李贺能让我喜欢的不多。他的想象力自然是丰富的，但我不乐于接受艰涩的东西，比如《杨生青花紫古砚歌》，后来被采入中学语文课本，我当中学教师时，费了老大劲，也还是没有让所有同学弄懂"慵刷抢水含满唇，蝉酒衣弘冷血痕"的意思。就算终于弄明白了，也搞得意趣全无，所以，我还是喜欢平实、流畅、豁朗的风格。比如白居易的《村居苦寒》，在写过"回观村间间，十室八九贫。北风利如剑，布絮不蔽身……"之后，他能有这样的自省："顾我当此日，草堂深掩门。褐裘覆绝被，坐卧有余温。幸免饥冻苦，又无垄亩勤。念疲深可愧，自问是何人？"我以为这便是人道主义精神，是深可感佩的，也是我应当勉力汲取的。

宋词在精神内涵上对我没有太多的启示，但经常诵读的效应，是使我对中国文字的节奏感和遣词布局的奥秘有所领悟。

"文革"中我手边只剩下三册印造得很粗糙的《韦苏州集》，我把它们压在枕头底下，夜深人静，一灯如拳，我便偷偷地取出来，随便翻翻。于是那些表现空灵和静穆的诗句，在那样一种特定的形势下，竟仿佛一汪甘泉，深深地抚慰着我那颗被煎熬的心：今朝郡斋冷，忽念山中客。涧底束荆薪，归来煮白石。欲持一瓢酒，远慰风雨夕。落叶满空山，何处寻行迹？

现在时过境迁，再读这样的诗，感受又不一样了，但韦苏州却几乎成了我最熟悉也最喜爱的古代诗人。

据说一般人读中国古典长篇小说，总不免是先醉心于《水浒》，再热衷于《三国演义》，最后才是《红楼梦》。"少读《水浒》"尤其被认为是规律性现象。我少时也翻过《水浒》，但不知怎么搞的，感受似乎与同辈少年不同。我忍受不了卖人肉包子的行为，即使是英雄豪杰所为。李逵劫法场时，挥舞板斧一路砍下去，不仅砍了坏蛋，更砍了许多仅仅是看热闹或偶然路过的人，这类场面也刺痛着我的良知。还有若干让我不舒服的地方。冷静下来，我觉得一百单八位好汉中，唯有浪子燕青完全符合我的内心取向。这种对《水浒》的态度大概是令许多人惊诧的吧！《三国演义》我不能耐心地一行行看下去，常常要把许多枯燥的段落跳过去，专拣那些有兴味的地方看。而《红楼梦》，是我所钟爱的。早在家长仍宣布那是我的禁书的时候，我便偷读了它，后来我不知又读了多少遍，常常不是逐回地读，而是翻到某一回，便读某一回。小红这个人物给我留下了很深刻的印象，可惜的是曹雪芹未及塑造完这个人物，而高鹗的续书简直把这个人物写丢了。"天下没有不散的筵席"这个话作者不让林黛玉说，不让晴雯说，不让平儿说，不让其他任何人说，而偏让小红来说，我以为绝非涉笔成趣。唯有小红看透了人情世态，她不随那一窝蜂似的少女们去追逐或幻想贾宝玉的爱情，而实事求是地衡量客观环境所能给予自己的幸福的最大限度。她既不是一味地"春困发幽情"，也不是徒然地"俏语谑娇音"，而是精心地设计，果敢地行动，稳扎稳打地迎向自己的目标。就前八十回的描写，小红所追求的贾芸也并不是那么不值得追求。高鹗后来把贾芸写得那么不堪，我想断非曹雪芹原意。另外，对《红楼梦》中的赵姨娘这个人物，我的感受也许更与众不同。我不知道作者为什么写其他人物时都能够平心静气地采取"性格二重组合"的方式，比如写作恶多端的凤姐，写淫荡无度的贾珍和贾赦，写荒唐霸道的薛蟠，都不仅"笔下留情"，而且细致地刻画出他们多方面的而且往往是矛盾的、又交融又拒斥的性格特征，如凤姐的机智爽朗、妩媚妖娆，贾珍的真情实意和贾赦的怨而不怒，薛蟠的天真憨厚、孝母怜妹，等等。但作者写到赵姨娘和贾环这一对母子时，下笔便不那么冷静蕴藉了，尤其对赵姨娘，简直是只写她的一面，让读者见而生厌，所以后来的评注者如"护花主人"之类，都用"蛇蝎"一类词语来给赵姨娘定性。但我通读《红楼梦》后，却不知怎么搞的，竟对赵姨娘生出了许多的同情。请设身处地为她想想，倘若说连晴雯，连司棋，以及那十二官们，生活中都毕竟有着乐趣，那么，对比一下吧，赵姨娘的生活状况，不是连她们都不如吗？她那些在作者笔下被描绘得十分可恶可厌的行为，难道不是一种对现实的反抗和一种郁愤的发泄么？她实在是极其不幸的。曹雪芹对她的同情和谅解何以几达于零，这真是一个谜。

我的长篇小说《钟鼓楼》，采取一种很特别的攒花式的结构方式，小说里出现了几十个人物，却没有主要人物，这惹得一位外国汉学家问我："你采取这种写法，是不是受到了《儒林外史》的影响？"我的回答是否定的。《儒林外史》写一组人物，丢弃一组人物，贯串到底的人物不多，而我的《钟鼓楼》，作为众多人物组成的群像是贯串始终的。我读《儒林外史》时大约才二十岁，我不喜欢这部小说，当然那是因为我社会经验太匮乏，对小说所反映的时代和社会也缺乏足够的了解，后来我没有再重读过这部作品。

中国古典文学这个范畴是极其宽泛的。诸子百家的著作，《史记》、《汉书》、《资治通鉴》……也都是这个范畴之内的东西，究竟从什么时候开始，哲学、政治、经济、科学、技术、历史、地理著作，才跟文学明显地剥离呢？我不知道。反正我读古书有时目的也不甚明确，比如读《洛阳伽蓝记》，我也不知道自己是想了解当时的佛教盛况，还是为了欣赏那生动的文笔。读《西湖游览志》大半只是为了对照我在西湖足迹所至之处，得到一种联想的乐趣。读《虞初新志》纯粹是为了猎奇。

也读过曲，读过传奇。不那么喜欢《牡丹亭》，尽管它的反封建礼教意识达到了一个令人敬佩的高度。《长生殿》竟未能卒读，太冷峭了。最喜欢的是《桃花扇》，读过许多遍。我特别喜爱《桃花扇》中第二十七出《逢舟》，人世沧桑之感，油然而生，令人无法抑制种种切肤之想。不知为什么后来的昆剧并无这出折子戏的演出？

汗漫地扯了一通，总觉得挂一漏万。比如，《聊斋志异》所给予我的滋养，竟险些忘了提及。除了对蒲老先生关于女人小脚的一再赞赏不以为然而外，他的全部爱情故事，都给我一种超俗的美感，而且他把文言文写得那么明白晓畅，读起来简直不觉得是在读文言文，也真够令人惊异的。

近年来，深感处在一个信息大爆炸的时代之中，该吸收的信息实在太多了。因此，中国古典文学作品和外国古典文学作品读得都不多了，主要是读中、外当代的文学作品，但偶尔也还是免不了要从书架上抽出一本《李贺诗集》之类的书来，随便一翻，权作调剂：

幽兰露，如啼眼。无物结同心，烟花不堪剪。草如茵，松如盖，风为裳，水为珮。油壁车，夕相待。冷翠烛，劳光彩。西陵下，风吹雨。

很好嘛！说不尽其中的丰盈意味！这样看起来，前面所说到的对李贺的印象，也终究是一种少年时代的没有水平的印象，看来许多过去读过的古典文学作品，都应在阅世渐多之后，——重新体味，而许多以前未及读到的古典文学作品，实在应及时补课。只是人寿有限，时间无多，怎么办呢？兹引陶渊明《杂诗》其一最后四句自勉：

　　　　　盛年不重来，一日难再晨。
　　　　　及时当勉励，岁月不待人。

外国文学对我的影响

当我还没有从事文学创作的时候，就喜欢阅读外国文学作品了。1956 年的时候，我十四岁，已经上中学，我一方面从学校图书馆借，一方面自己花钱买，间或也从哥哥姐姐那里弄到，读了大量的外国文学作品。从 1956 年到 1965 年那十年间，人民文学出版社出版的全部外国文学作品，我大概都读过。这话并不怎样夸张，因为在那十年里，我国对外国文学作品的出版无论种类和速度，都远不能同近十年相比，对于一个热爱外国文学的阅读者来说，公开正式出版的外国文学作品，是完全可以"读完"的。那十年里所出版的外国文学作品，记忆中，粗分起来无非三类，占最大比重的一类，是俄国十月革命以后，特别是苏联卫国战争期间及那以后的文学作品。另外一类则是古典作品，所取的标准，除马、恩、列、斯直接肯定过的作家作品外，大体上是看苏联译介的走向，大凡在苏联被肯定的，我们这边就可以见到译本。例如伏尼契的《牛虻》，在西方一般不认为是怎样重要的作品，因为苏联大力肯定，且经《钢铁是怎样炼成的》一书作者用火热的语句加以推荐，所以那时在中国达到家喻户晓的程度。而例如蒲宁，虽在 1932 年获得诺贝尔奖，国际声誉很高，但因苏联当时视其为流亡国外的反动文人，所以我们中国当然也就不会出版他的小说，我那时就简直不知道世上还有这样一位作家。第三类则是其他社会主义国家的一些作品，这类作品优秀的确实不少，但其出版却只带有明确而单纯的政治象征意义。1978 年我在一家大图书馆中就发现了一本20世纪60年代初期所出版的这类译作，厚厚的一大册，在书架上一直静静地摆着，竟始终没有一个人借阅过，其印装过程中未及裁开的篇页仍旧连接在一起。"文化大革命"前夕人民文学出版社（以作家出版社名义）曾办了一件事，就是出版了若干的"黄皮书"，全是一些供内部参阅批判的"修正主义"及"资产阶级"的"反面教材"，例如美国塞林格的《麦田守望者》、苏联冈察尔的《小铃铛》等。尽管印数很少，且规定只在当时有身份的文化人中发行，但世上哪有不透风的墙，这批"黄皮书"很快成为一些文学青年想方设法借到手的珍本。我那时人微力弱，远在当时那"黄皮书"的流布圈外，所以只偶然见到过两三本。但我也承认，那"黄皮书"的冲击力确是非常之大的。"文革"中，出版"黄皮书"一事自然成了有关部门和有关"黑线人物"的一大罪状，但据我所知，"黄皮书"大概并没有销毁多少，仍在暗中流传。一位比我小十岁的当年参与过"破四旧"的朋友告诉我，他就是从阅读被抄来的"黄皮书"开始，而萌发出文学创作冲动的。

1982年苏联莫斯科进步出版社出版的中国当代短篇小说集《一个人和他的影子》一书前面，有热罗霍夫采夫和索罗金合写的长篇序言，其中介绍到我的小说《班主任》和《我爱每一片绿叶》时，分析到我所受到的俄罗斯古典文学及苏联文学作品的影响，这在《班主任》里不仅体现在作品内涵中，也直接显示在情节的构成和若干细节描写上。我想他们是有道理的。

1990年香港中文大学翻译中心出版了我的英文小说集《黑墙——刘心武作品集》，内收我的六篇作品：中篇小说《如意》和短篇小说《黑墙》、《公共汽车咏叹调》、《她有一头披肩发》、《5·19长镜头》、《白牙》。澳大利亚汉学家杰瑞米·巴梅为该书写了一篇序。他说，《她有一头披肩发》的结尾使他想到欧·亨利的手法，《黑墙》有"黑色幽默"的味道，《白牙》中的"沉默试验"有某种超现实的气息，而《如意》则使他有一种恍如"中国的《金色池塘》"般的感觉。也许，他这是在从旁揭示我从外国文学作品中所获得的潜移默化的影响。《金色池塘》原是美国的一部舞台剧，剧作者为厄内斯特·汤普森，1981年据此拍成了大受行家青睐和观众欢迎的影片，由老资格的好莱坞大明星凯瑟林·赫本和亨利·方达联袂主演。亨利·方达的女儿简·方达出演他们所饰的片中老夫妇的女儿。我在几年后才在中国看到这部影片，当时我的中篇小说《如意》早已完成（它发表于 1980 年，并于 1983 年拍成影片，我于该年秋天还随该片去法国参加了"南特国际电影节"），所以，我写《如意》不可能是受到了《金色池塘》这部作品的影响。但我却乐于接受杰瑞米·巴梅那个"中国的《金色池塘》"的说法，根据《如意》改编拍摄的影片（导演黄建中）在法国"南特国际电影节"放映时，确实很受欢迎。后来此片又在法国和德国的电视中播出，《如意》除了被译为英文外，也被译为德文和俄文，在德国和苏联都得到了介绍。我想这除了因为他们可以通过《如意》了解当时中国普通人在中国社会变迁中的生活风貌以外，也确实可以从作品中一对老龄男女的黄昏恋中，感受到某种人性中相通的东西，这其实也正是中外古今大量文学作品里贯串始终、永不枯竭、永能出新的一脉文气。我写《如意》，首先自然是出于对中国社会生活和普通中国人心灵（尤其是北京这座古城的市民）的深切感受，但其次，就需谈到早已存在的文学（或扩而大之到整个文艺和文化）大河对我的沐浴与滋养，这当中除了本民族的文学传统外，外民族文学的影响，当然也融化在其中了。

鲁迅先生 1925 年 2 月 21 日在《京报副刊》上，应编者"青年必读书"之征，作答曰："从来没有留心过，所以现在说不出。"又在"附注"中说："但我要趁这机会，略说自己的经验，以供若干读者的参考——我看中国书时，总觉得就沉静下去，与实人生离开；读外国书（但除了印度）时，往往就与人生接触，想做点事。中国书虽有劝人入世的话，也多是僵尸的乐观；外国书即使是颓唐和厌世的，但却是活人的颓唐和厌世。我以为要少（或者竟不）看中国书，多看外国书。少看中国书，其结果不过不能作文而已。但现在的青年最要紧的是'行'，不是'言'。只要是活人，不能作文算什么大不了的事。"

这是 80 年前的话了，因为系鲁夫子所说，总不会被认为过时吧。中国书（我认为他所指的是 20 世纪以前的书）是否"虽有劝人入世的话，也多是僵尸的乐观"，我因没有深入研究过，以自己有限的读书心得，似也并不能如此概括，所以姑且勿论。但"读外国书时，往往就与人生接触，想做点事"，"外国书即便是颓唐和厌世的，但却是活人的颓唐和厌世"，却深合我自身阅读外国文学作品的经验——而且就我来说，即使印度如泰戈尔的作品，也并不例外。

我步入文坛，写了不少作品，主要是小说，自认贯串在这些小说中的，是一脉关注社会、拥抱生活、品味人生、探索人性的。不同时代、不同民族、不同流派、不同风格的外国文学作品对我的影响，系融于其中，如春光烂漫般显著，但要我说出个子丑寅卯，却又梳理不清，正所谓"无数杨花过无影"，是当局者迷吧。

我不能直接阅读任何一种原文的外国文学作品，因此，同许多与我情况类似的作家一样，就文体与文气方面而言，与其说是外国文学作品影响了我，不如说是成功的翻译家那笔下的中文影响了我。这里且不细说，同那些具有直接阅读原文能力的作家们相比，我总是十分惭愧，也往往非常困惑。近年来，我国在译介外国文学方面，不仅领域种类上有极大的拓展，数量上更是猛增。我以为至少有三个方面的现象是以往不曾有过的：一是出版了大量的外国通俗文学作品，二是出版了大量的非现实主义流派的作品，再有就是有种尊崇和追踪诺贝尔文学奖的倾向。不仅好几家出版社在出历届诺贝尔文学奖的获奖作家作品选集和单本著作，而且，近年来每年诺贝尔文学奖的揭晓，似乎都成为了我国文坛关注的一桩大事。一般宣颁不久，我国的译文类刊物上便有关于获奖作家作品的介绍，单本的书出得也颇快，有时还有两种版本同时推出的现象。在近十多年里，我想纵然是最热衷于阅读外国文学作品的人士（哪怕是以研究外国文学作品为职业的人士），也不可能把公开出版的译本都读遍了，我自己在这方面的阅读上，自然形成了大量的空白点。

西方文学中上世纪以来涌现的非现实主义文学作品，举凡现代主义、超现实主义的、后现代主义的……种种创作，越来越体现于其文学语言的创新乃至"文体"和"语体"的"颠覆"上，这样，不能阅读原文，不能直接感受其"文本"，只依靠翻译介绍，至少在我，就常常陷于困惑之中。尽管我认真而细心乃至虔诚地阅读译文，往往还是茫茫然而不能入其堂奥。例如福克纳的那部《喧哗与骚动》，我懂得译者呕心沥血地将其译出真是不容易，了不起，但说实在的，我读起来却只有啃酸果的感觉。

我想一个作家在广泛阅读他人作品的过程中，一定会或多或少、或强或弱、或隐或显地受到某些影响。但一个有创造力、有自尊心和自信心的作家，却不应有意去专门接受他人作品的影响，尤应如同逃避瘟疫般地戒惕自己不要堕入模仿、效法、追踪他人（又尤其是外国作家）作品的渊薮。

诺贝尔文学奖是世界上现有各类文学奖中影响最大的一种文学奖，排除掉评奖中所潜伏着或直露出的某些非文学性的动机与标准外，总体而言，这项文学奖也确实评出了一些很不错的作家和作品。因此，关注、重视诺贝尔文学奖的颁布，研究、借鉴每年的获奖作家和代表作，我以为都是必要的。不过，摆脱掉这项文学奖对我们作家进行创作的阴影，不要赶潮流、赶时髦地去主动接受它那历届得主特别是最新得主的影响，而是坚持自己的创作完全体现出自己的心灵意志和自择自创的符号系统，我认为是非常重要的。

记得在 1980 年，当时西德驻华大使魏克特博士，曾请我们几位中国作家到大使馆去聚会。魏克特本人也是一位作家，他写的广播剧《德语课》不仅在德国电台播出，也由我国中央人民广播电台播出，译文也曾在我国《世界文学》上刊出过，他并著有以中国太平天国革命为题材的长篇小说。他那次请中国作家去聚会，是因为德国名作家君特·格拉斯作为他私人的朋友，到中国旅游，住在大使馆中，他想让君特·格拉斯能有一个与中国作家接触的机会。我在此之前已经知道君特·格拉斯与伯尔同为当代德国最著名的作家，伯尔的写作风格比较写实，君特·格拉斯在《铁皮鼓》中已显示出不拘泥于写实的文风，而他那次到中国时，恰好正完成了以非写实手法写成的《鲽鱼》一书。记得那天聚会时他还举起一幅木刻画给我们看，所刻的正是两条变形的富于装饰趣味的鲽鱼。魏克特博士从旁介绍说，那是格拉斯自己所刻，他不仅能文，而且精于版画，那幅木刻便作为了他新著的封面。当时便问及《鲽鱼》的内容，他略作解释，而翻译已极感困难，我们都不得要领。两年多以后才在《外国文艺》上看到了一点摘译，译者在附言中也说那作品只有直接阅读原文方能品出其中滋味，简直没有办法通过翻译传达出作者的妙意。大家都知道伯尔已在1973年获得了诺贝尔文学奖，而君特·格拉斯多次进入该奖的提名角逐却至今与该奖无缘。作家有必要去争取诺贝尔文学奖吗？记得那回格拉斯微笑着说：提名，竞争，都是别人的事，作家写东西，简直不要去管那一套，他写《鲽鱼》，就颇有如入无人之境的气概，全凭自己的灵感一口气写下去。当然，他说，《鲽鱼》对许多读者来说，要比《铁皮鼓》难于接受，但他相信，《鲽鱼》是一部比《铁皮鼓》更精彩的作品，终会获得若干知音。格拉斯那天洒脱自信的音容笑貌，二十多年后仍宛在眼前。

1988年访问巴黎时，在法国文化部的一次招待会上，我又有机会同法国"新小说派"开山祖，也是有名的"午夜出版社"主持人罗伯·格里耶接触。我们站在宽敞的宫殿平台上，下面是气魄宏大的协和广场，广场中央竖立的楔形文字方尖碑，以及四角配有古典圆雕的喷泉，给人留下了极深的印象。不过罗伯·格里耶的某些谈吐，不再是当年以《嫉妒》、《去年在马利昂巴》等作品披荆斩棘开创新业的猛将风姿，他显得格外沉静、恬淡。"新小说派"的业绩通过头两年克洛德·西蒙的获得诺贝尔文学奖，已然算是获得了世界文坛的稳定评价。据说克洛德·西蒙获得1985年诺贝尔文学奖的消息传到巴黎时，街头行人面面相觑、互相询问："他是谁？"报刊舆论上也责问为何该奖不颁给罗伯·格里耶或其他几位远比克洛德·西蒙知名度高、业绩也大的"新小说派"主将。但当我们几位中国作家通过翻译问及此事时，罗伯·格里耶却称根本不存在一个什么"新小说派"，他说这个派那个派全是一些评论家捏合起来的。对于他来说，文学是一项无休止的试验，他现在所写的作品，就全然不同于以往所著，作家不仅要竭力摆脱他人的影响，摆脱评论界的影响，摆脱诸如诺贝尔文学奖之类的影响，而且，也要摆脱自己过去的影响。

同格拉斯、格里耶这样的外国作家的接触，给予我的影响，似乎比阅读译成中文的外国文学作品，还更触动我的创作神经。

我也许并不具有多高的才能，我的写作，也许仅仅出于一种对文学的执著爱好，甚至只出于一种生命本能，但我一定要使自己的每篇作品，不仅不是任何中国或外国作家写出的作品的影子或摹本，而且，也不是自己以往作品的重复。

我是怎样一个瓶子

1992 年冬在北欧访问，偶然读到了现定居德国的台湾女作家龙应台的一篇文章，题为《一个装满了中国中国中国的瓶子》。那篇文章讲到有从中国内地去德国奥地利访问的文化人，在她接待他时，不管什么时间、什么场合，那被接待者总絮絮叨叨地跟她讲些有关中国内地政局的事情，似乎除了那一话题，心里头再无别的存在。其中有一个细节是：龙应台陪他去参观某处市容，正兴致勃勃地给他指点：那边便是卡夫卡的故居……他却充耳不闻，亦视而不见，只是缠住龙应台问她对中共"十四大"的新班子作何感想。龙应台因此很不以为然。龙应台说，她发现不止一个中国文化人已成为了"一个装满中国中国中国的瓶子"，那瓶子被单一的意念塞得满满的，简直再没有容纳别的东西的空隙。而且所谓"中国中国中国"的意念，在龙应台看来，全是"政治政治政治"。她对这样的文化人非常失望，她觉得一个中国人如被比喻为一个瓶子，瓶肚里当然不能无中国，但不能光是"中国中国中国"，尤其不能光是"政治政治政治"，她很惊异于一个中国文化人怎么会对卡夫卡故居漠然到那种地步。她以为一个中国文化人也应是一个世界文化人，应是一个既装有中国更装有世界的"瓶子"，而且那"瓶子"里应该装有更多对人类文化积累起过作用的例如卡夫卡那样的人物的名字，不必塞满了政坛上的这个那个的名字，尤其不必一天到晚在那里臆测谁谁谁会怎么怎么样……

读完龙应台的文章，我不禁莞尔一笑。龙应台虽然近些年也来过内地，我与她也有过一面之缘，但她与内地文化人之间的隔膜，是厚重的、难以穿透的。其实她自嫁给欧洲人定居德国以后，对她生长与成名的台湾，亦已渐渐生疏。前些时台湾的一位作家来北京，我问他龙应台的文章现在在台湾发表得多不多。他说已不多，因为台湾变化得也很快，即使议论台湾，龙应台也在渐渐失掉资格。

细想起来，龙应台的"瓶子论"尽管尖刻，而且很可能她与那位同临卡夫卡故居的内地文化人之间存在着误会，但她倒也戳中了一些（包括我自己在内）内地文化人心理结构中的弊端。我们的确常常把自己的思绪过分集中于既大而又并不得体的问题上。求大，往往便会显得空；如果不空，又往往过于沉重，超过了一介书生能负载的程度。并且因为所焦虑的问题往往大大超出了自己的专业范畴，因此后果是既解决不了问题，又丧失了在本行业中的优势。

我去北欧访问，第一站是挪威奥斯陆，应邀住在奥斯陆大学东亚系主任何莫邪教授家中。何莫邪是德裔人士，他的夫人则是丹麦人，因此在他家里我们听到的外国语便都不是挪威语。何莫邪精通希腊文，但他主攻汉语，是汉学教授，"何莫邪"便是他以音近原则为自己取的汉名。我笑说他应是一女士才对，因为根据中国古籍记载，干将为雄，莫邪为雌，因此他是一柄"雌剑"。他笑说前面有一"何"字，所以语意可解释为："哪里是莫邪？"因此便"负负为正"，归回雄性了。

在何莫邪那间地下室的房屋中，我们言谈极欢。当然他也难免问几句中国的政局，我亦少不了跟他说"十四大"明确了进入市场经济的方向，但我们双方都自觉地意识到，各自绝非可以代表更绝对不能左右中挪两国政府的关系，因此我们便很快进入"书生议论"。我跟他讲到对 20 世纪初挪威表现主义绘画大师蒙克心仪已久，他说将立即派他的助手第二天陪我去蒙克画廊观赏那里珍藏的原作，并建议我看完蒙克再去看雕塑大师维格兰的一组园林巨作，其中最主要是由无数个人体构成的"生命之柱"。我知道他的汉学专攻方向是先秦文献，并以研究《韩非子》而名声卓著，并知他有极为偏激的观点，就是认为佛教传入中国后，汉文化便趋向混乱以致衰落，终至"无足观"地步。因此我便有意问他是否全然不读中国现代、当代的白话文，他便拿出大量私藏的丰子恺著作和画集让我翻阅，说现代、当代中国文化人中他独钟情于丰子恺，且有专门的论文论丰氏的艺术境界，我便笑他何以如此自相矛盾？因为丰氏后来皈依佛门，画中充满禅意，不是佛教东传败坏了汉文化么？怎么又把丰氏作一"败坏"中的例外，他便笑谈问题不那么简单，需坐下来细细商量。

早有多次出洋的朋友跟我传经："你无妨同国外的学者谈论最大的问题，而千万不要轻易地同他们议论具体的小问题。因为大而空好应付，且可频占上风，精而细我们便难免露怯，起码将非常之吃力！"果然，泛论"中国是否会越来越开放"容易，一旦何莫邪问我："你觉得中国人讲话里的插入语为什么总体来说比较少，而英语里的插入语就那么常见？这反映出怎样不同的民族文化心理结构？"我便顿觉没词儿。但当他问我"地下"这两个中国字重读和轻读的意义区别时，我倒能细细地告诉他："重读时，如'地下铁道'，'地下'指地表层下面；轻读时，如'针掉到地下了'，则'地下'指紧贴着地表层上面。"他说正在写一部书稿，帮助欧洲人学习汉语，里面有一章是专门讲汉语发音的重读和轻读所形成的含义差异的。学问抠得这么细，确是瓶肚子里只装着"政治政治政治"（或改为只装着"赚钱赚钱赚钱"）的中国文化人难以企及的。

在丹麦哥本哈根，哥本哈根大学东亚系汉学专业的一位女士，名叫朱梅（自然是她为自己取的汉名，此人系一金发碧眼的正宗丹麦女郎），陪我四处参观。她的研究题目是《最早到达丹麦的中国家庭》，不算冷僻。但她那位德籍男友，是从德国海德堡大学来的，所撰写的博士论文题目可够让我吃惊的了——《中国汉字里究竟有多少个表示烹调的动词？》。老实说，当时我吃了半个世纪的中国饭菜，却实在回答不出这个问题。可是朱梅那位男朋友偏递给我一张类似"盖洛普测验"那样的答卷，要我不查字典顺手写出一系列有关的动词。结果我当时只写出了"炒、煮、烧、炸、蒸、焖、熬、涮、烤、烩、煎、炖"12个，他看了以后非常感谢我，说已从遇到的华人中回收了大约二十多份这样的答卷，如果凑足一百多份，则可用电脑统计一遍，看哪些动词最深入人心，说是可以从中发现中国人的饮食心理。说完又细问我"汆"和"焯"是怎样的意思,边听边打开笔记本细细地记录下来。

在瑞典斯德哥尔摩,一位汉学界权威对我说,他极欣赏几位20世纪70年代末出现于中国诗坛的现代派诗人,他们的诗才令他钦佩,他自己动手翻译过他们的不少诗,与他们的私人情谊也甚笃。但令他困惑的是,当他向这几位诗人推荐上半世纪例如冯至、卞之琳所写的现代派风格诗作时,他们竟无动于衷。他们连卞之琳的名句"你在桥上看风景/看风景的人在楼上看你/明月装饰了你的窗户/你装饰了别人的梦境",都不知道也不想知道。言下之意,是这几位诗人未免是一个个装满了"自己自己自己"的瓶子。装满了"中国中国中国"的瓶子和装满了"自己自己自己"的瓶子,看来都容易招人訾议。当然,自己的瓶子装什么,别人不好强求,无妨"我行我素",但要想成为一个既体现中国民族特色又深入世界文化和人类共识的"瓶子",当然还是不要把单一的东西填满肚子为好。

其实就个体生命这个"瓶子"而言,更要紧的是必须装有属于自己独特性格和见地的东西。我是怎样的一个瓶子呢?自己不好作鉴定。在北欧访问了一个多月,频频接到德国海德堡大学发出的邀请,校方的信函、电传、电话从斯德哥尔摩一路追到隆德,追到哥本哈根和奥胡斯,言辞恳切,情真意挚,让我一定顺道访问德国,费用他们全包,可以从德国再返回瑞典,也可以从德国直接回到中国。但我已经倦游,想到自己在北京那小小家庭的一窗温馨灯火,心头便幽幽然升起思乡意绪,因此便婉谢了。婉谢后才想起龙应台正住在海德堡,如果去了,恰好由她评定一下我是个装着"什么什么什么"的瓶子,这必定非常有趣!

我的鼻子

记得有一回一个朋友问我：你写的《钟鼓楼》里，哪一个人物是你呢？他的意思是，大凡一个作家的头一部长篇，必带自传性，里面少不了有一个角色以自己为模特儿。但是我的头一部长篇《钟鼓楼》里写了几十口子人物，却没哪位跟我的模样、性格、际遇沾边。我觉得写小说的乐趣本在虚构，所以即使有自己的影子，那影子多半也居观察者地位。写散文和随笔就不一样了，自己常常要现出正身，有时干脆就是自画像。

我忽然想起，自己曾画过一幅自画像，是漫画，几笔勾成，五官只画一官，是一只大大的狮鼻。因我眼小鼻大，谈恋爱时很怕眼大鼻俊的竞争者夺宠，着实奋斗了一番，才"有志者事竟成"。婚后问爱人，嫌我鼻大否？她只是笑，不正面回答，后来才说：但愿我们的孩子，鼻子不要像你！儿子落生后，直到长大成人，我总注意观察他的鼻子，形态基本是母亲的遗传，不像我。但世道变化无常，如今相术又开始盛行，一些年轻的作家很以给人看相为乐，好几位一见到我就大喊："狮鼻富贵！你好个相貌！"

闲来无事，抻过一本《麻衣相术》翻翻，好不得意。我岂止鼻相好，那肥厚的耳垂、宽深的人中不消说都是福相，就是那一双长期使我自卑的小眼睛，原来也大体可以归入"丹凤眼"的范畴。哗！我是不是可以什么事也不做了，安坐家中，二郎腿一跷，便福从天降呢？

其实我虽生有大鼻，亦遭不少祸事，缘由多与面相无关，不得怨怪冥冥中的主宰，主要是我自己或因幼稚，或因轻信，或处事无方，或耻于应变。至于祸去人存，乃至因祸得福，是否与鼻大有关，则尚未参透。

眼、耳、鼻、舌、身中，眼、耳的重要性我早已知晓，我在年轻的时候，首先受的是"心明眼亮"和"听话听声，锣鼓听音"的教育，也就是说，应该用阶级斗争的眼光看待一切，以阶级斗争为纲分析所听到的一切。在看、听这两个方面，那时虽是劣等生，总还知道如何去提高水平，因为眼见和耳听，形声俱在，有根有据，好抓挠。但后来阶级斗争的弦越绷越紧，要求每一个革命群众都具有"革命嗅觉"，这就难办了。我徒长一个大鼻子，却只知道闻实存的味道。比如说那时报上介绍一个英雄人物，说她挖出了一个阶级敌人，该人平日不言不语，也不轻举妄动，她是全凭"革命嗅觉"把他深挖出来的，据说去抄那人的家，果然抄出了反动日记。对于这种特殊的"嗅觉"，我只能哀叹自己低能，或简直"残废"。后来看爱伦堡的回忆录《人·岁月·生活》，那里面忆及30年代苏联搞"肃反"，就有"积极分子"凭空指认别人是"反革命"。所谓"我闻出你身上有反革命气味"，竟成为一条把无辜者送进劳改营乃至黄泉的响当当的理由！呜呼！人之有鼻，其为此乎？！

人生许多方面都可以改变，连相貌也可通过手术达到全非，何况观点和立场，但我觉得"瞬息万变"总不是个事儿。当然，各人有各人的活法，谁能强求谁呢？我反正不想根本性地改变自己，包括我的小眼睛和大鼻子。

我的功夫

1990 年在美国西海岸的旧金山，深夜忽然接到李子云大姐从美国东部打来的电话，语气沮丧——原来她那日白天不幸遭劫，装着美元、机票、照相机的手提包整个儿被人端了！此事她自己写过文章，颇多自嘲，体现出她事过后化不测之险为人生经验的诙谐气度，这里不去多说。要说的是：我们两人曾在美国最凶险的城市纽约结伴漫游多日，无论是白日穿过痞子、扒手密集的烦嚣街区，还是夜里从皇后区搭乘酒鬼难躲的地铁返回曼哈顿岛，从来都没有遇到过抢劫骚扰，没丢失过任何物品。何以她一单独旅游，便立马遭劫？当然，可以作出一个泛泛的回答——因为我是个年轻的男子，老大姐有我同行，安全系数自然高。但香港的潘耀明先生是个比我更年轻的男子，一个人在纽约最堂皇的街区行走，光天化日之下，竟有歹徒公然迎面抢将上来，不仅把他钱财洗劫一空，还把他打昏在地，好不猖狂！可见光是性别为男、年轻一点，还不足以避免劫掠。那么，我也算是走东闯西地逛过不少地方，却一直毫发无损，优势究竟何在呢？

纽约地铁，极为发达，蛛网般的路线，一年到头都有工人在修理。但等到把"最后一段"修讫，那"最初一段"又变成该维修的了，有时经费拮据，不能及时循环修到，便会形成一些破朽肮脏的段落，那些站台，夜里便会显得格外阴森可怖。记得有一晚我去布鲁克林区看完朋友，要回曼哈顿岛的住处，就下到那样一个车站。站台的照明灯毁坏了不少，看不到几个人影，尤其是看不到正经人，只见几个醉汉在怪笑，甚至有几个人很可能是在角落里吸毒。这时关于纽约地铁里杀人越货的种种报道，便都涌上我的心头，偏列车又久不到站，而我一瞥之间，又分明发现几个黑糊糊的彪影在对我虎视眈眈，那时我的心脏真不是在跳动而是在颤抖……但终于也还是没遇到攻击。后来我去一般纽约人也视为畏途的哈莱姆区，那些看似粗鲁狂躁的黑大汉们，对我也都不仅绝无非礼行为，甚或有的离我老远便对我现出一个微笑——却又绝不走近我试图交谈。

旅游中我何以如此安然无扰？1991 年在巴黎，一次漫步在赛纳河畔，忽然一个北非大汉从桥影下闪出来，不是向我袭击，而是对我握拳摇动，满面媚笑，口中发出一连串的声音："GONGFU！GONGFU！……"我恍然大悟，原来没人欺负我，不仅因为我是男的，看上去比较年轻，更因为我看上去，是个有"中国功夫"的东方人！我进一步憬悟，比如在纽约哈莱姆区，其实那里的某些人不仅我完全用不着防备他们，倒是他们看到我不胜惶恐，他们对我媚笑，是怕我恃强去欺劫他们呢！哈哈！

西方人仰慕中国功夫，已故影星李小龙起了决定性作用，他基本上成了西方一般人家喻户晓的人物，近些年香港成龙的片子也起了不小的作用。但在中国内地，一般人反而并没怎么看到过李小龙的《精武门》、《唐山大兄》、《猛龙过江》等影片，印象深的，是在电视上轰动过一时的《霍元甲》、《陈真》等连续剧。有一回北京的一些作家在餐馆小聚，汪老（曾祺）正坐在我对面，他竟呷一口酒，望望我，笑笑，说一声："陈真！"再呷一口酒，再望望我，再笑笑，再说一声："陈真！"……原来，他越看我，越觉得我像电视剧里演陈真的那位演员，不禁一望三叹！从此，"刘心武有功夫"之说，开始流传。

我究竟有没有功夫？自己的回答，是明确的：只有点纸上的功夫，并无汪老望而疑之的那种功夫。但就有人揭我老底，偏知道我 20 世纪 50 年代初，曾瞒着家长和老师，到什刹海边的"四维武术社"去拜过师傅，还有什么上初中时和同学打架，一怒之下点了人家穴，让人家半天不能举臂，差点受处分。还有人注意到，我的市井朋友里，可是有几位不显山露水然而功夫不凡的高手，说什么某某著名武打片里男主角的替身是我哥儿们,某全国武术大赛的金牌得主至今还在对我点拨……有一个例子,则是某名寺的武僧不找别的文人偏找我,说是"有缘",请我去参加他们的一个大型打擂活动当嘉宾。但这些说法,我固然不能一概斥为谣言,却也绝不能确证!

不过,就算我没有丝毫的功夫,但回忆起在域外旅行时因人家以为我有中国功夫而秋毫无犯的遭遇,褒扬一下汪老所寄我身上的陈真雄风,倒也是桩十分提气的事!

我爱看旧照片

我爱看旧照片，越旧越爱看。

据说世界上第一张照片是法国尼普斯兄弟拍成的，被拍的人物是丹保瓦兹主教，所用的材料是涂抹某种沥青的玻璃板，后又重制为铜板片。那是 1822 年 7 月间的事，距今一百八十多年。

世界上所存在的历史文物多矣。人像，自世上有人便开始出现，举凡洞穴山崖的原始壁画、陶俑、铜人、石料制成的圆雕或浮雕、砖刻或木雕的形象……到各个历史时期的绘画作品，信息量可谓浩瀚繁复，然而这些历史信息所给予我的刺激，却大都不如旧照片强烈。

照片毕竟是照片。虽然照片也可以作假，更难说照片不会失真，但是照片所传递出的信息，总有一种难以言喻的权威性。

即使是一张二十年前的照片，往往也会引出我许多的联想和感慨——我这里所说的还不是我个人的照片，而是别人的照片，并且主要是指陌生人的照片，说得更精确一点，便是非名人的私家照片。

私人照相簿是一种无法计量的社会存在。持有者有权不让任何其他人窥视。然而社会上也有提供私人照相簿让客人翻阅以示友好的习俗。北方的一些人家，尤其是农村和城市中的劳动人民家庭，喜欢用许多的镜框，将私家照片密密麻麻地陈列出来，悬挂于壁，供来客观览。到别人家做客，每当主人向我提供私人照相簿赏玩时，我总格外感激。倘是用镜框悬挂于壁，我更经常凑得很近，细细欣赏。我自然尤其注意那些年代较久远的、发黄的照片。

这是我的一种癖好。

怪癖吗？

不管别人怎么评价，我不想改变这一癖好。

我出生于 1942 年，对 1942 年以前的照片兴趣尤浓。因为 1942 年以后的世界，我毕竟身处其中，固然我的见闻有很大的局限性，但我的一双眼睛便是不知疲倦的照相镜头，我的大脑中更有屡用不废的成像软片，我自己更常有机会被真正的照相机摄成影像，对比于还没有我存在的那个世界，这一切信息的神秘感和可贵性当然都略逊一筹。

1984 年 11 月，北京中国美术馆同时举办几种展览，其中包括相当热门的"现代日本画名画家作品展"。那时我正忙着准备到德国访问，诸事烦冗，好不容易抽个时间，大老远地赶到了那里。我所沉迷的是其中的哪一个展览呢？竟是屈置于展览馆三楼的一个规模最小的"中国早期历史照片展览"。

这展览所陈列的不过是百十来张旧照片，照片都是由美籍华人刘洪钧先生收藏的。其中最早的大约是 1856 年英法联军侵华时的照片，最晚的大约是 1911 年辛亥革命前后的照片。其中历史名人的照片和历史性场面的照片所占不多，大多数还属于那个时代的私人照片。我所久视不已的，便是那些早已不知何名何姓、其骸骨不知抛掷何处、其后人不知今在何方的普通人照片。

说是普通人，其实不普通。他们大多是当年的阔人，阔到能请人照相的地步，这大约总相当于今人阔到能雇直升飞机旅游的程度。但他们都未青史留名，无论作为正面或反面的"典型"，他们都不够格，要没有刘先生收藏他们的照片，他们早就消失得不剩一点点痕迹。

这些照片对我有着强有力的震撼作用。我从中获得了一种难以言传的特殊的历史感。

何谓"特殊的历史感"？

不特殊的历史感，或者说一般意义上的历史感，是被定向训练而形成的，那当然是一种必要的感受。但那感受好比只是一副骨架，还缺乏血肉。我总是渴望着认识不仅有骨架，而且有血肉的鲜活物，对历史也是这样。别人将经过梳理、筛汰、消毒、漂白、凝炼、净化的历史感传授给我，我在接受之余总有一种淤积于心的不满足。我希望自己也能参与对原始材料——即所存全部信息——的考察，倒不是我一定要经过独立思考去得出相反的结论，更多的可能，也许是我反而从此更加坚信被告知的结论。这不过是向往具有一种更立体化、更鲜活的历史感罢了。

旧照片便最能满足我的这种追求。

不要把我的这种癖好理解成艺术欣赏。比如我去参观刘洪钧先生的藏片展览，便并非是一次审美活动。说实在的，其中大多数照片使我体验到一种难以忍受的丑恶。比如其中有这样一帧照片：三位19世纪末的中国富户妇女坐成一排，郑重其事地让人拍照。显然，她们为拍这张照片进行了细心的装扮，她们以当时审美标准的规范来使自己"典型化"。那真是骇人眼目的形象！她们的脸都像冬瓜般肥阔，脖子粗且短，这当然是她们恭履孔夫子"食不厌精，脍不厌细"八字方针的收效。她们头上的厚发看来并非头套，梳成一种羊尾式的发髻，上面戴着式样古怪的绣花帽罩，并辅之以一些贵重的簪钗绢花。她们身材粗短，宽大厚重的袍褂也绝不以衬托腰身为任，那肥得如同法国号般的短袖，以及对襟式袍褂边缘那极宽的镶边，都令我吃惊。不知为什么，今天所摄制的电影、电视片中的那个时代的妇人装束，总还原不到这类照片所提供的信息上，尽管编导者肯定也参阅了这类照片。我想那心理障碍就在于不愿把自己的艺术品弄得那么丑，因为当时的真实照片所提供的形象实在不乏地地道道的丑恶。我还没有形容到她们的下部呢。裙子毫无风趣且不论，最要命的是那双故意显露无遗的小脚，小得如同最小的粽子，但套着绣饰得密密麻麻的小花鞋，下面是高高的鞋底，看上去确实令人作呕。但那个时代就是那样的时尚，几乎所展出的所有那个时代的妇人照，都把一双双畸形的粽子脚当做拍摄的重点。丑恶，最深刻意义上的丑恶。但你还是想看这些照片，因为有一种"尽在不言中"的效果，你产生一种特殊的历史感。你可以联想到晚清以后的各种工艺品，为什么不仅汉唐雄风荡然无存，甚至明代的飘逸空灵也所存无几，而是呈现出一派烂熟的恶俗、精致的丑陋？仅从这一角度上考察，你也该感受到中华民族那时确已逼近了生死存亡的最后关头，衰落的文明必须予以彻底的改造，方能获得新生。

还有一张晚清刑场行刑的照片，我注意审视了每个细节。我想这张照片肯定是最早来华的洋人摄影爱好者的作品。他从猎奇的角度去拍，因此不可能真正地"客观"。我甚至怀疑他对这一场面是否进行了某种程度的导演。尽管如此，这一照片所提供的信息仍然弥足珍贵，比任何当今精心拍摄的电影场面都珍贵，当然也比任何画家绘制的图画更有权威性。照相同绘画的重大区别之一，便是不可能完全根据主观意识安排每一个细节。这张晚清刑场的照片对我的吸引力，不在总体效果上，而在那些也许是拍摄者并未特意关注的细节。从那些细节里，我获得的特殊历史感更加浓酽。

可惜我们不能将刘洪钧先生供展的照片抽选几张印在这里。比如上述的晚清刑场照片，如果刊印在这本书里，相信一定有不少读者会产生兴趣，并且可以同我交换观感，甚至引发出有意思的争论。在那次看展览时，我很渴望得到某种附有一点复制品的说明书之类的材料，但是没有。后来打听到，当年的《国际摄影》杂志第六期上有介绍刘先生收藏历史照片事迹的文章，急迫地去买来看了。文章果然有，还是该刊驻纽约记者的专稿，但奇怪的是整本刊物中并无一张刘先生藏片的图例。该刊本是以图文并茂著称的，我很纳闷。后来再细读那篇文章，内中引用刘先生的原话云："我可以自称是百万富翁了，这几千张照片价值上百万美元。"原来他那些藏片平时都存在美国权威银行的保温、保湿、防虫、防腐的特殊保险柜中，他只偶尔选出一部分供展，显然是不允许别人翻拍、复制的。"版权所有，翻印必究"，难怪《国际摄影》只能向读者提供第二信号系统（文字）的信息，而不能给读者以直观的信息了。

刘洪钧先生收藏中国早期历史照片一事，对我的价值观念也是一次冲击。

我是喜爱旧照片的，然而旧照片如此有价值，却是以前未曾料到的。尤其是旧的私人照片也如此有价值，颇令我惊异。

我想起了多年前的一桩往事。

那时我是北京一所中学里的教员。时届"文化大革命"后期，我参加了一次打扫学校仓库的劳动。我们那学校当时有位管总务的老徐，他真可谓"爱财如命"，不过这里实在是称颂他的意思，因为他爱的是公共之财。他每天巡行于校园之中，随手总要抄起一点被什么人不经心丢弃的物品，然后顺便就放进仓库里保存。即使在混乱的"文革"之中，他也不改旧习。他所安排的仓库往往都较隐蔽，因此大多不被激情飞扬但粗心毛糙的"红卫兵"发觉。他甚至把"红卫兵"漫不经心丢弃的一些"抄家物资"也悄悄地拖进他那些隐蔽的仓库之中。在"文革"后期，世态至少在表面上不那么混乱了，他带领我们清理仓库。在一次清理中，我偶然地发现了一只旧皮箱，打开一看，里面全是大大小小的旧照片。

不难判断出来，那皮箱和照片全是"红卫兵"抄家的"战利品"。照片显然并非一个家庭的，当是"红卫兵"把从许多家抄出的照片集中塞到了这只旧皮箱中。

那天的清理活动不知怎的只有我一人在那仓库中，而时间又很充裕，于是我便关起门来，将那箱中的照片逐一检阅了一遍。

当时的感受是震撼性的。随着时间的推移，那震撼性未曾减弱反倒增强，特别是看了刘洪钧先生藏片展览后，一种切肤的痛惜感涌上心头。

"文化大革命"该毁灭了多少旧照片！？

即以我那回看到的那箱旧照片而言，其中就起码有十多张堪与刘先生藏片"媲美"的。它们的不同只不过在于刘先生所藏现存于美国银行的高级保险柜中，且为刘先生带来了万贯家财，而那箱中所藏据我所知终被当做"四旧"烧毁，并曾给它们的拥有者带来过可以想见的巨大痛苦。我记得我们那所中学的"红卫兵"在"文革"初期的"红色恐怖"中至少活活打死过三位"反动派"，也许那些旧照片中的哪位主人便是游魂不散的"反动派"呢？

同是旧照片，命运、价值竟如此这般不同。

坐在幽暗的仓库里，惴惴然地检视那些旧照片（因为随时有可能被人发现而落下罪名），双眼贪婪地吸收那些难得的信息，脑中任联想和思绪瀑布般跌落飞溅，那是一种何等独特的人生体验！

我循着那堆照片上某些人物在不同岁月、不同场景多次出现的线索，大体可以把它们分为几个不同的家庭。这里面有的或许是清朝贵族的绵延，有的或许是20世纪初为西风渐来所熏染成的所谓"新派家庭"……有古老的、尺寸极大而发黄的起码是四世同堂的"合家欢"。从作为背景的轩昂厅堂和人物的服饰上不难判断出，那还是辛亥革命前的镜头。其中有当年豪富家请戏曲演员来演"堂会"的全景照和近景照，那台上该是在演出《霓虹关》？"东方夫人"会不会是梅兰芳？而另一帧的背面明确写着是杨小楼在他家献艺。从照片上可以看出，老一辈死了，正在大出殡，而下一辈在结婚，当年时兴给新人送一种放在玻璃匣子里的大如西瓜的"银心"。你可以看到最早的西装、最奇特的旗袍，大约是第一批烫发的妇女和守旧到底的遗老和遗少，还有昔日的骡车、冰橇、方盒子般的汽车和蚱蜢般的自行车……

我不知道照片上那些人是否有罪，我想他们其中绝大多数确实属于没落的阶级，是剥削者、寄生虫乃至于社会渣滓，他们的悲欢离合、生死歌哭值得同情和谅解的地方也许不多，其中有的人也许理应遭到我们唾弃和痛恨，但这都不能成为毁掉他们照片的理由。他们存在过，他们的照片是历史的见证，他们那些照片的价值与他们本身的价值已经完全成为两回事，就如我们不能因为痛恨封建王朝就放火烧掉紫禁城一样。

在我上中学的时候，从20世纪50年代编印出版的一套《中国近代史参考图片集》中，我得到过一些满足。那套图片集中有陈独秀的照片，并且并非作为"反动派"出现。这曾促使我乐于接受被灌输的有关陈独秀的最后结论。我以为我这种心理至少是社会上很大一部分人共有的心理。为了保证某种观念被人接受，是向被灌输者提供足够的信息好呢，还是向被灌输者仅仅提供严加筛选的单一信息好？我的答案读者当能自明，但不知读者以为然否？

　　但我很长时间生活在一种不能直接获得大量信息的环境中，我总是被强制去接受某种单一的经过"纯化"的信息，我想这也不是我一个人的遭遇。后来连《中国近代史参考图片集》那样的印刷品也少了，对于许多明明有照片留下的"反动派"，我们似乎永无可能看到他们的"真面目"。有很长一段时间，不仅照片这种直观的信息是严加控制的，就连文字性的历史材料也不允许普通人知道。比如遵义会议当年的与会者名单、开国大典时天安门城楼中央究竟都站着哪些人等等，也必须经过"筛选"、"净化"后方能让普通人知道。但这只能引出更多的好奇心乃至于胡思乱想。一幅《开国大典》的油画尚且要改过来改过去，当年的照片是否适宜公布当然更要斟酌再三了。

　　以上所说还只是涉及历史上重要人物、重要场面的信息，令人更加不解的是有关普通人的信息。比如过去年代的一般生活照片之类的东西，何以也很难出现在公共信息传播媒介之中？我就很长时间都不知道民国初年一般人的穿着打扮、器用玩物、婚丧嫁娶、居家状态等究竟如何。固然也有少量的小说、图画乃至于故事影片可供了解，但我更企望一睹"原版"。我想世界上绝大多数人总是不能满足于仅仅得到"转手货"的。人们大都有"原版欲"，特别是当人们一旦发现"转手货"与"原版"差距巨大时，"原版欲"便会膨胀到难以压抑的地步。

　　这真是一桩古怪的事。我那长期被压抑的"原版欲"，却在最可怕的社会环境——"文革"中，在那尘封的仓库里得到了一次空前的满足。

　　现在让我们一同来回答这样一道智力思考题：你以为世界上最甘美的、急欲一尝的果实是哪一种？

　　它的标准答案——"禁果"。

　　其实"禁果"大多酸涩难吃，少数还确实有毒。

　　倘若对"禁果"取不禁，或者尽可能禁得少些的办法，人们摘尝禁果的欲望定会消失或锐减。但往往是禁得太多了，反倒使偷尝者感到那"禁果"意外的甘美。

　　现在我们在一切方面都变得好起来，我们坚定不移地实行开放政策。开放中极重要的一环便是信息开放，除了国防机密之类的信息需要保密、诲淫诲盗之类的信息应当杜绝而外，所有信息都应可以参加流通。

于是我想到了旧照片。刘洪钧先生的藏片在中国美术馆展出，这便是一种开放和交流。类似的事，我们也可以做。

我觉得尽管经过"文革"的浩劫，中国大地上的旧照片总量有惨痛的锐减，但被侥幸保存下来的，肯定也还是一个可观的数目。我相信许许多多的个人都还有自己的私人照相簿或照相匣，里面仍旧珍藏着无数二十年前、三十年前、四十年前、五十年前乃至更久远的"原版"。当然，许多人是不肯将它们公诸社会的，这种权利应该得到社会的尊重和法律的保护。但也会有为数不少的人乐于或经过说服应允将一部分私人照相簿上的"原版"提供给社会，加入当今的"信息大爆炸"，以丰富和增进世人的情感和思想。

我有一段软心肠

"这世道，心肠软了行吗？"

不想争论。只是还想保留一段软心肠，一段弥漫着柔情的心肠，一段顾眷着温馨的心肠。

权力和金钱使心肠变硬，硬心肠或许是社会发展的杠杆，我却不能完全成为一个社会人，我还有一个非社会的自己，一个能默然自处的我。

我这软心肠不能济世，不足救人，也并不能提升自己的现实处境，甚至还要为此付出代价，然而我深知它绝非盲肠，绝不能将它舍弃，我的生命与软心肠共存亡。

作为社会人，我决不原谅那些害人的家伙，尤其是那些专门拉大旗作虎皮惯会抡大棒打人的派棍。在他们面前，我不仅心肠硬，骨头尤其硬，而且我决不上他们的当。一旦形势变得对他们不利，他们便一边依然损着别人的牙眼，一边却大肆鼓噪宽容。对他们或者可以不必时时刻刻以眼还眼、以牙还牙，大可常常嗤之以鼻，甚至透过他们身体漠然地观望远方的风景，但不能留给他们半寸柔肠。

常常想：个体生命不能选择时间和地点，被动地来到这世上，面临着一个又一个生存困境，在艰辛的跋涉中，他人的哪怕是星星点点的指引、扶持、安慰，都弥足珍贵。推己及人，哪能不有一段柔肠？又常常想：人性的深不可测，即使面对着自我，也往往不能窥透那底蕴，更难把握住那浮动蹿跃的非理性因子，人得以多大的力量，才能把自我控制在善美的境界中啊！

　　1992年冬天，在瑞典斯德哥尔摩地铁的站台上，一个俄罗斯姑娘用电子琴演奏着甜美的浪漫曲。她的脸上却充满倦容，电子琴前的琴盒里，有一些乘客掷下的硬币。同我一起等车的伙伴对我说："看见了吗？她琴上有一束鲜花，那是假的！故意装成有人向她献花的样子……"我用眼色阻止伙伴再往下说，心里充溢着不忍，没有很多理性的东西，只觉得柔肠抖动，立即掏出几枚硬币，扔到了琴盒中。

　　我在《四牌楼》那部长篇小说中，曾写到正当"文革"中有人跳楼时，楼外小屋里却有新婚夫妇在做爱。狂暴的社会浪潮吞噬生命时，新的生命又在开始第一轮细胞分裂，小人物就这样顽强地生存于世……我对读者的反应没有信心，然而我自己柔肠寸断。

　　是的，我有一段软心肠，无所谓好不好、该不该。我有，我让它存在下去，我不割舍。

我的读书习惯

在家中读自己想读的书，本是一桩纯粹的私事，但也还要受到诸多有形与无形的束缚。比如"不要躺着读书"便是常常出自师长、亲人的叮嘱与报刊上"豆腐块"文章的训诫，弄得一书在手，即使处于私人空间中，似乎也非得正襟危坐，方才"像样"。

我这人常常不"像样"。在家中读书，更养成了一种卧读的恶习，越是想认认真真或快快活活或仔仔细细或轻轻松松或一目十行去读的书，越要采取躺到床上卧读的姿势，方才能顺畅地读下去。

卧读久了，也总结出了一些经验，如枕必高而柔韧，光必亮而侧射，身必侧屈而常翻书必臂托而斜置，疲必闭目养神，喜必放眼远望等等。说来也怪，我卧读凡五十余年（从十几岁算起），眼睛至今非但没有近视，也尚未花眼。我知道我的这种情况大概属于"特例"，所以绝无针对宣谕"卧读有害"的仁人君子们那科学论断的歹意，更无"唆人作恶"，号召大家都来卧读的"险恶用心"，我想写下的，不过是个人的一点对社会和他人无害的隐私而已。

是的，我读书几乎必卧。但也有坐读乃至正襟危坐而读的时候，可是说来古怪，凡读得入心的、留下深刻印象的、至今回味无穷的书，确确乎是取卧读姿势的居多。像列夫·托尔斯泰的四大本《战争与和平》、雨果的四大本《悲惨世界》、米·肖洛霍夫的四大本《静静的顿河》、罗曼·罗兰的四大本《约翰·克利斯朵夫》……

以至恩格斯的那本《反杜林论》，我都是躺在床上读完的。

我想至少对我个人来说，躺下后全身肌肉可以彻底放松，而且血液循环过程中心脏也许比采取坐姿时更易于将血液泵于脑内，况且自我的心理暗示也集中于"这不是工作而是休息"的意念，更使身心大畅，所以这样读书无论从生理上、心理上都令我更舒适、更自然。也有读累了的时候，那就把书顺势一放，双掌一合垫在腮上，或仅是"眯一会儿"地养神，或竟从容入睡。也有被书中文字感动到不能自禁的时候，那也可将书顺势一放，或仰卧着盯视天花板，浮想联翩，或侧卧着望窗外，或将欢喜系于一角蓝天，或将悲愤托于一席星空，或随着树影的摇曳而心动神移，或盯着天光的变化而孜孜求索……

我的卧读并非都在夜间，也常常是在白天，因此一般不是卧在被子内而是和衣卧在枕褥上。当然，对于我来说，晚上不在灯下卧读一阵便钻进被窝立即开始睡觉的情形，不能说绝对没有，但那往往是因为情绪受到了特殊干扰，或身体确实大为不适，否则我总是要手持一卷，直到读得确实疲倦，才会搁下书本关灯入睡。最惬意的卧读大概要算在冬日小恙中，钻进雪白温暖的被窝，枕头发出洗涤晾晒后的一股太阳的鲜味。那时往往不读新书，只读自己书架上百读不厌的旧书，算是享受与老友的重逢之乐吧，真是人生之乐，此乐为最！

宰予昼寝，被孔老夫子斥为"朽木不可雕"，我之白昼卧读，自信还非朽木行径，但不可雕，恐怕就难免了，呜呼！

狼·蟒·牛·猫

　　说起读书一事，我惭愧多于自信，教训多于经验。

　　我的祖父和父母都是读书人，兄姊们学历也都不算浅，我家虽称不上正宗的书香门第，读书的风气一直是浓郁的。在这样的家庭熏陶下，我从很小的时候，便以读书为乐。

　　开始的时候，我是"狼式读法"，此话怎讲？就是拿到想读的书，心急火燎，好奇心驱使下，一目十行，匆匆翻页，颇似狼吞，亚赛虎咽，家里人唤吃饭迟迟不动，睡觉时在枕上灯下还要久读不舍。往往是一本二三百页的书，一两天便可读完。读完后见了兄姊、同学，还很喜欢复述其中有趣之处，高谈阔论，洋洋自得。这种读法，似也不好一笔抹煞其益处，尤其是一些本不必细读深想的书，直到今天，我对之也还是如"狼"似"虎"。这样匆匆翻过后，总算能知道个大概齐，在自己的知识结构中，算是填补了某些空白。但这种囫囵吞枣的读法，往往造成消化不良，而且因为翻阅仓促，何尝真能过目成诵？储留在记忆里的，多是些碎片式的或模糊不清的印象。我后来成了职业作家，写文章时随手拈出一些往日阅读印象来，或举为例证，或涉笔成趣，有时不及查书核对，便会马失前蹄，或张冠李戴，或乱点鸳鸯，闹出笑话，引出批评，这就都是"狼式读法"的后遗症。为解决这一问题，一些以往读过，并自以为已读通的书，我现在还要找来重温，当然，不再狼吞虎咽，而是另取斯斯文文的读法了。由我的教训，可见读书人虽然爱书可爱到如虎狼扑食的程度，真正"吃"起书来时，却最好不要像虎狼般生吞活剥。

"狼式读法"已颇可笑，而我还曾有过"蟒式读法"呢！我们都知道，热带雨林中的大蟒，有时会生吞整只带毛的生灵，吞完后便昏昏睡去，可以久久不再进食，让那吞进的东西在其胃肠中慢慢消化，最后，将实在难以消化的残余排出体外，倒也能由此又粗长许多。乍听起来，你会觉得此法比"狼式读法"更加可笑，也更应排拒。但人生多变，境况难测，在某些特殊情况下，"蟒式读法"或实在是出于万不得已，或乃是那特定情况下的自觉选择，虽有弊病，却总比无书可读或有书不读要好。我在二十四岁时遇上了史无前例的"文化大革命"，宿舍中原有的一点文学书都被抄走了，也灰了爱文学的心。谁知狂风暴雨的阶段过去，下乡劳动归来，偶然捡拾到半套解放前夕东北出版的《鲁迅文集》，是后半套，鲁迅的译作部分。读鲁迅的书，在那时别人是无法阻止的，于是我便将其从第一页到末一页加以了"蟒吞"。说实在的，在当时那种社会氛围里，鲁迅所译的苏俄小说《工人绥惠略夫》、爱罗先珂童话，以及日本武者小路实笃、有岛武郎的作品，法国凡尔纳的科幻小说，还有作为附录印上的曹靖华翻译的苏俄拉甫涅尼约夫的小说《星花》什么的，落目入心，实在诡谲难解，但是我不管三七二十一，通通读它一遍，且存在"胃肠"里再说！度过了"文革"的冬眠期，春暖花开后，回过头来再翻那一厚摞鲁迅译文，我很为苦闷中的"蟒吞"庆幸，毕竟，经过久久的消化，我从中获得了许多营养，有的"微量元素"尤为可贵！

好的读书方法，应是"牛式"，不但细嚼慢咽，而且不止一个胃，有的胃专门用来反刍，把本来就非茹毛饮血而是斯斯文文吃进嚼过的草料，再加以精磨详研，效果当然极佳，把开卷有益体现得非常充分，而将弊端减少到最低程度。我近年常反刍以往读过的中外经典。像《红楼梦》就至少反刍过五遍，并且将不同的版本加以比较，在反刍中我形成了关于其中"金陵十二钗"最后一钗秦可卿的系统想法，结果形成了探佚性著作《秦可卿之死》。最近我还在反刍叶君健先生所译的安徒生童话全集，这是我十几岁时便珍爱的书，但那时还只懂得欣赏《海的女儿》、《野天鹅》等情节新奇的篇章，现在却深能体味其《老单身汉的睡帽》、《柳树下的梦》等篇章中的人生喟叹与诗意升华。

现在的书真叫多，且不算音像制品及电脑网络上的读物，光是纯文字或以文字为主的印刷品，每天就不知推出来多少种！在这种情况下，读书的可选择范围非常之大，倒容易弄得读书人手足无措，不知该读什么，该取怎么个读法了。面对这一形势，我现在多取"猫式读法"。我家养了三只大猫，注意观察，发现它们进食有几个特点，都足资我读书时借鉴。一是它们进食前先要以目巡视左右，并对食盆中的食物以鼻检验，绝不轻易下嘴，这启发我选一本陌生的书来读时要十分慎重，不能因之白白耗费宝贵的时间，更不能误食腐物影响心灵健康；二是它们吃东西时不仅细嚼慢咽，还往往摇头晃脑，能十分精确地将鱼肉中的小刺剔除，这启发我读书要善于汲取精华、唾弃糟粕；三是它们一般都不贪食，胃口大开，却能适可而止，我们常用"猫食儿"形容量虽小而已饱足，由此启发我：面对的书越繁杂，越不能贪多求广，还是要先确定好一个时期的读书目的，依次列出必读、可读、可读可不读（即机动安排，时间有富余则读，无富余则放弃）的书名，订出相应的计划，配置好时间份额，并一周或半月根据所订计划检查一下自己的执行情况。"猫式读法"实践下来，尤有读书乐、乐融融的效益，故不揣冒昧，写出以供读友们参考。

1998 年 4 月 12 日绿叶居

只求随缘而处

我的不善交际，在同行中是有名的，这当然不是什么好名声。

我其实是非常愿意和他人搞好关系的，但往往越是刻意地去交际，越不能有好的效果。

我从小就害臊。这是先天的性格弱点，很难改掉的。记得那是十八年前吧，我刚刚出名，在一次许多业余作者聚会时，人家都认得我，都来同我握手。我呢，却只对原来熟识的人亲热，对生人就总讪讪的，给人一种爱搭不理的感觉，结果引出一片不满声：什么了不起的，不就发了几篇破小说吗？！事后听到这种反应，我甚觉委屈，而有一位同行大姐出来为我打圆场，解释说："他不过是不好意思罢了！"当时我对她的感激，真到了莫可名状的程度。

但经的事多了，上的台盘越来越大，也就懂得，什么性格不性格的，场面上，没几个能如那位大姐般圆通于我的，你既然走入交际场中，那就必须按约定俗成的"游戏规则"行事，如果性格的弱点是羞于应酬，那么，对不起，你就首先要老一老面皮，练一练唇舌，收一收矜持，压一压喜恶，用"不好意思"是绝对搪不过去的。

后来西方的"存在主义"一类学说传入中国，法国的那个萨特的名言："他人是我的地狱！"甚为一些年轻人心仪，我虽大了几岁，同诸种新学说认同远比年轻人谨慎，但唯独这句话，入眼入耳后总浓浓地粘在了心上，拂之不去。

是的，个体生命无法单独存活，他或她必得与他人与群体共存。这里我们且不说个体他人群体间的竞争乃至冲突与斗争，我们只说其良性交际间的理解与谅解，存异与求同，宽容与协调，就算双方的互动达到及格的水平吧，也谈何容易！

岁月是一把雕刻刀，一次次的社交活动便是刀锋的旋动，十几年过去，我似乎也确实练出来了，羞涩感日渐淡薄，若干基本的"游戏规则"也渐渐成了条件反射般的习惯，我的交际活动由同行间而及于社会的各个方面，由国内而发展到国外，被记者采访也好，给文学爱好者演讲也好，对着电视台的摄像机也好，都不再紧张，可以心态松弛地谈笑风生……但有时一人独处，翻看着那些活跃于场面上的相片时，不免愣愣地瞪着相片上的自己，惊异地默问：那是谁呀？

社交令我们在社会中渐渐成熟，或许我们会成为社会中的一朵艳花，一只硕果，但检视自我，会不会磨平了棱角，消弭了性格呢？从社交场中回到私人空间中以后，常一边脱衣一边感到空前的疲惫，而一边淋浴时又一边感到如临大赦，我珍惜自己的这类感觉，因为，如果有一天我回到私人空间时只感到乏味与落寞，甚或觉得私人空间是不必要的，只愿无休止地在热闹场中吮吸喧嚣，那对于我来说，便意味着沉沦。

回忆起来，1978 年秋在美国的近两个月的访问，是我个人社交中比较值得一提的篇章——那一次我在美国东西海岸走了十多个城市，去了十六所大学演讲，同几十位美国人有所交往，其中有十多位是美籍华人，事后证实他们对我的印象都不错，有的成为了一直保持联系的朋友，而我自己也没留下什么不快，也不觉得自己有什么败笔。几年以后，还有一位那次认识后来再未谋面只保持通信关系的美国朋友在贺年卡上这样写道："喜欢你，因为你是性情中人！"现在总结那年访美成功的经验，觉得最重要的一条，就是心态松弛，把"人家没有道理一定对我热情"和"我没有道理不礼貌但有道理时可以不必热情"当做社交准则，不做作，不迁就，既入乡随俗又在必要时礼貌拒绝，既主体意识高扬又客随主便，坦率而不泄露个人隐私，好奇而不贸然开口。简而言之，是随缘而处，这样反比刻意地在那里交流联谊能获得更多的心得与朋友。

1992 年的北欧三国之行，也是随缘而处、主客两欢的一次交流，唯一的遗憾是从丹麦的奥胡斯乘飞机到哥本哈根转飞瑞典的斯德哥尔摩的过程中，由于我英语水平低，在过海关产生一些误解时，我不够冷静，留下了旅途中一点小小的遗憾。

人生路上，社交频频，不抱万无一失之想，只求随缘而处，多少结些善果吧！

1993 年

羞 涩

上小学的时候，我曾登台表演过一次打腰鼓，当然不是单人节目，而是同一队同学集体表演。登台之前，辅导我们的老师一再地嘱咐说："要大胆地表演！不要害臊！"但当真的登上那似乎变得特别阔大、光照也灿烂得令人惊心的舞台，特别是一瞥之中发现台下的"多头怪物"模模糊糊、格外神秘时，我便不禁心动神摇地羞涩起来，我宁愿自己是在一间没有别人的屋子里摸着黑儿打我心爱的腰鼓……万没想到那天演出结束，不少老师和家长都夸赞我表演得最好，说我一派天籁，很乖，很帅。

到上中学的时候，我和另外两个同学排演了一出独幕短剧，我既当导演又兼演主角，演出前轮到我同那两位合作者说："要沉着、大胆！演戏就得厚脸皮！"结果一开演，同我有关键对手戏的那位老兄不知怎么的，让我觉得特别地放不开。那是一出讽刺喜剧，我拼命地夸大着特意设计出的木偶式动作，并期盼着他按我导演时的规定动作去表演，但他临场反更不能同我默契，显然他是在众目睽睽下羞涩起来……演出结束后，我意外地听到了对我演出的如下评论——那不是故意逗趣更绝非讥讽——演得最"入木三分"的，是害臊的那一位！

我后来没有成为一名演员，更没有成为一名导演，但我后来有幸接触到某些成熟的演员，及某几位蜚声中外的大导演。我没有同他们讨论过羞涩在艺术创作中的作用问题，但依我个人对他们的从旁观察和尽可能深入的理解，我隐约感到，倘若说大胆是杰出的艺术品的催化剂，那羞涩便可能是非凡的艺术品的心灵伴侣。

人在羞涩时总是美的。倘若能将羞涩蕴于内而不形于外，那便更美。羞涩是良知的产物，是一种自我控制，也是对外界事物的尊重。因此羞涩常能使人适可而止、恰到好处。作为一种润滑剂，羞涩能够使人与人之间的接触和交流不至于粗鄙、卑下、猥琐、丑陋，故而羞涩又是一种创造美的心理工具。

在我的艺术世界里，羞涩几乎无处不在。我羞涩地画水彩和油画，不仅是因为我没有受过扎实的基本功训练，也不仅是因为我害怕别人对我的画作鄙薄，而主要是因为我对以色彩、明暗、笔触、韵味去亲近世界充满了虔诚。对于我来说，那相当于宗教信徒走进教堂。我画出来的东西在家中也很少陈列，偶有亲友完全是出于鼓励与情谊问我要画，我迄今几乎一幅未予（自绘的贺年卡除外）。我羞涩地弹奏钢琴，那当然主要是因为我三十八岁以后才拥有了钢琴，才得以从最简单的练习曲弹起，自然可想而知是无望达到任何一种最低标准的水平的。但我之所以羞涩，比如说我独自一人（最多还可有妻子、儿子二人在室）弹奏《致爱丽丝》时，主要是因为我心中充弥着大敬畏、大喜悦——这也许竟与世上杰出的钢琴演奏家十分地接近——我的眼睛会湿润起来。我惭愧自己的低能，然而我珍视自己的领悟。

我羞涩地一个人独自欣赏从旧唱片翻制出的程砚秋京剧录音带，或羞涩地一个人独自欣赏从电视节目中录下的李世济演出的《锁麟囊》或赵荣琛演出的《荒山泪》，那并不是因为我怕真正懂得京剧的作家同行对我的半知半解撇嘴摇头，而是因为我对程派唱腔的那种茧中抽丝、幽谷泉咽的妙音有一种难与人言的灵魂悸动。或许只有一个人，在他面前我能稍敛羞涩地畅言梅程荀尚之类的话题，那便是我的哥哥刘心化。他在北大念书时曾有"北大梅兰芳"之称，多次登台献艺，一时名噪未名湖畔。他一直有邀我为他在《宇宙锋》装疯一折里配扮哑奴的动议，而我也确实羞涩地怦然心动过——我们两人曾多次详细品析过梅兰芳所饰赵艳蓉和张蝶芬所饰哑奴那严丝合缝的配合，我想梅兰芳是众所周知，而张蝶芬恐怕就罕为人道了，但哥哥和我偏能把张扮哑奴的一招一式细加褒贬……

　　写到这里我又不禁羞涩起来。然而这也确证着我心中的艺术世界是一个相当缤纷的空间。五十岁的时候，我还曾羞涩地聆听了台湾业已告别歌坛的"小虎队"演唱的一曲《再见》，那羞涩倒不是因为害怕有高雅之士对我齿冷："你怎么有闲工夫听那种高中和大学低年级女生迷恋的玩意儿？"是的，我有闲工夫听，正如我有闲工夫羞涩地聆听勋伯格的交响乐或多明戈演唱的《尼伯龙根的指环》一样，在我的艺术世界里，"小虎队"使我同流逝的少年时代在一个白日梦里迎面相撞……

　　我更常常羞涩地面对着大自然。更具体地说，是常常羞涩地面对着大自然中最琐屑的细部。我几乎从未像某些人那样，站在高山之巅或大海近旁举臂傲啸，却多次独坐在小小的一个角落，面对着草丛中一株半球已然飘散、另半球依旧存留的蒲公英，或一株被夕阳镀上金边的兔尾草，默默地为自己竟然也是宇宙中的一个存在物而庆幸。我曾写过一篇题为《家门口的风景》的散文，描述我有一次从远处游览归来，突然发现其实家门口那小小的一片草地、寥寥的几株凡树，竟有着惊人的内在魅力。还曾写过一篇题为《生活赐予的白丁香》的散文，讲到有一次我发现一株丁香树不仅满树花盏，它的根竟从地皮中直接蹿出了一个花枝，并烂漫地开放着……这都说明我对自然的审美也是取着一种羞涩的、精微的、内向的、知足的态势。虽然不知道别人到底如何，但对于我，艺术与羞涩不仅同在，还大有相辅相成的那么一种微妙关系。

　　写作是我的本行，是本职而非业余爱好，也是我用诚实劳动换取社会酬劳以养活自己和家人的一种手段，因而既是一种艺术世界里的遨游，也是一种世俗的存在方式，所以我写作时反倒少了几分羞涩，这也许恰是我的写作尚未真正进入佳境的重要原因。不过，每当我铺开稿纸提笔为文时，即使爱妻宠儿，从我肩后哪怕只窥视一眼，我也是决计不能忍受的——这似乎又在证明着我写作时毕竟还是相当羞涩。我想，心灵中的大胆和羞涩相激相荡，正是我还能源源不断写出作品来的一个因素吧。

一件亏心事

1970 年春天，我所在的中学仍处在"文革"的震荡中，进入了"清理阶级队伍"阶段。我因为年轻，怕的只是被打成"现行反革命"，并无被当做"历史反革命"揪出来的可能，所以心态较前两年松弛。白天应付一下运动，晚上就躲进单身宿舍，偷偷读残存的旧书。自己那几本旧书读烂了，于是向彼此信得过的同事借书读。一次我到一位比我年长的同事家里，发现他书架上有本《日子》，是埃及作家塔哈·胡赛因写的长篇小说，人民文学出版社 1961 年出版，封面很素净，用的纸很黑。"文革"初期"破四旧"，没等"红卫兵"上门，他自己就先处理掉了一些可能惹祸的书籍。这本《日子》得以幸存，除了其本身不大招惹人注意外，也是因为我的这位同事是个回民。家族里包括他父亲，有若干留学过埃及的前辈，他们进的都是埃及著名的爱资哈尔大学，而《日子》写的正是爱资哈尔大学的校园生活，所以于他而言那本小说有着特殊的意义。

那个春寒的夜晚，在他家小小的居室里，他们两口子热情地留我吃饭。我记得他们那自己晾制的牛肉干特别可口，事隔三十六年，回想起来，舌苔上甚至还能咂吮出一种特殊的香甜。那情景堪称"草草杯盘共笑语，昏昏灯火话平生"。杯盘确实草草，灯火也确实昏昏，但我们只是低声地谨慎交谈。他们两口子历史清白，按说"清理阶级队伍"不会冲击到他们，可是那天我觉得他们似乎总有点忧心忡忡，小屋里弥漫着过多的压抑感。

从他家借回《日子》，我没有马上翻看。隔了好几天，有天晚上，我从床褥下拿出《日子》，开始阅读。书里的人生无论时空还是悲欢都离我很远，但我很喜欢那种徐缓从容的叙述方式。比如："那时，一阵微风拂过他的脸，微风中还有一丝凉意没有被太阳的灼热所消除……"正当我斜倚在床铺上翻阅《日子》时，忽然从书里掉出来一张折叠得很薄的纸，我未加考虑便马上拿起展读了。那是一封信，是写给书主两口子的。从口气上不难作出判断，信是亲戚从家乡写来的，末尾注明的时间是那一年的春节。那时人们写信时常嵌入革命套话，但这封信文字却干净极了，没有一点多余的词语。我读完不禁从床上惊跳下地，把信凑拢电灯正下方又读了一遍，心里马上乱了。

那是一封报丧的信。告诉他们家乡那一片地方在 1 月 5 日深夜发生了特大地震，房屋几乎都塌光了，压死了很多人。信中还一并列出了与我那位同事及爱人有关的一个名单。他们俩都是云南同一地区的人，所以那名单也就颇长，前面开列的是类似哥嫂侄甥叔姑姨舅那样的至亲，后面则是一些邻里同窗，最后说还有若干受伤待治疗的人，"兹不详赘"。

那晚，在昏暗的灯光下，我捏着一封别人的信，呆立了很久，惊诧莫名。云南 1 月 5 日真的有那么大的地震发生吗？报纸上没那么报道过，广播里没那么广播过。记得"文革"刚开始时候的 1966 年，河北邢台发生过地震，周总理马上赶赴现场。如果云南真的也发生了大地震，怎么没见周总理去慰问的消息？光是与他们两位有关的亲友就死了那么多，那地区一共该死了多少人呢？

在"文革"时期，像我这样的普通的中国人，被一种"革命思维"所训练，那思维逻辑里，不要说人祸一定是资本主义社会才有，就是天灾，也应该是资本主义国家首当其冲。我们这边即使偶有天灾，也终究是人定胜天，怎么会死掉那么多人？而且，报上没那么说，广播里没那么播，那事情就应该是没有。散布、传播报纸上广播里没有的消息，便一定是造谣。造谣不仅可耻，而且有罪。再说，革命者应该懂得：死人的事是经常发生的，应该一不怕苦，二不怕死。就算真的死了那么多人，这封信竟只是纯客观地报道死讯，写法也成问题。

但我的良知很快促使我相信那是一封报告真实情况，而且对接信者也很必要的信件。信是地震过后一个月左右才写的，可能到那时候才有条件写出并寄出。但为什么它会被夹在了《日子》里呢？信封呢？

那一夜我辗转反侧，失眠到天明。这事在今天的年轻人看来，处理起来应该非常简单：第二天私下里把那信还给那位同事，告诉他无意中看了内容，请他原谅，还可以顺便向他表示慰问。但在那个特定的年月里，我却觉得非常为难。如果我那样把信交给同事，他可能反而会非常紧张——既然我已经知道，胆小而谨慎的他，会为"该不该向组织上汇报"而焦虑。若汇报，则会连累到他报信的亲戚——即使那信的内容属实，为什么偏在春节时写来？我又反复推敲，那封信的信封哪儿去了。也许，是寄给了另外的同乡，里面不止一张纸，每张分别给不同的人报信，而由一个收信人接收后，再分别在北京转交给各位。那他们为什么把这样一封重要的信随便夹在了《日子》里？如果记得夹在了这本书里，那为什么又轻易地把这本书借给了我？如果现在他们想起来不慎连书带信给了我，那为什么这几天却并没有私下问到我？

翌日，在参加"清队"的种种活动时，那位同事的眼光始终没有跟我对接。中间休息时，他也没主动来接近我。我主动凑到他身边几次，甚至小声说："那本《日子》挺有味道……"他却完全不接那话茬儿，他眼神木然，并无探询我的成分。于是我判定：他完全不记得把那封信夹在《日子》里了，或者，是他爱人夹的，他根本不知道。

接连几天，我把那封折叠起来的信纸当书签，在静夜里读《日子》，这种阅读给了我一种非常特殊的心理感受。像这样的一些句子："当然，他们心里觉得难受，可是表面上却一点看不出来；悲哀没有在他们的脸颊上或者眼睛里留下任何痕迹。"原作者所想表达的是什么意思于我而言已经完全无所谓，我心里只翻腾着自己的联想与喟叹。

我本来以为，或许同事的爱人（她在另外的学校工作）会想起来，是她把那封信夹在了《日子》里，从而会推动他终于向我问及那封信的事。但这样的情况直到一周后仍未发生。我决定不提信的事,把那封信夹在书里,不动声色地去他家,径直把那本书插回他那书架。但临到行动时却又犹豫起来,因为在其中任何一个技术性细节上出纰漏,都可能弄巧成拙,使问题反而复杂化。

最好是,他们都完全不记得曾把那样一封信夹在了《日子》里,这样他们就永不会因为我看到了他们的私信而产生任何一种心理反应。我将永远守口如瓶,是的,我只看过《日子》,而没看到,也不晓得,那一年的 1 月 5 日在云南发生过那样可怕的地震。

基于这样的心理,我最后把那封信烧掉了。

后来我把《日子》还给了他们,他们始终没问信的事。

岁月把我做这件亏心事的负疚感渐渐稀释。后来我和那位同事都设法调离了有着太多痛苦回忆的学校,失却了联络。1976 年,唐山大地震,报纸和电台报道了。后来世道发生了众所周知的巨大变化。再后来,我几乎已经完全不记得这件事了。

2000 年 1 月 6 日,我偶然在《羊城晚报》上看到一条大字标出的新闻:"当年秘密,今日公开。"内文里提及:"1970 年 1 月 5 日 1 时 0 分 37 秒,一场里氏 7.7 级的特大地震猝然袭击了滇中地区……主震后发生 5 级至 5.9 级的余震 12 次……受灾面积 8800 平方公里……包括七县,造成 15621 人死亡,仅给震中通海县造成的经济损失,按现在的可比价计算,就达 27 亿元之巨! 这成为 20 世纪中国百大重灾之一,是新中国成立以来死亡万人以上的两次大地震之一,死亡人数仅次于唐山大地震。由于当时处于'文革'特殊时期,仅由新华社对外发了一条简短的消息,只字不提受灾情况,而且把震级压低了。当时,我国政府对国际救灾援助采取的是闭关政策,国内援助也主要提倡'精神支援'。因而,地震发生后,灾区先后收到全国各地赠送的数十万册《毛主席语录》和数十万枚毛主席像章,收到慰问信 14.35 万封,至于急需的救灾物资和款项则少得可怜……"

往事仿佛坚冰猝碎在我胸间,使我气闷心痛……尤其是,那些"兹不详赘"的伤者,他们当中,又有多少因只有语录、像章而无医药、食物而死亡!

《日子》,《日子》里夹着的信,读那信的日子,为如何处置那封信而焦虑的日子,烧掉那封信的日子……那些日子属于特殊的日子？自己那时的身心归属于特殊的时期和环境？

我的心在急速颤动中祈盼：真实情况不再被封存为秘密，日子不要再让它特殊而应使其永处正常状态，而像我曾做过的那种亏心事，越离得久的后辈们，越必须经过多层诠释，才能费劲地懂得，那究竟是为了什么……

有时何妨保守

我已经不再年轻。我生命的琴弦，还在颤动，可是，我的琴弦，还能与青春的琴弦，引出共鸣来吗？

1978 年，我在《中国青年》杂志上发表了短篇小说《醒来吧，弟弟》，引起过轰动。我的成名，这本杂志也起了推波助澜的作用。可是，名是什么？"名家"又怎么样？翻看着现在的一些青年刊物，那上面的许多文章，相当精彩，跳动着最新近的社会生活脉搏，引发出很多只有这个时期的青年人才有的感慨憬悟，从署名上看，都非名家手笔。我虽忝列"名家"行列，却不禁自问：我写出的字里行间，能这样勃勃有生气吗？如果不能，那么，我能为现在的年轻人，奉献些什么呢？

记得那年，我写讫《醒来吧，弟弟》后，同许多北京市的业余作者一起，参加北京市文联粉碎"四人帮"后的第一次大型会议。当时是住在工人体育馆里，在休会的时候，我把几个当时的朋友，约到工人体育馆绿地一隅，一字一句地把这篇小说念给了他们。当时，他们都很激动，那个时候，大家对小说的看法，大体都是那样——能够直面人生、闯入题材禁区、表达一个大胆的看法、人物塑造有些新意、细节设置比较新颖、语言流畅自然，就算成功之作了……往事如烟，聚散成梦，当年围在一起听我读小说的人，现在早各自有了自己的小说观，就连我也不复当年，回头再看这篇东西，恍若面对童年旧照，不禁摇头叹息：难道这是我写的么？

小说刊出后，当时的民间油印刊物《今天》上，很快登出了一篇嘘它的文章《醒来吧，刘心武》，鲜明地体现出当时就存在的对现实和艺术的两种不同的坐标取向。这篇文章后来经修改在《读书》杂志上公开发表了出来，题目换了，内容也变得较为含混，在当时对我小说的一片叫好声中，是一个刺耳的倒彩。对于我来说，这是难得的鞭策，使我此后得以不断在基于我的良知与悟性的前提下，调整我的坐标系，以使我这个"哥哥"，不至于被一茬茬的"弟弟"甩下时代的列车……

但面对着现在的青年读者，我恐怕已不是"哥哥"而是"伯伯"了。"功成名就"对我来说只是个枷锁，我想，最好我能"从零开始"，也就是说，"童言无忌"般地直抒胸臆。

这真是个"怪圈"——我越坦诚，越想"无忌"，我所说出的，就越是我这个年纪才说得出的话。我的话已无法"年轻"，更不可能"童言"般宁馨。

我想说些什么？我这个"翻过几个筋斗的人"。

我要说——

年轻的朋友啊，你生命琴弦的震颤，是不是太激越了？我也曾这样的震颤过，有的弦，在激进的思想与激烈的行动交织而成的旋律中，终于崩断。现在我憬悟，人生有时实在也需要一定的保守，那就是说，无论如何，我们不能无视传统。传统当然一定会包含着若干青春活泼的生命跃动的障碍、累赘、毒雾，为此我们有充分的理由反传统，改造传统，但我们每一个人，特别是每一个群体，又尤其是每一个民族，都不可避免地是传统的产物。我们到头来是不可能将自己从传统中连根拔出的，更不可能使自己彻底地变化融合到另一种传统中去（那另一种传统是否能彻底地容纳你，也还是一个问题）。因此，实事求是地面对自己身在的传统，从中发现、开掘、光大其精华，并认认真真、高高兴兴地加以继承、丰富、发展，就该是我们人生的使命之一了！同样的，我们无论如何不能割断历史。历史是很具体的东西，它首先就是我们祖辈、父辈所做过的事，好事和坏事，得与失，功与过，祸与福。年轻的生命，往往不可避免地要趾高气扬、毫不留情审议褒贬父辈的所为，而在这一过程中，又往往"攻其一点，不顾其余"，或全然不考虑彼时彼况，结果引发出激烈的、有时是极伤感情的代间冲突，这样的冲突是不可能也不应该期望从他民族中找到"仲裁"、补偿与慰藉的。因之，到头来，我们必须承认并尊重父辈，我们说到底是他们的传人，而不可能嫁接到另外的血统上，成为别的民族的子孙（人家多半也不要）。这就是说，在我们以青春的勃勃英气体现出激进的批判、革新精神时，我们切记不要崩断了生命的琴弦，我们无妨留下几分"保守"——保住我们传统中的精华，守住我们代间衔接延续的链环！

记得一次一个大学毕业生，拿出他那精美的留言册对我说："您给我写些对我走向生活有实际用处的箴言吧！"我便一口气为他写下了这些话——

你不但要学会抗争，更应学会妥协。

你不但应向往崇高，更应适应平凡。

你不但应扎扎实实地搞事业，也应扎扎实实地过日子——包括娶妻生子、养家糊口。

你可以嫉大恶如仇，但无妨一定程度地容忍小恶。

你可以高雅自命，但应能心平气和地与市俗为邻。

你应珍视你直爽的性格，但你同时应学会与不喜欢直爽的人相处。

你当然知道"什么是真正的爱情"，但你更应该知道"爱情不是真正的什么"。

你不要再幻想什么"永恒的爱人"，请退而去求得"终生的伴侣"（其实已属不易），或者更实际地去求得能真正"相伴一生"的"配偶"。

你当然应珍惜友谊，但你万不可依赖朋友，哪怕是"最好的"。

你想发财，这很自然，但即使是"合法的暴发"，对你来说也很可能是灾难。

人需财几何？绝非"多多益善"。能过上小康的、雅致的生活，应称福境。

少看或不看那些吹捧富人的文字，尤其是那些先讲其人惨状后描其人辉煌的文字（那样的文章对其"发迹"的具体手段与过程多半"语焉不详"）。

对这一类的"古训"宜取审美的态度对待，千万不要引为"人间指南"："天生我材必有用"，"千金散尽还复来"，"海内存知己，天涯若比邻"，"踏破铁鞋无觅处，得来全不费工夫"……

一位很新潮的"文学青年"，且是女士，来找我讨论一个很"前卫"的问题："怎样看待文学中的性描写？"我们讨论得很热闹，也很坦率。我说，性作为人的生命存在之必然，当然应是文学表现的一个内容，但把凡是写性的文学作品都奉为"先锋之作"（在一些人眼里更是"进步之作"），这起码是幼稚可笑。

文学可以表现性，更可以不表现性。

文学表现性，应不是"为性而性"，文学表现性不应流于色情。什么是色情？我以为直接描写性器官和具体描写性行为的文字便属色情。劳伦斯小说里的某些描写也是色情吗？YES！我认为是！"人家那可是得到高度评价的世界名著"，我也知道，我们的《金瓶梅》亦应得到更高的评价，但它们并不是因为其色情描写而获得了高评价，恰恰是因为它们绝不仅仅有色情描写，而具备了其他的可贵素质，所以才获得了高评价。对于这样的文学作品，我主张有限制地销售，明确"未成年人不宜"的"游戏规则"。

那位文学女青年听了我的观点，不禁也说："哎呀，我没想到，你在性这个问题上如此保守！"

是的，我不但不能满足年轻人一味索求的激进与新潮，而且还很乐于承认我目前的此种保守——不加引号的保守。比如说性，固然每一个人有"天赋人权"，只要不是强迫诱骗与金钱交易，跟谁有性行为基本是双方的私事，但我还是要奉劝每一个年轻人：请珍惜你个人的童贞！你在何时何地将你的童贞奉献于何人，这是你这独一无二的个体生命最神圣的一桩事，而且在别的事上，失败了或者尚能"重来",此事却绝对再无"二次机会",故而请务必保守一点,切切不要轻率"突破"!

年轻的朋友,在你正式踏入生活的门槛后,面对着诡谲莫测的现实与透明度不足的人生前景,我今天不再煽动你激昂火暴的青春心焰(那诚然瑰丽珍贵),我认认真真地,也许是过于冷峻地向你提出了"人生有时何妨保守点"的忠告。

走进私人空间

"家？"

一位年轻的朋友露出一个鄙夷的微笑，坦率地对我说：

"你太保守了！我崇尚爱情，然而，家庭是爱情的坟墓，这是至理名言！我愿永在恋爱之中，而不愿将自己埋葬于家庭！"

我是否保守，可请为我作鉴定的人去反复斟酌考定，兹不讨论。这位年轻人的看法，我很尊重。因为像恋爱、婚姻这类事情，尽管都含有相当的社会性，然而大体而言，属于个体生命的私生活，当可允许在不触犯法律及不违背公德的前提下，各自保持种种独特的看法和做法。我个人的婚姻是稳定的，但我有若干极相好的朋友，相继发生了婚变，我以为我的稳定和他或她的变化，都是我们各自的私事，稳定的不好谧为"保守"，变化的更不能判定为"新潮"或"轻率"。我们互不干涉私生活，所以我们仍是朋友，有的离异的双方原来都是多年的朋友，他们离异后双方已不再来往，却都各自同我保持来往，我们之间相处得都很好。

"家庭是爱情的坟墓"，相信是不少人的经验之谈，流传至今并有人笃信，也是自然之事。我想这种情况是一直存在的，但却不能成为一条公理，否则，当我们望见城市的"万家灯火"时，岂不要毛骨悚然——难道那是万座坟墓的幢幢鬼火吗？

我主张在人生中细品家庭的平凡琐屑之乐，丝毫也不是想否认或抹煞另外的许多人生乐趣。

我就有一位极要好的朋友——不仅是我的朋友，也是我妻的朋友，并且我儿子长大后，他们也满有得可聊，所以是我们全家的至友——他一直独身。以我对他的了解，我可以断言，他的独身，是自愿的，并是幸福的。在这千姿百态的世界和人生中，他所品尝的人生之果，便是独处的乐趣。

因为我自己是早就结婚并一直过着小家庭的生活，所以我不敢妄自描述和抒发像他那样的独身者的独特乐趣。但即使以我们的小小家庭而言，再怎么奢言我们的和谐安乐，也不能掩盖我们各自都是一个独立的个体这一铁的事实。既然我们三人毕竟各是各（儿子虽由我的精子同妻的卵子结合而成，且人们都说他既长得像我又长得像我妻，但他已长大成人，俨然一严格有别于我们的独立生命），我们就不可能没有相互排拒、相互回避的一面，也就不可能没有一种想在某一段时间里默然独处的强烈欲望。

默然独处，也是一种人生享受。

一次妻公然对我和儿子总结说："这几年里过春节，我最快乐的一天，就是去年初，三那天。那天我让你们去姑妈家拜年，自己一个人留在了家中，而且我临时掐断了电铃的导线，紧关房门。我也没躺下睡觉，也没守着电视机，也没翻书看报，也没嗑瓜子吃零食。只是一个人坐在沙发椅上，让阳光射进来，铺满我全身，全身关节放松，把心思也放松，就那么优哉游哉地一个人待着……我当然想到了很多很多。但既非国家大事，也非家庭小事；既不怨恨谁，也不想念谁；既不为什么而自豪，也不因什么而惭愧。我想到许多许多美丽有趣的事情，例如上初中时，我们跳'荷花舞'的情景。还有小时候，邻居王姨跟我讲《红楼梦》的那些个语气表情，还有一回买到过又便宜又香甜的红香蕉苹果，以及有一年夏天，在颐和园看到过的一朵白得特别耀眼的荷花……唉呀，真是舒服极了！快乐极了！最后我想，你们都走了，好呀！一个人也不来，多好呀！一个人这么待一阵，多好呀！"

真有她的！她那回的留下，原是跟我和儿子托言"累了，头有点痛，实在走不出去，要躺下睡一睡"，我们才放过她的，到了姑妈家解释了她没去的原因，并代为道歉，引出了姑妈许多的关怀和慰问。谁曾想，她坐在我们家那张沙发椅中，却头也不痛，觉也不睡，美滋滋地享受了一番独处的人生之乐！

人之独处，需要有一个"私人空间"。

这类的话我们听得太多了：人不要总是关在屋子里，人一定要经常走出屋门，即使一时去不了田原山川，就在街巷的树下散散步，在楼区的绿地中舒展舒展腰肢，也是于身心两利的。倘能进一步领会到大自然的雄奇瑰丽，能自觉地投身于大自然的怀抱，并以一片赤诚之心拥抱大自然，直到在这种合抱中达于交融的程度，则人生的幸福，心灵的领悟，便都尽含其中了！这类的劝诫不消说都是至理名言，我也持有相同的看法。但是，以我粗浅的人生体验，我却觉得，在目前的中国，又尤其在目前中国的大城市中，许许多多凡人的苦恼，倒还不是风景名胜的不够繁多，公众娱乐场所的缺少，每人所平均享受的绿地数量如何微小，以及在享受大自然方面还如何地不方便……那排在第一位的苦恼，大半以上是对私人空间的渴求悬而未获。这里且撇下居住空间和心灵空间的交互作用这一角度，单说说作为个体生命的一种几乎无可避免的"洞穴需求"。人是从动物进化而来的，或更坦率地说，人是从兽进化而来，因而，人性中的兽性问题，就是一颇重要的研究课题。而在这一复杂的问题中，人的心灵中所潴留的兽类生活习惯的积淀，如在自择的封闭空间中能增加安全感，便是很值得拎出来探究的一种心理，我们姑且戏称为"洞穴需求"——亦即一种潜在的对"私人空间"的最低限度的需求。幼童在听了鬼故事或因其他原因产生恐怖感后，常在夜晚用被子严严地蒙住头；孩子在挨了老师训斥或家长的挞伐后，常愿躲进暗暗的角落，乃至柴火堆中、橱柜里面，蜷缩着暂避一时；成人在遭了侮辱或经受刺激后，也常愿一个人单独待在一间紧闭屋门（从里面锁紧）、严遮窗帘（忌讳他人窥探）的屋子里；或仅仅是因为疲惫，人们也常常发出恳求："请让我一个人待一会儿……"人就是这样常常需要一个哪怕是小小的、简陋的"洞穴"，在现代社会中，便是需要一个六面体——属于个人的"盒子"，即一处可由个人自由支配的房间。现代人到生命结束之后，也仍需要一只"盒子"，实行土葬的用棺材，实行火葬的用骨灰盒，有的民族有的宗教徒不用"盒子",但所挖的葬尸穴也便是一只无形的"盒子"。当代人在住房的"大盒子"和死后所需的棺木"小盒子"之间,还有种装着轱辘的"中等盒子"是必不可少的——即私人轿车。所以,在谈了许多关于人如何能到大自然中去尽情享受宇宙精华之后,我们也无妨来谈谈人如何能争取到一个私人空间,来合情合理地享受自己的那一份暂与大自然隔离开并且也暂与喧嚣的社会生活隔离开的宁静与快乐。

这就必然要谈到隐私。人作为个体,当然有私的一面,而隐私,则几乎无人没有。凡不伤及他人和社会的隐私,他人及社会都务须加以尊重。人除了服务于社会、造福于他人,退到私人空间中时,当可安享处理隐私之乐。即以夫妻之间而言,我以为最和美的夫妻,如司马相如与卓文君、梁鸿与孟光,恐怕也都各自有着自己的隐私,有时就需要避开对方,独处一室中加以处理。在现今欧美等经济比较发达的国家,大多数人过的是一种中产阶级的生活方式(许多大富翁一般也不常住城堡式超豪华住宅,许多收入不算太丰的人也借贷租买单栋的多室多厅多卫生间的住宅),夫妻除了合用的起居室、卧房等房间外,一般都各自仍有一间自己的"书房"。说是"书房",其实不一定是用来看书和写作,那即是享受隐私处理权的个人"洞穴",丈夫进入妻子的或妻子进入丈夫的"洞穴"前,一般都要先敲门,经允许后方可入内。在我国目前的情况下,这样的条件一般都不具备,但虽同居一室,夫妻各有自己的箱笼,以及各有自己的专门抽屉,存放一点"私房钱",或少男少女时期的纪念品,乃至婚前收到的非现配偶的情书、相片等等,应已均非罕事。除了夫唱妇随或妇唱夫随的琴瑟相合之乐而外,夫妻各人独处时,清点一下自己的"私房",重温一下少时旧梦,咀嚼品味一番只属于自己的人生曲调,当也是重要的人生乐趣之一。

渴望平静

我祈盼新的一年是平静的。

我不希望有爆炸性新闻。我祈盼国际上有更多走向谈判桌的事情，而不要有更多枪炮声，不要有更多的暴力和血腥。我祈盼国内的经济发展不是更狂放而是更平稳。我祈盼国内文化界不是更激昂而是更矜持。我祈盼国内的文学界不是更热闹而是更踏实。我祈盼国内的出版界不是更兴奋而是更从容。

就算我对外界的祈盼都落空，我自己则一定要平静。

以平静的心情对待事业。我的事业，不消说，已定位于文学。我爱文学，并有以从事文学创作的方式，来尽自己作为人类一分子的责任，这样的使命感。但我不想夸张这一因素，总体而言，在我的创作中，我只能从自身的个体生命体验出发，并任由我的灵感，驾驭我的文学航船，自然而然地在文字的河流中悠然漂移。我不能为自己制定承担不了的驾驭未来的任务。我要时时提醒自己，我只不过是一个普通的作家，尽管我是一个力图写得更好一些的作家，但我绝不轻言超越，超越是艰难的，尤其是超越自己。我要写得慢些，写得少些，改得多些，撕得多些。我要只问耕耘，少问或不问收获。

以平静的心情对待生活，我要直面俗世。不能因为自己写了一点作品，出了一些书，有了一点虚名，就自以为自己不再是一个普通的老百姓，不再是一个世俗中的凡夫俗子，就可以责备红尘世人，苛求芸芸众生。我要平静地生活在我的亲友中间、同胞凡人中间，跟他们同呼吸，共悲欢。如果我能以我的作品滋润了他们的心灵，那么，一定是他们，我所置身其中的世俗凡人，他们虽然各有各的缺点弱点（正如我有自己的缺点弱点），但他们以其整合而成的生命韧力，首先赋予了我心灵感悟的可能。

以平静的心情对待他人。要深刻地意识到，个体生命间的差异是不可能消弭的，尤其是认知上的差距，既然自己认为真理不可能全在他人手中，那么，又怎么能认为真理只在自己手中？只能是通过平心静气的交流、探讨，以自己和他人的合力，来推进对真理的认知与把握。而且，真理是不可能一次性把握的，所谓终极真理，其实是不存在的，我们所说的终极追求，应是一种永无穷尽的追寻过程。

渴望平静，便能获得平静么？当然不一定。我怎能把握、驾驭外部因素？但我能把握自己，我一定要把握住自己。祝我在未来的日子里平平安安，宁静淡泊，勤于耕耘，乐在其中。

附录一 刘心武文学活动大事记

1942 年

6 月 4 日生于四川省成都市育婴堂街。

后在重庆度过童年。

父母兄姊均热爱文学艺术，深受家庭熏陶。

1950 年

随父母迁居北京，从此定居北京。

在隆福寺小学上小学，在北京 21 中上初中。

1958 年

在北京 65 中上高中。

给若干报刊投稿，屡被退稿。

8 月，在《读书》杂志发表《谈〈第四十一〉》一文，是投稿第一次成功。

1959 年

在《北京晚报》"五色土"副刊陆续发表一些儿童诗、小小说。

为中央人民广播电台少儿部《小喇叭》(对学龄前儿童广播)编写若干节目；其中快板剧《咕咚》经编辑加工、录制后大受欢迎；"文革"中录音带被销毁；1991 年重新录制播出。

1961 年

毕业于北京师范专科学校，分配到北京 13 中任教。

至"文革"前，在《北京晚报》《中国青年报》《人民日报》《光明日报》《大公报》《北京日报》《体育报》《儿童时代》《大众电影》等报刊上发表了约 70 篇小小说、散文、杂文、评论等文章。

1966—1976 年

"文革"中，因 1964 年曾发表过一篇关于京剧的文章，以"反江青"罪名被冲击。

1974 年后再试写作，曾写一关于"教育革命"的长篇小说，由出版社联系获准脱产修改，但终未达到当时出版要求。

1976 年

写出一个大院里孩子们同坏蛋斗争的中篇小说《睁大你的眼睛》并得以出版（北京人民出版社）。

又按照当时政治要求写出一些短篇小说、散文，有的到次年才收入多人合集中出版。

调到北京人民出版社（后恢复"文革"前社名：北京出版社）文艺编辑室当编辑。

1977 年

11 月，在《人民文学》杂志发表短篇小说《班主任》，产生重大影响——被认为是"伤痕文学"的开山作，也是"新时期文学"的发端；从此成名。

从《班主任》后，写作冲破懵懂，沿着认定的方向跋涉，穿越风云，锲而不舍。

1978 年

参加《十月》杂志（开始以丛书名义出版）创刊工作，在创刊号上发表短篇小说《爱情的位置》，经转载和广播，影响巨大。

在《中国青年》杂志上发表短篇小说《醒来吧，弟弟》，反应亦极强烈。

《班主任》《爱情的位置》《醒来吧，弟弟》均被改编为广播剧，由中央人民广播电台多次广播，《醒来吧，弟弟》被搬上话剧舞台；此年发表的短篇小说《穿米黄色大衣的青年》亦由电台播出。

1979 年

在首届全国优秀短篇小说评奖中《班主任》获第一名。颁奖会上，从茅盾先生手中接过奖状。

参加中国作家协会第三次全国代表大会，被选为中国作家协会理事。

成为中华全国青年联合会常务委员，至 1993 年卸任。

9 月，参加中国作家代表团访问罗马尼亚，此系"文革"后第一个作家出访团。

在《人民文学》杂志发表短篇小说《我爱每一片绿叶》，写作技巧有长足进步。

1980 年

调至北京市文联当专业作家。

《我爱每一片绿叶》获 1979 年全国优秀短篇小说奖。

《看不见的朋友》获 1954—1979 年第二届全国少年儿童文学创作奖。

在《十月》杂志发表中篇小说《如意》，其弘扬人道主义的追求引起争议。

出版《刘心武短篇小说选》(北京出版社)。

1981 年

在《十月》杂志发表中篇小说《立体交叉桥》，引出更大争议，一些评论家认为"调子低沉"是步入了写作上的歧途，另有评论家则认为此作标志着刘心武的小说创作在反映现实、探索人性及艺术工力上均达到了新的水平。

5 月，应日本文艺春秋社邀请访问日本。

1982 年

应导演黄健中之请，改编《如意》；北京电影制片厂拍成彩色艺术片《如意》。

1983 年

11 月，参加中国电影代表团赴法国，在南特"三大洲电影节"上，《如意》在开幕式上放映，获好评；后陆续在法国、西德电视台播出。

1984 年

冬，应邀访问西德，参加"中德大学生会见活动"，并在波恩大学、波鸿大学与威尔兹堡大学介绍中国当代文学。

年底，参加中国作家协会第四次全国代表大会，再次当选为理事。

在《当代》文学双月刊第 5、6 期连载长篇小说《钟鼓楼》。

1985 年

出版长篇小说《钟鼓楼》(人民文学出版社)，并获第二届茅盾文学奖。

因《钟鼓楼》获北京市政府嘉奖。

7 月，在《人民文学》杂志发表纪实小说《5·19 长镜头》，反响强烈。

11 月，又在《人民文学》杂志发表纪实小说《公共汽车咏叹调》，引起轰动。

1986 年

年初，应当代文艺出版社邀请访问香港。

6 月，调中国作家协会人民文学杂志社，任常务副主编。

在《收获》杂志设《私人照相簿》专栏，进行图文交融的文本尝试。

散文集《垂柳集》出版，冰心为之作序。

1987 年

1 月，被任命为《人民文学》杂志主编。

2 月，《人民文学》杂志 1、2 期合刊发表马建写的小说《亮出你的舌苔或空空荡荡》违反民族政策，承担责任，停职检查。

9 月，复职。

冬，应邀赴美国访问。参观美洲华侨日报；在哥伦比亚大学、三一学院、哈佛大学、麻省理工学院、康奈尔大学、芝加哥大学、旧金山大学、斯坦福大学、伯克利加州大学、洛杉矶加州大学、圣迭戈加州大学等处演讲，介绍中国当代文学，并参观耶鲁大学；参加爱荷华大学"作家写作中心"的纪念活动；游览华盛顿等地。

1988 年

3月，应香港《大公报》邀请，赴香港参加五十周年报庆活动；在《大公报》安排的大型报告会上作关于改革开放与文学创作的报告。

5月，应法国文化部邀请，参加中国作家代表团访问法国，除在巴黎活动外，还访问了西部港口城市圣·拉扎尔。

《私人照相簿》在香港出版（南粤出版社）。

《我可不怕十三岁》获 1980—1985 年全国优秀儿童文学奖。

以上数年中，若干小说、散文还分别获得过《当代》《十月》《小说月报》《小说选刊》《中篇小说选刊》《儿童文学》《北方文学》等杂志，《人民日报》《文汇报》等报纸副刊的奖；拍成电视剧播出的有《没工夫叹息》《熄灭》（电视剧名《火苗》）《今夏流行明黄色》《到远处去发信》《非重点》《公共汽车咏叹调》和八集连续剧《钟鼓楼》；若干作品被英国、美国、西德、苏联、日本、瑞士、瑞典、法国、意大利等国翻译为英、德、俄、日、法、意、瑞典等文字出版；自1987年起被世界上有威望的英国欧罗巴出版社《世界名人录》收入词条。

1989 年

春，应香港中文大学翻译中心邀请，与妻子吕晓歌赴香港访问。

1990 年

3月，以任届期满，免去《人民文学》杂志主编职务。

香港中文大学翻译中心编译的英文小说集《黑墙与其他故事》出版。

秋，以"鱼山"笔名在《钟山》杂志发表中篇小说《曹叔》。

1991 年

出版小说集《一窗灯火》。

除小说外，开始发表大量散文、随笔。

1992 年

长篇小说《风过耳》在内地（中国青年出版社）、香港（勤＋缘出版社）分别出版，反响颇为强烈。

长篇小说《四牌楼》完稿，交上海文艺出版社出版。

《献给命运的紫罗兰——刘心武谈生存智慧》由上海人民出版社出版，受到读者欢迎。

在《收获》杂志发表中篇小说《小墩子》，后由中国电视剧制作中心改编拍摄为电视连续剧。

至该年，在海内外出版的个人专著按不同版本计已达43种。

在《红楼梦学刊》1992年第二辑上发表论文《秦可卿出身未必寒微》，在"红学"界和读者中均引起注意；另有若干《红楼梦》人物论和《红楼边角》专栏文章发表。

冬，应瑞典学院邀请（斯堪的纳维亚航空公司赞助）赴北欧访问；在挪威奥斯陆大学、瑞典斯德哥尔摩大学和隆德大学、丹麦哥本哈根大学和奥胡斯大学的东亚系汉学专业以《九十年代初的中国小说》为题作学术报告；12月7日，参加诺贝尔文学奖有关活动，听1992年得主德里克·沃尔科特发表受奖演说。

1993 年

华艺出版社出版《刘心武文集》（1—8卷）。

出版长篇小说《四牌楼》。

1994 年

1月，应台湾《中国时报》邀请赴台参加"两岸三地文学研讨会"。

《四牌楼》获上海优秀长篇小说大奖，到沪领奖。

1995 年

出版随笔集《人生非梦总难醒》（上海人民出版社）。

出版小说集《仙人承露盘》（华艺出版社）。

1996 年

出版长篇小说《栖凤楼》（人民文学出版社）。至此，由《钟鼓楼》《四牌楼》《栖凤楼》构成的"三楼"长篇小说系列竣工。

应《南洋商报》邀请赴马来西亚访问并顺访新加坡。

1997 年

应日本文化交流基金会邀请，与妻子吕晓歌访问日本。其长篇小说《钟鼓楼》、儿童文学作品《我是你的朋友》、短篇小说《王府井万花筒》等此前已相继译为日文在日本出版。

1998 年

建筑评论集《我眼中的建筑与环境》由中国建筑工业出版社出版，在建筑界产生影响。

应美国科罗拉多大学邀请，赴美参加金庸作品国际研讨会，在会上提交关于《鹿鼎记》的论文《失父：一种生存困境》。

1999 年

出版纪实性长篇小说《树与林同在》（山东画报出版社）。

出版《红楼三钗之谜》（华艺出版社）。

赴新加坡出席国际环境文学研讨会。

2000 年

应邀访问法国，并应英中协会和伦敦大学邀请，从巴黎赴伦敦讲《红楼梦》。

至此年底在海内外出版的个人专著（不含文集）按不同版本计达 101 种。

2001 年

出版包含建筑评论的随笔集《在忧郁中升华》（文汇出版社）。

在北京电视台录制播出《刘心武谈建筑》系列节目。

2002 年

出版小说集《京漂女》（中国文联出版社），自绘插图。

应澳大利亚雪梨华文写作协会邀请赴澳大利亚访问。

2003 年

以马来西亚《星洲日报》世界华人文学"花踪奖"评委身份赴吉隆坡参加相关活动。

台湾联经出版社出版小说集《人面鱼》。此前台湾已出版过刘心武多种作品，如皇冠出版社出版了《钟鼓楼》，幼狮文化事业公司出版了《四牌楼》《为他人默默许愿》（散文集）。

2004 年

赴法参加巴黎书展活动。书展上展出了译为法文的著作有小说《树与林同在》《护城河边的灰姑娘》《尘与汗》《人面鱼》《如意》与歌剧剧本《老舍之死》。

建筑评论集《材质之美》由中国建材工业出版社出版。

小说集《站冰》出版（人民文学出版社），自绘封面插图。

2005 年

出版集历年研红成果的《红楼望月》（书海出版社）。

应 CCTV-10（中央电视台科学教育频道）《百家讲坛》邀请，录制播出《刘心武揭秘〈红楼梦〉》系列节目 23 集，反响强烈，引出争议。

《刘心武揭秘〈红楼梦〉》第一、二部相继出版（东方出版社），畅销。

2006 年

应美国华美协会邀请，赴纽约在哥伦比亚大学讲《红楼梦》。

应邀参加香港书展。

出版《刘心武揭秘古本〈红楼梦〉》（人民出版社）。

2007 年

继续应邀到 CCTV-10《百家讲坛》录制节目，并出版《刘心武揭秘〈红楼梦〉》第三部、第四部（东方出版社）。

访问俄罗斯。

2008 年

出版随笔集《健康携梦人》(中国海关出版社)。

自 1986 年出版《垂柳集》，至此所出版的散文随笔集已逾 30 种。

2009 年

在《上海文学》杂志开《十二幅画》专栏，每期发表一篇写人物命运的大散文，并配发自己的画作。

4 月，妻子吕晓歌病逝，著长文《那边多美呀！》悼念。

2010 年

再应 CCTV-10《百家讲坛》邀请，录制播出《〈红楼梦〉的真故事》系列节目。至此在《百家讲坛》录制播出关于《红楼梦》的个人系列讲座累计达 61 集。

出版《〈红楼梦〉的真故事》(凤凰联动·江苏人民出版社)，在争议声中畅销。

4 月，应台湾新地文学社邀请赴台参加"21 世纪世界华文文学高峰会议"。

出版《命中相遇——刘心武话里有画》(上海文艺出版社)。

加快《刘心武续〈红楼梦〉》的写作，次年完成推出。

至本年底，在海内外出版的个人专著，文集不算在内，重印亦不算，按不同版本计达 182 种 (按不同书名计则为 141 种)。

年底，筹备编辑《刘心武文存》。

附录二 刘心武著作书目

　　只包括在中国大陆、台湾、香港和海外出版的书（同一著作每种版本单列）；不包括散发于报刊尚未出书的篇目，亦不包括多人合集中的篇目。第一个数字表示不同版本的排序；[ ]中的数字表示剔除同一书名的版本后的排序；注意：文集8卷不参加排序。

1976 年

1.[1]《睁大你的眼睛》[儿童文学·中篇小说]

北京人民出版社 1976 年 1 月第一版

1978 年

2.[2]《母校留念》[儿童文学·小说集]

中国少年儿童出版社 1978 年 7 月第一版

1979 年

3.[3]《小猴吃瓜果》[低幼读物·画册]

少年儿童出版社 1979 年 4 月第一版

1980 年 6 月第二次印刷

4.[4]《班主任》[短篇小说集]

中国青年出版社 1979 年 6 月第一版

1980 年

5.[5]《我是你的朋友》[儿童文学·中篇小说]

北京出版社 1980 年 7 月第一版

6.[6]《绿叶与黄金》[中短篇小说集]

广东人民出版社 1980 年 8 月第一版

7.[7]《刘心武短篇小说集》

北京出版社 1980 年 9 月第一版

1981 年

8.《这里有黄金》[中短篇小说集]

广东人民出版社 1981 年 4 月第二次印刷

有平装、软精装两种

9.[8]《大眼猫》[中短篇小说集]

浙江人民出版社 1981 年 8 月第一版

1982 年

10.[9]《如意》[中篇小说集]

北京出版社 1982 年 5 月第一版

1983 年

11.[10]《中国现代作家选（Ⅲ）刘心武〈我爱每一片绿叶〉〈深谷小溪默默流〉》

[日本]东方书店 1983 年第一版

12.[11]《同文学青年对话》

文化艺术出版社 1983 年 10 月第一版

1984 年

13.[12]《到远处去发信》[中短篇小说集]

四川人民出版社 1984 年 4 月第一版

有平装、软精装两种

14.[13]《如意》[电影文学剧本]（与戴宗安联合署名）

中国电影出版社 1984 年 6 月第一版

1985 年

15.[14]《嘉陵江流进血管》[中篇小说集]

陕西人民出版社 1985 年 2 月第一版

16.[15]《日程紧迫》[中短篇小说集]

群众出版社 1985 年 5 月第一版

17.[16]《我可不怕十三岁》[儿童文学集]

新世纪出版社 1985 年 8 月第一版

18.[17]《钟鼓楼》[长篇小说]

人民文学出版社 1985 年 11 月第一版

有平装、软精装两种

1986 年 5 月第二次印刷

1986 年

19.[18]《公共汽车咏叹调》[纪实小说]

湖南文艺出版社 1986 年 1 月第一版

20.[19]《都会咏叹调》[小说集]

作家出版社 1986 年 3 月第一版

21.[20]《垂柳集》[散文集]

陕西人民出版社 1986 年 4 月第一版

22.[21]《立体交叉桥》[中短篇小说集]

人民文学出版社 1986 年 6 月第一版

有平装、软精装两种

23.[22]《巴黎郁金香》[访法散文集]

群众出版社 1986 年 11 月第一版

24.[23]《木变石戒指》[中短篇小说集]

青海人民出版社 1986 年 12 月第一版

1987 年

25.*LittleMonkeyTriestoEatFruit*[科学童话·英文]

海豚出版社1987年第一版

有平装、精装两种

26.[24]《斜坡文谈》[文学理论]

上海文艺出版社1987年4月第一版

27.[25]《王府井万花筒》[中篇小说集]

湖南文艺出版社1987年9月第一版

有平装、精装两种

28.[26]《5·19长镜头》[小说自选集]

四川文艺出版社1987年11月第一版

29.げくけきの友たちだ[《我是你的朋友》日译本]

[日本] 福武书店1987年12月第一版

1989年3月第二版

1991年2月第三版

1988 年

30.[27]《她有一头披肩发》[中短篇小说集]

台湾林白出版社1988年4月第一版

31.《钟鼓楼》[长篇小说]

香港天地图书有限公司1988年第一版

1993年第二版

32.[28]《私人照相簿》[纪实文学]

香港南粤出版社1988年11月第一版

33.[29]《刘心武代表作》

黄河文艺出版社1988年12月第一版

1989 年

34.《小猴吃瓜果》［科学童话］

开明出版社、海豚出版社 1989 年 3 月第一版

35.《钟鼓楼》［长篇小说］

台湾皇冠出版社 1989 年 4 月第一版

36.[30]《一片绿叶对你说》［文艺随笔集］

河北教育出版社 1989 年 12 月第一版

1990 年

37.[31]*BLACKWALLSANDOTHERSTORIES*［小说集·英译本］

香港中文大学翻译中心出版社 1990 年第一版

38.[32]《王府井万花镜》［小说集·日译本］

［日本］德间书店 1990 年 9 月第一版

1991 年

39.《母校留念》［小说］

［日本］骏河台出版社 1991 年 4 月第一版

40.[33]《一窗灯火》［中短篇小说集］

华艺出版社 1991 年 10 月第一版

1993 年第二次印刷

1992 年

41.[34]《列奥纳多·达·芬奇》［传记］

江苏教育出版社 1992 年 5 月第一版

42.[35]《有家可归》［散文随笔集］

广东旅游出版社 1992 年 5 月第一版

43.[36]《风过耳》［长篇小说］

中国青年出版社 1992 年 6 月第一版

　　　　　　　　　　1992 年 12 月第二次印刷

　　　　　　　　　　1993 年 3 月第三次印刷

　　　　　　　　　　1995 年 8 月第五次印刷

　　　　　　　　　　1996 年 3 月第六次印刷

44.《风过耳》［长篇小说］

　　　　　　香港勤＋缘出版社 1992 年 6 月第一版

45.［37］《献给命运的紫罗兰——刘心武谈生存智慧》

　　　　　　上海人民出版社 1992 年 6 月第一版

　　　　　　　　　　1992 年 11 月第二次印刷

　　　　　　　　　　1995 年第三次印刷

　　　　　　　　　　1996 年 12 月第五次印刷

46.《刘心武代表作》

　　　　　河南人民出版社 1992 年 6 月第二次印刷·精装本

47.［38］《蓝夜叉》［中篇小说集］

　　　　　　香港勤＋缘出版社 1992 年 9 月第一版

1993 年

48.《北京下町物语》［长篇小说·《钟鼓楼》日译本］

　　　　　［日本］东京恒文社 1993 年 2 月第一版

　　　　　　　　　　1994 年第二版

49.［39］《为你自己高兴》［随笔集］

　　　　　　内蒙古人民出版社 1993 年 3 月第一版

50.［40］《杀星》［小说集］

　　　　　　香港勤＋缘出版社 1993 年 6 月第一版

51.《我是你的朋友》［儿童文学·中篇小说·增订本］

　　　　　　希望出版社 1993 年 6 月第一版

52.［41］《四牌楼》［长篇小说］

　　　　　　上海文艺出版社 1993 年 6 月第一版

1994 年 4 月第二次印刷

1996 年 11 月第三次印刷

53.[42]《我是怎样的一个瓶子》[随笔集]

成都出版社 1993 年 9 月第一版

54.[43]《沉默交流》[随笔集]

中国华侨出版社 1993 年 11 月第一版

55.[44]《富心有术》[随笔集]

群众出版社 1993 年 12 月第一版

1995 年第二次印刷

56.[45]《中国当代名人随笔·刘心武卷》

陕西人民出版社 1993 年 12 月第一版

☆《刘心武文集》[1—8 卷]

华艺出版社 1993 年 12 月第一版

☆《刘心武文集·〈钟鼓楼〉〈风过耳〉》(简装本)

☆《刘心武文集·〈四牌楼〉〈无尽的长廊〉》(简装本)

华艺出版社 1997 年 5 月第一版

1994 年

57.[46]《仰望苍天》[随笔集]

知识出版社 1994 年 1 月第一版

1995 年第二次印刷

东方出版中心 1996 年 7 月第三次印刷

58.[47]《男扮女妆与女扮男妆》[随笔集]

中原农民出版社 1994 年 2 月第一版

59.[48]《相对一笑》[小小说集]

中共中央党校出版社 1994 年 2 月第一版

60.[49]《秦可卿之死》[专著]

华艺出版社 1994 年 5 月第一版

61.《四牌楼》[长篇小说]

> 台湾幼狮文化事业公司 1994 年 8 月第一版

62.[50]《为他人默默许愿》[散文集]

> 台湾幼狮文化事业公司 1994 年 10 月第一版

63.[51]《中国小说名家新作丛书·刘心武卷》

> 海峡文艺出版社 1994 年 11 月第一版

64.[52]《红楼梦（缩写本）》

> 接力出版社 1994 年 12 月第一版
>
> 1995 年第二次印刷
>
> 1997 年 9 月第三次印刷

1995 年

65.[53]《人生非梦总难醒》[名人日记·随笔集]

> 上海人民出版社 1995 年 1 月第一版
>
> 1995 年 3 月第二次印刷

66.[54]《仙人承露盘》[中短篇小说集]

> 华艺出版社 1995 年 3 月第一版

67.[55]《女性与城市》[杂文集]

> 中国城市出版社 1995 年 6 月第一版

68.《我是你的朋友》[增订版·"小学生成才书架"系列之一]

> 希望出版社 1995 年 10 月第一版

69.《在胡同里转悠》[随笔集]

> 陕西人民出版社 1995 年 11 月第二次印刷

70.[56]《刘心武海外游记》

> 华文出版社 1995 年 12 月第一版

1996 年

71.[57]《刘心武小说精选》

太白文艺出版社 1996 年 2 月第一版

72.[58]《开发心大陆》[随笔集]

吉林人民出版社 1996 年 3 月第一版

1997 年 3 月第二次印刷

73.[59]《你哼的什么歌》[散文集]

湖南文艺出版社 1996 年 6 月第一版

74.[60]《刘心武张颐武对话录——"后世纪"的文化了望》

漓江出版社 1996 年 7 月第一版

75.[61]《边缘有光》[随笔集]

汉语大辞典出版社 1996 年 8 月第一版

76.[62]《刘心武怪诞小说自选集》

漓江出版社 1996 年 8 月第一版

有平装、精装两种

77.[63]《我是刘心武》

团结出版社 1996 年 9 月第一版

78.[64]《刘心武》[中国当代作家选集丛书]

人民文学出版社 1996 年 10 月第一版

79.[65]《刘心武杂文自选集》

百花文艺出版社 1996 年 11 月第一版

80.《秦可卿之死》[修订本]

华艺出版社 1996 年 11 月第二版

81.[66]《栖凤楼》[长篇小说]

人民文学出版社 1996 年 12 月第一版

1998 年 3 月第二次印刷

1997 年

82.[67]《封神演义（缩写本）》

接力出版社 1997 年 1 月第一版

1997 年 9 月第二次印刷

83.[68]《胡同串子》[中短篇小说集]

北京燕山出版社 1997 年 8 月第一版

84.《私人照相簿》

上海远东出版社 1997 年 9 月第一版

1998 年 2 月第二次印刷

2000 年换封面版权页称 2000 年 6 月第二次印刷

85.[69]《中国儿童文学名家作品精选丛书·刘心武作品精选》

河北少年儿童出版社 1997 年 8 月第一版

86.[70]《把嘴张圆》[随笔集]

上海远东出版社 1997 年 12 月第一版

1998 年

87.[71]《我眼中的建筑与环境》[建筑评论随笔集]

中国建筑工业出版 1998 年 5 月第一版

1999 年 5 月第二次印刷

2000 年 6 月第三次印刷

2001 年 6 月第四次印刷

88.《钟鼓楼》[茅盾文学奖获奖书系]

人民文学出版社 1998 年 3 月第一次印刷

1998 年 7 月第二次印刷

1998 年 8 月第三次印刷

1999 年 3 月第四次印刷

2000 年 1 月第五次印刷

2001 年 1 月第六次印刷

2001 年 8 月第七次印刷

2002 年 8 月第八次印刷

2003 年 1 月第九次印刷

1999 年

89.[72]《树与林同在》[非虚构长篇小说]

山东画报出版社 1999 年 3 月第一版

2006 年 7 月第二次印刷

90.[73]《八十六颗星星》(*TheEighty-SixStars*)[儿童文学小说·汉英对照]

希望出版社 1999 年 6 月第一版

91.[74]《红楼三钗之谜》[刘心武红学探佚精品]

华艺出版社 1999 年 9 月第一版

92.[75]《蓝玫瑰》[中短篇小说集]

中国华侨出版社 1999 年 10 月第一版

93.[76]《过隧道的心情》[随笔集]

华东师范大学出版社 1999 年 12 月第一版

2000 年

94.[77]《一切都还来得及》[随笔集]

中国青年出版社 2000 年 1 月第一版

95.[78]《善的教育》[儿童文学]

辽宁少年儿童出版社 2000 年 2 月第一版

96.[79]LeTalisman (versionbilingue)[《如意》中、法文对照版]

LibrarieYouFeng2000 年 4 月第一版

97.[80]《作家刘心武〈班主任〉手迹》

线装书局 2000 年 5 月第一版

98.[81]《楼前白玉兰》[小小说集]

中国广播电视出版社 2000 年 7 月第一版

99.[82]《刘心武侃北京》

上海文艺出版社 2000 年 10 月第一版

100.[83]《我爱吃苦瓜》[茅盾文学奖获奖作家散文精品]

广州出版社 2000 年 10 月第一版

2002 年 10 月第二次印刷

101.[84]《了解高行健》

香港开益出版社 2000 年 12 月第一版

2001 年

102.[85]《亲近苍莽》

中国旅游出版社 2001 年 1 月第一版

103.[86]《在忧郁中升华》

文汇出版社 2001 年 2 月第一版

《刘心武谈建筑——在忧郁中升华》2007 年 8 月第二次印刷

104.[87]《人在风中》

作家出版社 2001 年 8 月第一版

105.《风过耳》

时代文艺出版社 2001 年 10 月第一版

有平装、精装两种

2002 年

106.[88]《京漂女》(自绘插图)

中国文联出版社 2002 年 1 月第一版

107.[89]《深夜月当花》

中国工人出版社 2002 年 1 月第一版

108.[90]《春梦随云散》

　　　　　　　　　　　　人民文学出版社 2002 年 4 月第一版

109.[91]《藤萝花饼》

　　　　　　　台湾二鱼文化事业有限公司 2002 年 4 月第一版

110.[92]《刘心武自述》

　　　　　　　　　　　　大象出版社 2002 年 10 月第一版

2003 年

111.[93]L'arbreetlaforêt[《树与林同在》法译本]

　　　　　　　　　　　　BleudeChine2003 年 1 月第一版

112.[94]《人面鱼》

　　　　　　台湾联经出版事业股份有限公司 2003 年 2 月初版

113.[94]LaCendrillonDuCanal[《护城河边的灰姑娘》法译本]

　　　　　　　　　　　　BleudeChine2003 年 4 月第一版

114.[95]《画梁春尽落香尘》["红学"专著]

　　　　　　　　　中国广播电视出版社 2003 年 6 月第一版

　　　　　　　　　　　　2003 年 9 月第二次印刷

　　　　　　　　　　　　2004 年 1 月第三次印刷

　　　　　　　　　　　　2005 年 6 月第四次印刷

115.[96]《眼角眉梢》

　　　　　　　　　　　　新华出版社 2003 年 8 月第一版

116.[97]《钟鼓楼》[初中生语文新课标必读]

　　　　　　　　　人民日报出版社 2003 年 9 月第一版

117.[98]《天梯之声》

　　　　　　　　　中国青年出版社 2003 年 10 月第一版

2004 年

118.[99]Poussiêreetsueur[《尘与汗》法译本]

BleudeChine2004 年 1 月第一版

119.[100]LamortdeLaoSHe[《老舍之死》歌剧剧本法译本]

BleudeChine2004 年 3 月第一版

120.[101]Poisson à facehumaine[《人面鱼》法译本]

BleudeChine2004 年 3 月第一版

121.《如意》[电影伴读中国文学文库·附电影光盘]

中国青年出版社 2004 年 1 月第一版

122.[102]《泼妇鸡丁》

台湾二鱼文化事业有限公司 2004 年 4 月第一版

123.[103]《在柳树臂弯里——刘心武随笔》

光明日报出版社 2004 年 5 月第一版

124.[104]《材质之美——刘心武城市文化酷评》

中国建材工业出版社 2004 年 5 月第一版

125.[105]《站冰——刘心武小说新作集》(自绘插图)

人民文学出版社 2004 年 6 月第一版

126.《四牌楼》

上海文艺出版社 2004 年 8 月第二版

127.[106]《大家文丛：刘心武》

古吴轩出版社 2004 年 8 月第一版

2005 年

128.《钟鼓楼》(中国文库·文学类)

人民文学出版社 2005 年 1 月第一版第一次印刷（平装）

2005 年 1 月第一版第一次印刷（精装）

129.《钟鼓楼》(茅盾文学奖获奖作品全集之一)

人民文学出版社 1985 年 11 月第一版、2005 年 1 月第一次印刷

2005 年 5 月第二次印刷

2005 年 7 月第三次印刷

2006 年 3 月第四次印刷

2008 年 4 月第七次印刷

2009 年 8 月第八次印刷

2010 年 1 月第九次印刷

2011 年 7 月第 15 次印刷

2011 年 9 月第 16 次印刷

2011 年 11 月第 17 次印刷

130.[107]《心灵体操》

时代文艺出版社 2005 年 1 月第一版

131.[108]《刘心武作文示范》

少年儿童出版社 2005 年 1 月第一版

132.[109]LaDémonebleue(《蓝夜叉》法译本)

BleudeChine2005 年第一版

133.[110]《红楼望月》

书海出版社 2005 年 4 月第一版

2005 年 6 月第二次印刷

2005 年 7 月第三次印刷

2005 年 8 月第四次印刷

2005 年 9 月第五次印刷

2005 年 9 月第六次印刷

134.[111]《刘心武揭秘〈红楼梦〉》

东方出版社 2005 年 8 月第一版

至 2005 年 19 月共十三次印刷

2005 年 11 月第二版

至 2005 年 12 月已第十八次印刷

至 2007 年 7 月已第二十八次印刷

2007 年 12 月第三十次印刷

2008 年 4 月第三十二次印刷

135.《红楼解梦——画梁春尽落香尘》

中国广播电视出版社 2005 年 9 月第二版第五次印刷

136.《楼前白玉兰——刘心武最新小小说集》

中国广播电视出版社 2005 年 9 月第二版第二次印刷

137.[112]《刘心武揭秘〈红楼梦〉》[第二部]

东方出版社 2005 年 12 月第一版

至 2007 年 7 月已第十五次印刷

2007 年 12 月第十七次印刷

2008 年 4 月第十九次印刷

138.[113]《刘心武解读人世情》

时代文艺出版社 2005 年 12 月第一版

139.[114]《刘心武感悟平常心》

时代文艺出版社 2005 年 12 月第一版

2006 年

140.[115]《刘心武自选集》

云南人民出版社 2006 年 1 月第一版

141.[116]《刘心武点评〈红楼梦〉》

团结出版社 2006 年 1 月第一版

142.《刘心武精品集·第一卷·钟鼓楼》

东方出版社 2006 年 1 月第一版

143.《刘心武精品集·第二卷·四牌楼》

东方出版社 2006 年 1 月第一版

144.《刘心武精品集·第三卷·栖凤楼》

东方出版社 2006 年 1 月第一版

145.《刘心武精品集·第四卷·献给命运的紫罗兰》

东方出版社 2006 年 1 月第一版

146.[117]《戴敦邦绘刘心武评〈金瓶梅〉人物谱》

作家出版社 2006 年 4 月第一版

147.[118]《红楼拾珠》

云南人民出版社 2006 年 5 月第一版

148.[119]《藤萝花饼》

云南人民出版社 2006 年 5 月第一版

149.《刘心武揭秘〈红楼梦〉》[第一部]

台湾好读出版有限公司 2006 年 6 月初版

150.《刘心武揭秘〈红楼梦〉》[第二部]

台湾好读出版有限公司 2006 年 6 月初版

151.《我是刘心武》

天津人民出版社 2006 年 8 月第一版

152.[120]《刘心武揭秘古本〈红楼梦〉》

人民出版社 2006 年 12 月第一版

同月第二次印刷

2007 年

153.[121]《四棵树》

二十一世纪出版社 2007 年第一版

154.[122]《用心去游》

上海三联书店 2006 年 12 月第一版

2007 年 1 月第一次印刷

155.[123]Désdepouletfaçonmégère[《泼妇鸡丁》法译本]

BleudeChine2007 年 4 月第一版

156.《一切都还来得及》

中国青年出版社 2005 年 5 月第一版

157.[124]《刘心武揭秘〈红楼梦〉》[第三部·黛玉之谜及古本之秘]

东方出版社 2007 年 7 月第一版

至 2007 年 8 月已第四次印刷

2007 年 12 月第六次印刷

2008 年 3 月第七次印刷

158.[125]《刘心武说世道人心》

中国青年出版社 2007 年 7 月第一版

159.[126]《刘心武说寻美感悟》

中国青年出版社 2007 年 7 月第一版

160.[127]《刘心武说草根情怀》

中国青年出版社 2007 年 7 月第一版

161.[128]《长吻蜂》

上海人民出版社 2007 年 8 月第一版

162.《私人照相簿》

华龄出版社 2007 年 10 月第一版

163.《善的教育》

华龄出版社 2007 年 10 月第一版

164.[129]《刘心武揭秘〈红楼梦〉》[第四部·宝钗湘云之谜暨红楼心语]

东方出版社 2007 年 11 月第一版

2008 年 3 月第三次印刷

2008 年

165.[130]《健康携梦人》

中国海关出版社 2008 年 4 月第一版

166.[131]《刘心武小说》

吉林文史出版社 2008 年 5 月第一版

167.[132]《刘心武散文》

吉林文史出版社 2008 年 5 月第一版

2009 年

168.《钟鼓楼》(共和国作家文库)

作家出版社 2009 年 4 月第一版

169.《四牌楼》(共和国作家文库)

作家出版社 2009 年 4 月第一版

170.[133]《人在胡同第几槐》

中国文联出版社 2009 年 6 月第一版

171.《钟鼓楼》(新中国 60 年长篇小说典藏)

人民文学出版社 2009 年 7 月第一版

172.[134]《刘心武短篇小说》

现代教育出版社 2009 年 8 月第一版

173.[135]《刘心武中篇小说》

现代教育出版社 2009 年 8 月第一版

174.[136]《刘心武散文随笔》

现代教育出版社 2009 年 8 月第一版

175.《刘心武揭秘〈红楼梦〉》上卷 (共和国作家文库)

作家出版社 2009 年 8 月第一版

176.《刘心武揭秘〈红楼梦〉》下卷 (共和国作家文库)

作家出版社 2009 年 8 月第一版

2010 年

177.[137]《人情似纸》

江苏文艺出版社 2010 年 1 月第一版

178.[138]《红楼梦八十回后真故事》

江苏人民出版社 2010 年 3 月第一版

179.[139]《刘心武小说精选集》

[台湾] 新地文化艺术有限公司 2010 年 4 月第一版

180.《红楼望月》

江苏人民出版社 2010 年 6 月第一版

2010 年 9 月第二次印刷

181.[140]《命中相遇——刘心武话里有画》

上海文艺出版社 2010 年 7 月第一版

182.[141]《红楼眼神》

重庆出版社 2010 年 9 月第一版

2011 年

183.[142]《刘心武续红楼梦》

江苏人民出版社 2011 年 3 月第一版

江苏人民出版社 2011 年 4 月第 4 次印刷

184.[143]《红楼梦》(曹雪芹著刘心武续)

江苏人民出版社 2011 年 3 月第一版

185.《刘心武续红楼梦》[繁体字竖排本]

香港明报出版社有限公司 2011 年 3 月初版

186.《刘心武揭秘〈红楼梦〉》精华本（一）

江苏人民出版社 2011 年 4 月第一版

187.《刘心武揭秘〈红楼梦〉》精华本（二）

江苏人民出版社 2011 年 4 月第一版

188.《刘心武揭秘〈红楼梦〉》精华本（三）

　　　　　　　　　　　　　　江苏人民出版社 2011 年 4 月第一版

189.《刘心武揭秘〈红楼梦〉》精华本（四）

　　　　　　　　　　　　　　江苏人民出版社 2011 年 4 月第一版

190.《刘心武续红楼梦》[繁体字竖排本]

　　　　　　　台湾城邦文化事业股份有限公司商周出版 2011 年 4 月第一版

191.《〈红楼梦〉的真故事》

　　　　　　　台湾人类智库数位科技股份有限公司 2011 年 6 月第一版

192.[144]《听刘心武说房子的事儿》

　　　　　　　　　　　　　　中国商业出版社 2011 年 8 月第一版

193.[145]《刘心武心灵随感》

　　　　　　　　　　　　　　时代文艺出版社 2011 年 11 月第一版

2012 年

194.[146]《刘心武种四棵树》

　　　　　　　　　　　　　　漓江出版社 2012 年 1 月第一版

195.[147]《风雪夜归正逢时——我是刘心武》

　　　　　　　　　　　　　　漓江出版社 2012 年 1 月第一版

196.《献给命运的紫罗兰》

　　　　　　　　　　　　　　漓江出版社 2012 年 1 月第一版

197.[148]《人生有信》

　　　　　　　　　　　　　　江苏人民出版社 2012 年 3 月第一版

198.Poussiêre et sueur[《尘与汗》法译本 folio 袖珍版]

　　　　　　　　　　　　　　Gallimard2012 年 8 月出版

199.La Cendrillon du canal [《护城河边的灰姑娘》法译本 folio 袖珍版]

　　　　　　　　　　　　　　Gallimard2012 年 8 月出版

附录三 刘心武文存总目

刘心武文存 01

    钟鼓楼

刘心武文存 02

    四牌楼

刘心武文存 03

    栖凤楼

刘心武文存 04

    风过耳

刘心武文存 05

    树与林同在

    无尽的长廊

刘心武文存 06

如意　　　　　　　　　大眼猫

立体交叉桥　　　　　　银锭观山

嘉陵江流进血管　　　　茶话会

日程紧迫

刘心武文存 07

木变石戒指　　　　　　公共汽车咏叹调

新区长镜头　　　　　　王府井万花筒

永恒的微笑　　　　　　一窗灯火

杀星　　　　　　　　　小墩子

红蛙

刘心武文存 08

九龙壁　　　　　　　　五龙亭

仙人承露盘　　　　　　戳破

护城河边的灰姑娘　　　尘与汗

刘心武文存 09

非床　　　　　　　　　京漂女

蓝夜叉　　　　　　　　菩城雨霏

泼妇鸡丁　　　　　　　站冰

刘心武文存 **10**

班主任	穿米黄色大衣的青年
没有讲完的课	爱情的位置
面对着祖国大地	醒来吧，弟弟
找他	干杯之后
等待决定	去作一个公民
快乐	清晨，窗外飞过一队白鹤……
这里有黄金	我爱每一片绿叶

刘心武文存 **11**

没工夫叹息	深谷小溪默默流
神秘的姑娘	一个晚期癌症患者的自白
乔莎	蜜供
银河	月亮对着月亮
她有一头披肩发	洗澡
写在不谢的花瓣上	电梯中
门外一株合欢树	最后一只玉鸟
到远处去发信	公路旁的仙女
酒泉姑妈	楼梯拐弯

刘心武文存 **12**

玫瑰与土豆	奶嘴儿
妈妈反复讲过的故事	夜半雨停

老人纠察线

去

秋风

相逢在兰州

非重点

星期五下午六点半的故事

大塔

封面女郎

他要爆炸

黑墙

蔚蓝色封皮

登丽美

今晚头痛

一根很小很小的刺

作为我的朋友

刘心武文存 **13**

巴黎长生不老药

行路难

兔儿爷

洗手

歌星和我

天伦王朝

春闺梦

竹里馆

忘川酒吧

傍

凤凰台上忆吹箫

白牙

黄伞

巴黎街头咖啡座

寻人

难为情

缺货

青箬溪之恋

画星和我

笑星和我

见鬼

玉虎坠

贼

5·19长镜头

多桅帆船

刘心武文存 14

巴厘燕窝	变叶木
草葬	大公务员之死
科林斯柱	蓝玫瑰
人面鱼	水锚
偷父	鲜豌豆
小样儿	绣鸳鸯
薰衣草命案	一畦春韭绿
榆钱	最后金蛇
影星和我	很简单却又很难准备的礼物
吉日	袜子上的鲜花
拼合裤	套白狼
粗针脚	仁记饼屋
借条	吧台椅
秋色老梧桐	美中不足

刘心武文存 15

她是哪国人	长沙发
请遵医嘱	长袖·短袖
花脸猫	"黑话"连篇
"上帝"结婚	"围脖太太"
ZC 相册	安灯泡的人
把免费进行到底	斑马线
半秒钟	北风怒嚎的夜晚

蹦跳的井盖

美人风筝

虬梅无价

麻姑搔头

春游"香雪海"

得儿蜜

奥迪麦秸

"金丝楼"

月光宝盒

不必改期

不堪其扰

彩票飞

查无实据

陈灰

抽象画

打地铺

大罗伯

大碗传奇

第八棵馒头柳

颠簸

点地

"都齐居"

对视

发现诗意

概不接待

鬼姜花

冰箱里的黑泥糕

不是梧桐

天上掉下个什不闲

"后主婆"

丹皋皮条

铮铮入耳是何声？

仙蝶寻踪

天棚将军

并列第一

不欢而散

不可饶恕

踩莲

唱牛奶

抽换年轮

挫折

打气

大盆菜

等候散场

第十三夜

颠连步

电话骚扰

兜风

二嫂闯罗马

烦恼

古井帽

何必巴黎

何方食圣	虎汉
花烛夜	画饼
换妆	焕然一新
悔的边缘	获奖者
机嫂	急需
寄存	拣芝麻
节拍	今夏流行明黄色
韭菜泥	卡通熊与胡姬花
看倒影	客厅里的嗡嗡声
空盒	辣椒故事
老袜皂	两规相遇
六瓣梅	楼道里的笑声
楼前白玉兰	轮椅第一天
马尾巴	卖指甲的老人
没问	没用的故事
没有拒绝	美丽的胡萝卜
米宝	蜜月后礼物
明星泪	摸书
母鸡吃蛋	拿破仑蛋糕
那天，你丢失了什么？	你信不信
拧床单	僻路上
"泼水节"	掐辫子
千叶瓶	情调餐
清粥小菜	请来吃晚餐
秋千座	取消悬赏
却步	热情似火

认错人　　　　　　　　　日本娘

三室九床　　　　　　　　砂锅豆腐

山溪听蝉　　　　　　　　山寨小球星

赏花时　　　　　　　　　生日无照片

剩花　　　　　　　　　　手绢传奇

水祸　　　　　　　　　　朔望澡

苏俐电话　　　　　　　　碎

胎网　　　　　　　　　　烫金

替课阿姊　　　　　　　　替嫂

天梯之声　　　　　　　　退羞

托花所　　　　　　　　　挽留

望林石　　　　　　　　　望门挑眉

"卫生王子"　　　　　　　无价的鲜花

无金日　　　　　　　　　无须探视

五斗橱　　　　　　　　　喜鹊妈

夏威夷黑珍珠　　　　　　小短腿

小玉米　　　　　　　　　丢弃的笑脸

写不出的词语　　　　　　新豆汁记

选项　　　　　　　　　　寻找地平线

烟灰缸　　　　　　　　　眼泪不是水

眼净　　　　　　　　　　眼砂

遥远的雍和宫　　　　　　夜半钟停

夜的眉　　　　　　　　　一串红辣椒

一个晚上,五个电话　　　一刻钟

一起去看　　　　　　　　一生十几杯

一双真耐克　　　　　　　一赢

一元折	引以为荣
营养盒饭	有过那次通话吗?
雨水洼	原价
远处的霓虹灯	炸耳
榛子奶奶	蜘蛛脚与翅膀
止步	终于寄达
重聚麦当劳	有人点歌
住女生宿舍的男士	兹彼丽女士
赠券	自助餐
最佳美容师	最亲爱的
佐餐	临窗的餐桌
粗针脚	桂嫂
最后一问	你的儿子呢?
家有成竹	空房
捕捉一瞬	选项
五斗橱	引以为荣
依偎	咸饺子
小圆拢子	营养盒饭
半拉西瓜	村口问路人
寸移	大束百合
拐弯的手势	荷包蛋
花车	桔红色背心
脐环	沙发与轮椅
五花肉	雪地风波
一根牙签	托花所

刘心武文存 16

玻璃亮晶晶	能吃的竹篱笆
看不见的朋友	母校留念
笑容	我是你的朋友
我可不怕十三岁	达·芬奇的故事
喊山	善的教育

刘心武文存 17

第一辑：通读长安街

国贸中心	京伦饭店
建国饭店	国际大厦
国际俱乐部	北京电台
赛特购物中心	长富宫
国际饭店	长安大厦
交通部大楼	全国妇联
中国海关	恒基中心
中粮总公司	外贸部
北京饭店	贵宾楼饭店
长安俱乐部	天安门观礼台
电报大楼	民航营业大厦
民族文化宫	中国人民银行
百盛购物中心	电教大楼
广播大楼	中化公司大楼
光大大厦	燕京饭店

全国总工会   军事博物馆

中央电视台   城乡贸易中心

东单菜市场

第二辑: 城市美学絮语

河城与湖城   城市望点

镜墙与青藤   窗含与门泊

水自天来眼波横   要理趣, 不要图解

祈年殿的启示   前门箭楼传奇

摩天之志费思量   净墙壁画两相宜

团·线·蓬·篱   城市夜光

都市项链款式多   都市中的野趣

享受"灰空间"   城市天际轮廓与"鸟瞰效应"

不容忽视的五个"星座"   "凝固之音乐"亟需评议

第三辑: 建筑·环境·人

高楼算否风景   窗内窗外

高雅的话题   也是高雅的话题

四合院   垂花无语忆沧桑

擦拭城市的眼珠   隆福寺的回忆

与台湾客同游恭王府花园   护城河

雅在情调   朦胧美

乡村风   绿叶爱你

瀑布灯   广场鸽

颠狂柳絮   墅而无别

穷凑合   净墙

蒲草·芭蕉·多头菊   登塔乐

盛世无忌   秋水筏如梦中过

永嘉印象

黄河、龙门与百佛顶灯

忠都秀在此作场

台北印象

留下的与带走的

我们土地上的楼林

本土建筑大师的焦虑

南湾湖·鸡公山·金牛乡

关公大玩偶

蓝色舞步

在台北茶寮品茶

关爱一只蜻蜓

大屿山礼佛记

电光与烛焰

刘心武文存 18

视觉之外

作为雕塑的建筑

舞蹈的建筑

半城宫墙半城树

剔透

洁爽

话说承重墙

砖入历史

觅得桃源好寄情

北京城的建筑色彩

珠走玉盘喜煞人

拼贴北京

建筑师与业主

从大挂历到大沙盘

城市广场的伦理定位

维护城市传统情调空间

建筑的戏剧性

作为建筑的道路

万般艰难集一顶

玲珑

跃动

说门槛

片瓦无存

材质之美

什刹海畔千斤椅

我们共同的"五味盆"

公共与共享

一厘一缕总关情

建筑艺术与艺术建筑

园成景备特精奇

步行街的心理空间

欧陆何风情？

广告地理　　　　　　　　　四合院与抽水马桶

平静对待一个"拆"字　　　　"城"的诱惑

"顶"的焦虑　　　　　　　　小风景与大环境

温榆河的气息　　　　　　　潮白寻波

寻觅满井　　　　　　　　　重新打扮泡子河

床前明月光　　　　　　　　野景是金

蓊蔚洇润之气　　　　　　　车厢座

营造个性空间　　　　　　　空

四白落地　　　　　　　　　清冷香中抱膝吟

室内望点　　　　　　　　　瓜果装饰有奇趣

功利中的高雅　　　　　　　生命的气根

漫话水泥　　　　　　　　　漫话玻璃

漫话天花板　　　　　　　　漫话厨房

漫话卫生间　　　　　　　　漫话过道

漫话阶梯　　　　　　　　　有人打伞在等你

"大轮胎"与"大鸟巢"　　　化图为实

夜都会的光定位　　　　　　建筑的表情

把它看惯　　　　　　　　　寻求折中最佳值

建筑评论——我的新乐趣

刘心武文存 **19**

原序　将"秦学"研究不断推进　　红楼望月
　　　　　　　　　　　　　　　　——为纪念曹雪芹逝世 240 周年而作

帐殿夜警　　　　　　　　　关于"月喻太子"的通信

精华欲掩料应难　　　　　　月色凄迷

红楼探秘　　　　　　　　　再论秦可卿出身未必寒微
——秦可卿出身未必寒微

"秦学"探佚的四个层次　　　　　　楠木·义忠亲王·秦可卿

张友士到底有什么事?　　　　　　"友士"药方藏深意

可人曲　　　　　　　　　　　　　园中秋景令

《广陵怀古》与秦可卿　　　　　　贾珍何罪?

元春为什么见不得"玉"字?　　　　"三春"何解?

牙牌令中藏玄机　　　　　　　　　《红楼梦》中的皇帝

北静王的原型　　　　　　　　　　老太妃之谜

茜雪被撵之谜　　　　　　　　　　梦中夺锦系何兆?
——纪念曹雪芹逝世 240 周年　　　——为纪念曹雪芹逝世 240 周年而作

芦雪庵联诗是雪芹自传　　　　　　太虚幻境四仙姑

"枉凝眉"曲究竟说的谁?　　　　　"三十"与"明月"

妙玉讨人嫌　　　　　　　　　　　妙玉之谜

再探妙玉之谜　　　　　　　　　　雅趣相与析

薛宝钗的绣春囊?　　　　　　　　薛宝琴为何落榜?

贾母天平哪边倾?　　　　　　　　"金兰"何指?

贾琏王熙凤的夫妻生活　　　　　　贾珍尤氏的夫妻生活

黑眉乌嘴话贾琮　　　　　　　　　腊油冻佛手·羊角灯

龟大何首乌?　　　　　　　　　　《红楼梦》里的歇后语

春梦随云散　　　　　　　　　　　远"水"近"红"

食"红"不已　　　　　　　　　　伦敦弘红记

有谁曳杖过烟林　　　　　　　　　讲述《红楼梦》的真故事
——读《曹雪芹新传》　　　　　　——贺周汝昌先生从事"红学"研究五十年

扫荡烟尘见真貌　　　　　　　　　满弓射鹄志锐坚
——介绍《红楼梦的真故事》　　　——读周汝昌先生《红楼家世》有感

隔岸花分一脉香《红楼梦》烟画　　正本清源第一遭

关于我的"秦学"研究　　　　　　网上论"红"
——答上海《城市导报》记者黄准新问

从秦可卿入手解读《红楼梦》　　　霜前月下谁家种
　　　　　　　　　　　　　　　　——孙温画《红楼梦》评析

迎春启示录　　　　　　　　　　　甄士隐的生存之道

关于冯紫英的佚文　　　　　　　　花开易见落难寻
　　　　　　　　　　　　　　　　——喜见《红楼梦之谜》

沉湖·葬花·玉带　　　　　　　　揭破《红楼梦》中秦可卿之谜
　　　　　　　　　　　　　　　　——致周汝昌先生信

莫讥"秦学"细商量　　　　　　　拟将删却重补缀

话说赵姨娘　　　　　　　　　　　话说璜大奶奶

话说李嬷嬷　　　　　　　　　　　话说秦显家的

红楼边角　　　　　　　　　　　　[附录]传柬议"红楼"
　　　　　　　　　　　　　　　　——关于"红楼边角"的通信

秦可卿之死　　　　　　　　　　　贾元春之死

妙玉之死

刘心武文存 **20**

第一部

第一讲　追寻"红学"谜踪（上）　　第二讲　追寻"红学"谜踪（下）

第三讲　贾府婚配之谜　　　　　　第四讲　秦可卿抱养之谜

第五讲　秦可卿生存之谜　　　　　第六讲　秦可卿出身之谜

第七讲　帐殿夜警之谜　　　　　　第八讲　曹家浮沉之谜

第九讲　日月双悬之谜　　　　　　第十讲　蒋玉菡之谜

第十一讲　北静王之谜　　　　　　第十二讲　秦可卿原型大揭秘（上）

第十三讲　秦可卿原型大揭秘（下）　第十四讲　秦可卿被告发之谜（上）

第十五讲　秦可卿被告发之谜（下）　第十六讲　贾元春原型之谜

第十七讲　贾元春判词之谜　　　第十八讲　贾元春死亡之谜

第二部

第十九讲　妙玉入正册与排序之谜　第二十讲　太虚幻境四仙姑命名之谜

第二十一讲　妙玉身世之谜　　　第二十二讲　妙玉情爱之谜

第二十三讲　妙玉结局大揭秘　　第二十四讲　玉石之谜

第二十五讲　贾宝玉人格之谜（上）第二十六讲　贾宝玉人格之谜（下）

第二十七讲　黛、钗合一之谜　　第二十八讲　黛、钗婚配之谜

第二十九讲　黛、钗结局之谜　　第三十讲　因麒麟伏白首双星之谜

第三十一讲　迎春、探春、惜春命运之谜　第三十二讲　王熙凤、巧姐命运之谜

第三十三讲　李纨命运之谜　　　第三十四讲　金陵十二钗副册之谜

第三十五讲　金陵十二钗又副册之谜　第三十六讲　情榜之谜

刘心武文存 **21**

第三部

善察能悟刘心武　周汝昌序

上编　林黛玉之谜

林黛玉家产之谜　　　　　　　林黛玉血缘之谜

林黛玉眉眼之谜　　　　　　　黛、钗关系之谜

林黛玉险境之谜　　　　　　　林黛玉沉湖之谜

中编　古本《红楼梦》真貌揭秘

古本和通行本的故事

不读凡例真遗憾

女娲补天剩余石、通灵宝玉、贾宝玉是三位一体吗？

曹雪芹的《红楼梦》有回前诗

家族史的投射

四大家族惹人眼

钟情大士？ 种情大士？

曹雪芹的《红楼梦》以三种人称灵活叙述

读不懂第七回，莫读《红楼梦》

白骨累累忘姓氏

细抠精选为求真

从《风月宝鉴》中撷取改造？

史湘云的原型：曹雪芹的一个李姓表妹——脂砚斋

"真事隐"后以"假语存"

"秦人旧舍"越发过露——秦之孝如何演化为林之孝

不可不知的几条脂砚斋批语

莫忽略：得到与谋求差事的贾氏宗族子弟们

小红是贯穿全书的重要角色

六足龟·四月二十六·五月初二

四月二十六日是遮天大王圣诞

金麒麟的奥秘

谁是告密者·如何看袭人·贾母巧夸钗

枕霞阁十二钗

贾母论窗需细品·书至三十八回已过三分之一有余

不可小觑尤氏·李纨也有尖刻时

三个关于欲望的故事

芦雪广不是芦雪庵·薛小妹灯谜诗大揭秘

不要忽略过场戏

"零碎杂角"、"无意随手"皆见功力

刺绣复杂的人生图像

从《红楼梦》中选出最美的四个场景，你选哪四个？

"红楼二尤"的自救悲剧

或打、或杀、或卖——为什么把"或杀"搁在"或卖"前面？

毛刺·油冻佛手·玻璃围屏·官中

风起于青萍之末——小鹊报信

缺中秋诗俟雪芹·玉田胭脂米

不稀罕那功名，不为世人观阅称赞

这两回是否是曹雪芹原笔？如系补作，作者当非高鹗

下编　遗失了的后二十八回：次第检索

你一定要知道：曹雪芹是写完了《红楼梦》的

探佚《红楼梦》第八十一回至一百零八回

第四部

上编　薛宝钗之谜

薛宝钗选秀之谜　　　　　　薛宝钗红麝串之谜

薛宝钗情爱之谜　　　　　　薛宝钗雪洞之谜

薛宝钗审黛之谜　　　　　　薛宝钗结局大揭秘

中编　史湘云之谜

史湘云出场之谜　　　　　　史湘云寄养之谜

史湘云定亲之谜　　　　　　史湘云金麒麟之谜

史湘云结局大揭秘　　　　　史湘云脂砚斋之谜

下编　红楼心语

观花修竹能几时？　　　　　独在花阴下穿茉莉花

夹缝里的人生　　　　　　　五月之柳梦正酣

得了玉的益似的　　　　　　秋纹器小究可哀

原是天真烂漫之人　　　　　惜春懒画大观图

刘心武文存 22

《红楼梦》八十回后真故事

第一讲　全本《红楼梦》之谜

第二讲　第八十一回之谜 [1]

　　　　《红楼梦》结构之谜

第三讲　第八十一回之谜 [2]

　　　　贾迎春之谜

第四讲　第八十一回之谜 [3]

　　　　香菱之谜

第五讲　第八十二回至第九十回之谜 [1]

　　　　贾家获罪之谜

第六讲　第八十二回至第九十回之谜 [2]

　　　　贾惜春之谜

第七讲　第八十二回至第九十回之谜 [3]

　　　　袭人、麝月之谜

第八讲　第九十一回至第九十九回之谜 [1]

　　　　贾探春之谜

第九讲　第九十一回至第九十九回之谜 [2]

　　　　王熙凤、巧姐之谜

第十讲　第九十一回至第九十九回之谜 [3]

　　　　李纨之谜

第十一讲　第一百回至第一百零八回之谜 [1]

　　　　　狱神庙之谜

第十二讲　第一百回至第一百零八回之谜 [2]

《金陵十二钗副册》之谜

第十三讲　第一百回至第一百零八回之谜 [3]

《金陵十二钗又副册》之谜

第十四讲　第一百回至第一百零八回之谜 [4]

《情榜》之谜

第十五讲　第八十一回至第一百零八回　回目之谜

红楼眼神

《红楼眼神》自序　　　　　　　下死眼

镜内对视　　　　　　　　　　杀鸡抹脖使眼色儿

乜斜着眼　　　　　　　　　　贾政一举目

相对笑看　　　　　　　　　　以目相送

红楼拾珠

世法平等　　　　　　　　　　事若求全何所乐

是真名士自风流　　　　　　　惟大英雄能本色

小心没有过逾的　　　　　　　到底还该归到本来面目上去

看见燕子就和燕子说话　　　　大小都有个天理

朴而不俗直而不拙　　　　　　竟是拈阄公道

状元榜眼难道就没有糊涂的　　太满了就泼出来了

推倒油瓶不扶　　　　　　　　看着多多的人吃饭最有趣的

从小儿世人都打这么过的　　　卖油的娘子水梳头

读书人总以事理为要　　　　　黄柏木作磬槌子

牛不吃水强按头？　　　　　　前人撒土迷了后人的眼

清水下杂面你吃我看见　　　　失了大体统也不像

提防着怕走了大褶儿　　　　　蝎蝎螫螫老婆汉像

摇车里的爷爷　　　　　　　　扬铃打鼓的乱折腾

管谁筋疼

花儿落了结个大倭瓜

可着头做帽子

仓老鼠和老鸹去借粮

黑母鸡一窝儿

抓着理扎个筏子

丈八的灯台

自古嫦娥爱少年

浮萍尚有相逢日

老健春寒秋后热

隔锅饭儿香

自为花上几个臭钱没有不了的

千里搭长棚

柳藏鹦鹉语方知

贾母论窗

红楼细处

《红楼梦》里的宠物

大观园里的承包与均富

和硕淑慎公主

见识狱神庙

留杩子盖头的小厮

门礼茯苓霜

小吉祥儿问雪雁借衣

宝官和玉官

莲花儿眼尖

北院大太太

阿其那之妻

净　饿

两代荣国公

玉带林中挂

邂逅大行宫

傅恒何时归故里？

科头抱膝轩中人

让世界知道曹雪芹和《红楼梦》

推荐《红楼梦》周汝昌汇校本

耋耄老翁来捧场

周老赠诗有人和

公众共享的红学

揭密刘心武

刘心武文存 23

泪珠为何在睫毛上闪光

比风景更美的

西行剪影（五章）

滇行散记（三章）

苏三离了洪洞县

花环上，期待着更多的蜜蜂

难忘的一杯酒

猪年随想

云雀在欢鸣

森林里跑出一只玻璃鹿

记冰心

从源泉出发

家门前的风景

炸酱面

八渣儿

微笑无价

湖畔静悄悄

有一株树

生命的一部分

售书归来

铺床的少年

魂窗

不是妄想

卧读记畅

我或许算个熟练工

青春的门槛

牧童短笛

在胡同里转悠

村路上，告别母亲

你有一个情感世界

金秋书简（三章）

让我们创造

默默想音容

这里玫瑰盛开

夜渡多瑙河

从现代文学馆想起

珍珠为什么闪光

滋润心灵的溪流

人情似纸

焦灼的期望

兔儿灯

雨巷歌声

亲笔信（外一篇）

"蛮"

读自己书架上的书

杏儿出世

每逢佳节倍思乡

月亮的角色

寂寞的价值

我的近况

风·花·血·夜

坐在门槛上的送煤工

我的隆福寺

从一个微笑开始

抱猫闲话

校园的黄昏

虽然篇　　　　　　　如果篇

倦读记怅　　　　　　豌豆苗的心香

爱斯不难读　　　　　朴素的阅读感情

我要上天，我要入地　在爱的船舶中

桃红　　　　　　　　淡黄的银杏

跃向蓝天　　　　　　寄往仙界

天问　　　　　　　　丁香花又开了

雪白的向往　　　　　做一个"乡下铁匠"

鱼寿星　　　　　　　聆听春声

晶莹的珍珠　　　　　只恐楠溪舴艋舟，载不动许多……

温州管窥　　　　　　美哉楠溪江

楠溪江遇上海客　　　【附】《垂柳集》序·冰心

刘心武文存 24

自序

献给命运的紫罗兰——关于命运的随想

生活赐予的白丁香——关于生活的随想

紫檀木狮子——关于处世的随想

爱情红玫瑰——关于爱情的随想

春在溪头荠菜花——关于出名的随想

风中黄叶树——关于逆境的随想

却道天凉好个秋——关于幽默的随想

蓝郁金香——关于"海外奇谈"的随想

灯下拾豆——零星的随想

刘心武文存 25

心里难过　　　　　　　旋转舞台

学会吃冷面　　　　　　给自己作减法

猴年猫历　　　　　　　温馨

勤＋缘　　　　　　　　不玩

无闻　　　　　　　　　皮肤饥渴症

剜苹果　　　　　　　　石桅待发

卧游有术　　　　　　　大水法

冰吼　　　　　　　　　海风吹

养绿萝　　　　　　　　小报纸大乐子

岁月如筛留真情　　　　入乡随俗谈何易

让"卑"字走开　　　　追兵来了

鹦鹉前头不敢言　　　　你的情趣分

善感　　　　　　　　　无处存放（外二章）

无妨忧郁　　　　　　　苦笑不苦

棱角美与曲线美　　　　什么都吃

沉默交流　　　　　　　此愿或可偿

松本清张与《九猫图》　他们知道陈查礼

铃声响起　　　　　　　还是要商量

富而思雅　　　　　　　人意谁善解

小事做得来　　　　　　注重细节

无妨经常看地图　　　　吃白果

回归黑白　　　　　　　拒曝隐私

心慌慌　　　　　　　　找到自己的角色

富心有术　　　　　　　算细账

学会移情　　　　　　　你的"针鼻"有多大

燕子何来呢喃声　　　　　名牌与档次

断语　　　　　　　　　　莫耐寂寞

话说沉闷　　　　　　　　你要有通感

疲惫美　　　　　　　　　色情与情色

扫暴　　　　　　　　　　泼斯特

辞帝就宾　　　　　　　　重新诠释的乐趣

蛇皮包　　　　　　　　　清晨无泪

友谊与爱情　　　　　　　记忆与遗忘

忧愁与忧郁　　　　　　　自己与别人

谁做　　　　　　　　　　灯火

是何逻辑　　　　　　　　广告，广告，广告……

温柔　　　　　　　　　　豆腐作坊

我的心理保健操　　　　　日子没有别名

跨过五十岁的门槛　　　　宗璞大姐饭图

维熙老哥乒乓图　　　　　李黎小妹饮酒图

热影　　　　　　　　　　红了樱桃盼蕉绿

兰屿有个夏曼·蓝波安　　月亮来了

蜻蜓几时飞　　　　　　　别生春天的气

携鸡童子　　　　　　　　漂亮时光

气破桑　　　　　　　　　团结塔

镜前邵燕祥

刘心武文存 26

仰望苍天　　　　　　　　一切都还来得及

宣传自己　　　　　　　　室中不可无此香

让风吹过

坐下来，笑一笑自己

吃之外

清点贺卡

想看《阮玲玉》

小脚老太太跳绳

品位问题

夏利车与手提袋

"《笔会》在十版"

游者轻言爱

难喻

失稿记怅

重叠那"黄"字

我的两个读者

话说"沉甸甸"

眼角湿润

调剂你的生活色

现在就笑

福斯特戒酒

尊敬实业家

消化误会

照眼儿

男扮女妆与女扮男妆

两性在心理上平等吗？

后现代女性

奖杯应否一律"银杏化"？

你愿当花瓶吗？

枯鱼过河泣

人是做出来的吗？

入目礼

一个好心情

你会"跳房子"吗？

带刺的微笑

"砂洗绸"和"无光纸"

丑媒婆可以休矣

指错

巨无霸

瞬间

想喝碧粳粥

他信上帝

"黑匣子"以外

池塘·瀑布·喷泉

为一只麻雀高兴

不要看镜头

过家家

买不起看得起

技术性问题

自我感觉

自己挂帆

去看银杏树

克林顿之唇

男人为何不开屏？

梨花满地不开门

她为什么不戴首饰？

永难划上的等号　　　　　胡愁乱恨

买站票　　　　　　　　　反逆心理

耳根清静　　　　　　　　炫财与炫才

蜡烛应无泪　　　　　　　自我陌生化

忘年交　　　　　　　　　他人瓦上霜

直觉的双刃刀　　　　　　青春不怀旧

从中心到边缘　　　　　　放松

败兴　　　　　　　　　　戏说

犹豫　　　　　　　　　　厌倦

为古人担忧　　　　　　　树友

将就是夫妻　　　　　　　不愿意什么

畏惧　　　　　　　　　　"穷人意识"

抱惭而进　　　　　　　　寻找温点

高中女学生的钱包　　　　我还能拨动你的琴弦吗？

作者自白

刘心武文存 **27**

自序　　　　　　　　　　思念是根针

拉上窗帘　　　　　　　　山水尚有相逢日

稻香阵阵　　　　　　　　链中一环

吞瓜子　　　　　　　　　西天东地？

烹茶更细论　　　　　　　蓝桥魂未断

永失我车　　　　　　　　柳雾

晓歌入院　　　　　　　　新式手术

长廊随想　　　　　　　　要去上海

吾家三猫　　　　　　　　上海光斑

"甜蜜的尴尬"之后　　　　福哥

黑老曹　　　　　　　　　"杯赛"后的别样情怀

神秘的恭王府　　　　　　天文思维

在"罗马广场"喝咖啡　　　不年轻的话

秦学　　　　　　　　　　观故宫藏照

抱石头的孩子　　　　　　儿子上班去

林大哥的三句格言　　　　月光马儿

慈禧照相　　　　　　　　重访北海

晚餐时的直播　　　　　　读王《西厢》　观孙《红娘》

飞箭　　　　　　　　　　灵魂的探究

与澳洲女士碰撞出眼泪来　白夜的联想

心灵探索的"三齿耙"　　　边缘有光

跟自己约谈　　　　　　　大叶绿萝图腾柱

镜外碎语　　　　　　　　与"地下"的交往

我家有只招财猫　　　　　积极消费生命

宝绿色腰带　　　　　　　为人所厌

理解的边际　　　　　　　哥本哈根奇遇

你倒试试看　　　　　　　浓淡总随心意抹

刘心武文存 28

你哼的什么歌　　　　　　开发心大陆

人生需要友情　　　　　　用爱拥抱世界

让情感的森林永远青葱　　谁也不能被忽略

我 是 刘 心 武

自己的鼓点

马悦然院士如是说

热眼太多冷眼少

请先来电话

追星无族？

草原的星空

海上留痕

弹性美

话堵话

生命树上的繁花

红娘与王婆

克服"喜热症"

"归至如宾"

春冰

健康购物欲

合璧

时空所捕获的人质

天地不仁　何分东西

"国际大开本"

针尖与针鼻

暴力耻感

他改变了整个中国的天际轮廓线

风筝点灯

挡风席

大瞿岛

你只能面对

无可回避的"双虎"

"五岁小孩"

站在《四牌楼》下

一束追光

炎夏清凉话

甜蜜的尴尬

与书共舞

"大院"里的孩子们

"淘金时代"

街道如鱼缸

妥协的艺术

糖猪儿

接地气

时尚语丝

娓娓道清贫

付出代价

初春的草芽

长虹的湮灭

自我净化与清洁世界

他们的奖

水红的舞扇

冬日看海人

青葫芦

在天化作快活鸟

父亲的咳嗽声　　　　　　把嘴张圆

风雪夜归缘　　　　　　　救心电话

阳台上的蝴蝶　　　　　　电话机旁的纸片

视野分流　　　　　　　　我为什么不……

江湖夜雨十年灯　　　　　承接尖刻

资深美人　　　　　　　　查阅旧报刊

从今不怵这只杯　　　　　从忧郁中升华

反对"海暴"　　　　　　　谁是天生杀人狂？

到底意难平　　　　　　　彼此难懂

本世纪最大的是非

刘心武文存 29

我爱吃苦瓜　　　　　　　克隆狂想曲

己所欲与不欲　　　　　　拒绝恐慌

消除戾气　　　　　　　　竖鸡蛋

门齿上的月牙儿　　　　　加湿与抽湿

人生中的游戏　　　　　　何时能有"网意识"

啦啦到底　　　　　　　　与怪友相交

以往我们如何度夏？　　　街头法学

软木草莓　　　　　　　　期望值

无奖贺卡　　　　　　　　有时，我也嫉妒

庆幸自己有"空白"　　　　既然我们签了约

眨眼之间　　　　　　　　想当托尔斯泰

错误想象　　　　　　　　"错彼想象"

要有界限

摘青果

晚发

谁在乱拿我们的钱?

难荡双桨

菜市口黄金

期盼八面来风

演说者的目光射向何处?

山重水复莫停步

这里有甜井

藏猫猫

关于道德问题的一封信

奇香缥缈

历史经纬中的人生图案

不要再问为什么

敲石子的人

珍藏激动

告别一座垂花门

天花板上的光影

过隧道的心情

避风港

勇对平淡

同仁心距

如今时兴叫老师

公园里的汽车

人眼可畏

放准位置

餐后水果

花炭错位

你有历史感吗?

灵魂暂出窍

快把好话说出口

豌豆杀人案

望栏生惭

那是他个人的事

"算盘结算"

我们辜负过多少月光

给历史以细节

遭遇"名嘴"

埋秋叶

黄樱桃

亲近苍莽

鹅脚盆

归来时，已万家灯火矣

雨夹雪

行程中的婚礼

鬼故事

14 陡发

俗语沧桑

非字当头

足够的冷静

盛年知寂寞

酷撕拉

寸进时代

圣女果

"摩登新秀"

事实沉默在时间里

性格何时无悲剧?

反刍苏联电影

反刍日本电影

反刍东欧电影

反刍《海之歌》

在类别的边缘

心理美容

怀念吕果

水汽氤氲

别怕崴泥

未成功人士

不要逃避陌生

像豌豆那么大

中介勉谈

雨夜乱弹

李安缺席

摇呀摇,摇到银锭桥

反刍国产老片

反刍"短篇电影"

反刍电影文学剧本

反刍往日影院

大家来写心

读童话的刑警

阿姨,还是大姐?

红发女郎

刘心武文存 **30**

藤萝花饼

奏完的与听完的

呵护小自然

心灵四季

绿针

肢体的狂草

超越自卑

心里揣进这个字眼儿

身边的树

"流红水儿"

激情与温情

穿林渡水乐音来

我 是 刘 心 武

钓金龟	怒绿
画宗璞	王府喉掸
远去的雪橇马铃声	永远在一起
装满自己的碗	转过屏风
剃头挑子	我的自行车
法西斯病毒	人类与昆虫
书中自有茶香来	书中自有酒香来
文明轨迹路为先	狂放与宁静
让什么流进血管?	绿阴深处吟诗亭
人在风中	引风入诗
清理猫毛	淑女抽烟
"关起门来作皇帝"	窗外一株银杏树
远看皆风景	落下脚跟
秽处寻芳为哪般?	皇帝补裤子
关于歌德	研讨会发言必须限叶
不能再以"牛鬼蛇神"称人	青春的眉眼
烟后吐真言	醉眼不朦胧
小糖火烧	王子的舞步
玉壶	吴导有佳片
伉俪情深	铃兰花居
登山何必非极顶	优雅的白绸围巾
直来直去	静气浸入
蜗居来客	十六朵玫瑰
一把大伞	拂去浮云
碎米步	青柿子
心仓葡萄	快乐何必无穷大

墨黑的山谷　　　　　　　　　奖牌出错宜深思

四年花开别样艳　　　　　　　　比金光更耀眼的

只取一瓢饮　　　　　　　　　　心里美

欣赏田赛　　　　　　　　　　　跑道上的诗篇

莫把"残酷"挂口头　　　　　　丰富我们的肢体语言

洁爽的赛场　　　　　　　　　　落赛无对手

刘心武文存 **31**

人在胡同第几槐　　　　　　　　一起来做心灵体操

皱皮苹果　　　　　　　　　　　春水浴心

春从心出　　　　　　　　　　　旋出自己的小木梨

"康熙开心果"　　　　　　　　　崇尚平实

迈过"本命年"的"坎儿"　　　　忠告自己

春草明年绿　　　　　　　　　　漱口音与雨丝影

话说"糟改"　　　　　　　　　　"暂"字里面禅意浓

山外青山天外天　　　　　　　　人各有痣

人间有味是清欢　　　　　　　　补慈有方

新月与市灯的微光　　　　　　　承接倾诉

必要时出现　　　　　　　　　　春草如针

迎面吹来凉爽的风　　　　　　　克服病态审美心理

疏浚与藤鞭　　　　　　　　　　慎言取代

高处的果子最甜美　　　　　　　给你 90 秒

旅途小憩　　　　　　　　　　　高贵的停顿

献给新冬第一片雪花的絮语　　　中国美食

醋栗的滋味　　　　　　　　　　大吉鱼

刺猬进村	生芽豆
果疼	河畔羊群
胡桃夹子	换季诗
健康携梦人	麻雀圆舞曲
铁糖阿伯	琼花谜
养从抚起	果香满溢夜光杯
挂牌之议	手电筒朝内
萧红的神秘魅力	端木先生的眼神
张中行先生二三事	行为遗产
小思不迁	马季拿我抖包袱
大老叨	异味问题
大角瓜	海棠有香
野薄荷	新手茧
动物园里观植物	心财至贵
从抖腿到凝神	找不同
谢幕与终曲	二勇
备好麻秸待踩岁	舞龙尾
喜喉咙	大头娃娃舞
茶搭子·热水瓶·饮水机	刺青农民工
慎用干冰	内胆存情
人生好时光	"杜丝"莫问邻
窗口比电视好看	如丧手机
修复功能	一粒熟米
引见	勘误之味
永远的天府	记着·记住·记得
你的对应树	"千万别说抱过我"

带福斯特品京菜

平·安·乐

有糖大家甜

闲为仙人扫落花

谢晋仙逝使我憬悟

梅兰芳之谜

乘着电波的翅膀

万国旗飘扬

懂你懂我

永远记住他

有杯咖啡永远热

随柳而动

村中又闻馇香

刘心武文存 32

深夜月当花

给心花以和风

那边有个大花园

快去准备玻璃瓶

板箱大姐

唱一首自己的歌

飞花时刻

咀嚼蒲公英

暗夜红莲

巴黎足下风

给你一顶小丑帽

格子布

你怎样脱恤衫?

空嫂·门叔·男秘

再给妈咪看那件衫

给平凡以价值

框住幸福

提个马扎随处坐

心上栽棵含羞草

美瓷不碎

栽棵自己的树

丢

想吃虎拉槟

亲近牛筋草

月馋蜜梨

卡米小姐的眼神

顾影自赏

笑脸与怒脸

一束菊色光

阔口筐与男士帕

提高足球"含歌量"

冷与热

世界名著的远与近

她在追寻红气球

半个世纪一座楼

候春的秋叶

眼角眉梢

碰头食

一剪梅

地母

缪大姐的门

底线守卫者

"布波裙"

别临时摆动舌尖

遭遇个性

心灵百叶窗

买得一枝春欲放

这朵花儿叫喜欢

旅途感悟

见面头一问

长吻蜂

给自己架张蹦床

埋果核

喜欢一种桌子

散灯花

为何不过"花朝节"

男精女锛赞

扯不断的珠串

破案破出学问来

一根针与一把刀

期待新翻竹枝词

玻璃翠

只结一颗樱桃

妹妹头

仨瓜俩枣

何处在涌泉?

非量化因素

我危险,请接近

吉凶不在鸟音中

关于完美的思考

万事开头易

给心房下一场雪

捆妥诚信

山溪秋叶

譬如朝露

香槟玫瑰

云锦满心湖

一把米有多少粒

在柳树臂弯里

突发绮想

花果满山

钱如流水财如龙

好琴还需常调弦

龙的眼睛——中国篆刻艺术

从十八年前那一晚说起

中国足球：一个公众共享空间

丑虫

不要化掉这些绿

留住常态

望藕寻荷——悼孙犁先生

酷评与暗算

经意的和不经意的

会议揿铃人

这扇门该怎样进？

抱紧这罐糖

莫失亮

红楼三宝

耳的诉求

我的城市文化酷评

倒出一点水来好

我是怎样的一个瓶子

艳羡诚品

乱舞之后

在台北吃面

刘心武文存 33

兰畦之路

风雪夜归正逢时

人需纸几何

那边多美呀！

唯痴迷者能解味

守候吉日

悼念一个不相识的人

刘心武给丁玲的两封信

一张照片的故事

清荷下面有硕藕——悼孙犁先生

人淡如菊文藏金

元旦论灾为哪般？

艮

王小波，晚上能来喝酒吗？

宇宙中最脆弱的

记忆需要营养

暂不置评

谁在唱

心灵深处

丁玲复出独家见闻录

获奖前夕的高行健

雷加擂了我一拳

烟霞闲骨格 泉石野生涯——悼念孙犁

他们到哪里去了？

读者是光

弄不懂

溶溶漾漾在心头　　　　　大风起兮

你有淡淡的哀愁吗　　　　青储香

天鹅香皂　　　　　　　　最难风雨老人来

拾花感恩　　　　　　　　素书之美

闲水野鹭

刘心武文存 **34**

节聚三忌　　　　　　　　龙来了

明天对着看　　　　　　　心有斑马眼有灯

不能乱拿我们的钱!　　　不要白纸

兑现承诺　　　　　　　　非严肃的空间

个案与细节　　　　　　　顾盼神飞

老牙不掉　　　　　　　　足够冷静

慎言"足球流氓"　　　　　熟能生错

学会欣赏田赛　　　　　　锦绣世纪

人类的游戏　　　　　　　记忆力与想象力

结庐在何境　　　　　　　你我真面目

睡个安稳觉　　　　　　　耸听与操作

喜厌之外　　　　　　　　寻觅"托儿"

在记忆深处　　　　　　　直面俗世

起点之美　　　　　　　　搜索友情

为你自己高兴　　　　　　中间过渡色

社会填充物　　　　　　　女性自身感

心理冲凉　　　　　　　　欣赏男体

心上的草　　　　　　　　发宜常梳

给她一大哄

想象宇宙

秀色可餐

友不过三

良心与凉心

单瓣月季自在开

宝盖下面

"无名酒鬼俱乐部"

喇叭口裤

不再吃惊

"律盲"

剥离与粘连

心不碎

无聊这把双刃刀

发财不易

有毒的逻辑

虽然我不喜欢

当了一回"港澳同胞"

心理质量

不可想象

通感与通才

"最后一刀"

中野与麻原

哆

备用伞

鮀城的启示

心灵潜语

扶富

勿作"蹴迷"

退而结网

"财"字莫横贴

摩登裙与矿工裤

谈伴

处境两喻

追光

是可忍

欲望与技能

别往筐里跳

自律时代

找话来说

把恶魔变成一个角色

超越梦幻

错过

"百忧解"与脑芯片

"顾问"多棱镜

不赞同与不允许

恐惧与恐怖

黄 M 又入眼帘

护林与"烧荒"

超越"泡沫

好事多魔

黑血

十首足矣　　　　　　　　　　鼻文明

牙文明　　　　　　　　　　　包房综合症

手机症候群　　　　　　　　　"单滚"还是"双滚"？

"读青"与"观冷"　　　　　　　"快餐""小吃"两瓣蹄

"廊桥"尺寸好畅销　　　　　　把握出入"追光"的主动权

痴迷　　　　　　　　　　　　大红大绿

二十年后又是一条好汉？　　　随时准备吓一跳

牛渴自然觅水喝　　　　　　　苏雪林痛诋曹雪芹

摩登小家庭　　　　　　　　　究竟读的谁

拒绝站票　　　　　　　　　　市民的大小

水气氤氲　　　　　　　　　　心中四季莫紊乱

三个圆的世纪开端　　　　　　善的礼赞

骗不尽的财富　　　　　　　　探须伸来

贾雨村的初始反应　　　　　　兔年赞兔

如何看待当被告　　　　　　　京华何处卖花声

歪评凤姐　　　　　　　　　　两岸莺声啼不住

浅草才能没马蹄　　　　　　　京二两　海半两

景色之外　　　　　　　　　　跨栏随想

有聊才读书　　　　　　　　　文化快餐的诱惑

萝卜快了不洗泥　　　　　　　集体大厨

读书写字味自醇　　　　　　　请你喝咖啡

好"托儿"和赖"托儿"　　　　"卡拉"过剩不"OK"

香港女士为何脸红　　　　　　引风吹火

要听多明戈　　　　　　　　　排排坐吃果果

祈求好运　　　　　　　　　　举目应有亲

板寸之后是光头　　　　　　　骆驼不瘦

哥哥你大胆往前走　　　　花开花落自有时

要演《虹霓关》　　　　　数猴忘看山

高科技的较量　　　　　　人生百味盆

还不值得"发烧"　　　　何妨尖叫

小拇指拉钩　　　　　　　明朝有意抱琴来

蝴蝶·松鼠·电池　　　　我没蹲门口

喧嚣文化　　　　　　　　独立评格

难以忏悔

刘心武文存 **35**

A

澳大利亚

方要中轴圆要心　　　　　令人切齿的"烤箱"

墨尔本地标毁誉录　　　　免费缆车

蓝色铃铛　　　　　　　　真的，它很害羞

厂房办公仓库安家

奥地利

到维也纳去看白水屋　　　发现者的发现

维也纳牛肉饼

B

比利时

滑铁卢裁纸刀

D

德国

一篇小序的由来   蝴蝶窗

你也是"绿的"吗？   秋水伊人

丹麦

透明的哥本哈根   洋哥哥偏寻根究底

E

俄罗斯

白夜节的狂欢   滨河街公寓

红星与双头鹰   罗姆再吸一支烟

米·一只蚂蚁   普希金决斗处

托尔斯泰青冢

F

法国

马塞尔小姐，请放心！   "管不着"先生，咱们谈谈
——法兰西面影之一   ——法兰西面影之二

站在桥头望水流   大西洋边谢晋热
——法兰西面影之三   ——"三大洲电影节"小记

一条大河波浪宽   儒勒·凡尔纳博物馆记诧

绿色纪念碑——巴黎书简 巴黎鳞爪

秃头天鹅   凡尔赛喷泉

巴黎圣母院印象   四色郁金香

巴黎有条小胡同   此夜只应花都有

凡尔赛大章鱼   巴黎屋顶

千里浪漫餐   在巴黎宠物公墓读诗

懂得海鸟的陶醉　　　　　　巴黎同性恋大游行
记住他——勃吕纳梭　　　　天使的酒涡
最后一道篱笆之争

H

荷兰

荷兰疯车

L

罗马尼亚

布伦库什三大名雕亲睹记

卢森堡

深谷与峻峰

M

美国

美国爆米花　　　　　　　　大圆桌
世贸大厦顶楼的弹簧　　　　圣地亚哥所见
玻璃蜗牛的故乡　　　　　　大瀑巨虹
安心孵蛋　　　　　　　　　锦园苔花
景随人置　　　　　　　　　"声命线"
契约墙　　　　　　　　　　奥斯汀小木屋
抱养女婴——赴美弘红札记之一　　大娃娃心态——赴美弘红札记之二
夏志清捧场——赴美弘红札记之三　　六层楼上的启示——赴美弘红札记之四
阿拉莫番石榴花——赴美弘红札记之五　　石破天惊少一门——赴美弘红札记之六
维基基海滩赏诗——赴美弘红札记之七

马来西亚

猫城记猫　　　　　　　　长屋之谜犀鸟知

诗巫的诗与巫　　　　　　加帛公所

花踪　　　　　　　　　　笑离绝论

槟城屋脊　　　　　　　　老街咖啡

榴莲飘 ×

N

挪威

挪威森林猫　　　　　　　维格兰公园

长夜出戏　　　　　　　　麦秸羊

R

日本

带指南针的孩子　　　　　枫琴亭的怀念

感君为我歌一曲　　　　　在东京看歌舞伎

九层楼上的"大相扑"　　神户人工港一瞥

"打头机"旁话危机　　　日本的国花是菊花

访日本文艺春秋社　　　　松本清张访问记

夜东京　　　　　　　　　石庭快忆

松本清张一去不返　　　　美其名曰

站着吃面　　　　　　　　大鸟居

"在场"的魅力　　　　　京都的新门脸儿

肥胖的流浪汉　　　　　　象脚袜

枫叶馒头　　　　　　　　宫岛勺子

藤本敬一先生　　　　　　绿海孤舟

瑞典

牵出金牌的心链　　　　　　斯德哥尔摩的诱惑

进入程序　　　　　　　　　　北欧书影

斯德哥尔摩长笛　　　　　　　瓦萨号的后福

在帕尔梅被刺处看电影　　　　好一座"呼啸山庄"

米勒斯花园　　　　　　　　　同露西亚一起吟唱

听沃尔科特受奖演说　　　　　不评奖的电影节

瑞士

花钟莫停摆

S

圣马力诺

圣马力诺钟声

X

新加坡

圣淘沙堤桥

Y

意大利

天眼恢恢　　　　　　　　　　黑米尼白菊

比萨三姝

英国

环心剧场　　　　　　　　　　伦敦弘红记

刘心武文存 36

私人照相簿

《私人照相簿》序　　　　　《私人照相簿》新序

影子大叔　　　　　　　　　留洋姑妈

伶人传奇　　　　　　　　　名门之后

江山不老　　　　　　　　　后事如何

珍惜生命　　　　　　　　　不得其详

渴望沟通　　　　　　　　　生死相依

报告文学　　　　　　　　　飞吧，祖国

碧绿的山影　　　　　　　　蘑菇池

山村之恋

剧本

咕咚［广播剧］　　　　　　如意［电影文学剧本］

概不接待［话剧剧本］　　　老舍之死［歌剧剧本］

诗歌

日常（诗五首）　　　　　　一个微笑（外一首）

题许以祺所摄天葬台照　　　题萧宽裸身工作照

足球评论

第 17 届韩日主办的世界杯评论

2006 年第 18 届德国主办的世界杯评论

译述

佩尔森与公主

刘心武文存 **37**

斜坡

根植在生活的沃土中

生活的创造者说：走这条路！

此事无捷径

怎样架起这座桥？

这个孩子叫冷静

试试看

关于长镜头和咏叹调的自白

无数杨花过无影

你吃过泼妇鸡丁吗？

含饴弄文度众生

巴金与章仲锷的行为写作

大悲悯情怀

不改初衷

宝贵的一角

可信程度

故事与人物

答《解放日报》记者问

《班主任》后记

《班主任》里的书名

关于《我爱每一片绿叶》

《如意》后记

《如意》法译本序

关于《钟鼓楼》的通信

鸡啄米

从安全感说起

穿越八十年代

故事·人物·出新·风格

情节漫议

多层次地网络式地去表现人

面对着期望的目光

我所喜欢的和不喜欢的

仲夏访谈录

气盛出文

1978 年春：为爱情恢复位置

"神秘的姑娘"及其后代

你读茅盾了吗？

"别他"与"排他"

关于小说的若干想法

我面对的斯芬克斯

给自己的小说画插图

对我影响最大的十本书

《班主任》的前前后后

《我爱每一片绿叶》的创作

关于《如意》

《如意》(电影文学剧本)后记

一次艰辛的再创作

《立体交叉桥》后记

写在前面
——《钟鼓楼》香港、台湾版序

《蓝夜叉》香港版自序

我写《钟鼓楼》

关于《风过耳》

在台湾寻找知音
——《四牌楼》台湾版序

《到远处去发信》后记

《巴黎郁金香》后记

《斜坡文谈》后记

作者的话——《一窗灯火》序

《为你自己高兴》后记

《都会咏叹调》后记

我写《京漂女》

《人面鱼》台湾版自序

叶隙漏下的光斑
——谈《非床》的写作

我在树阴下等你

从《站冰》说起

从绿叶居到温榆斋

秋收时节念春播

我走了三步

写在水仙花旁

柳下絮语

《刘心武文集》自序

《风过耳》香港版自序

《立体交叉桥》德译本序

《钟鼓楼》的结构与叙述语言的选择

《树与林同在》新版后记

《绿叶与黄金》后记

《垂柳集》后记

《木变石戒指》后记

关于文学的八条断想

《有家可归》序

《嘉陵江流进血管》后记

一根针战胜一把刀

献给非重点的《非重点》

味蕾写作——台湾版《藤萝花饼》序

穿透遮蔽的努力
——《刘心武自选集》前言

《茅盾文学奖获奖者散文集·刘心武卷》前言

《红楼梦》缩写本前言

半篇自传

沿着正确的道路前进

与孙犁同志的通信

我掘一口深井

读书琐议

刘心武文存 38

理论批评文章

该哭就哭该笑就笑	向母亲说说心里话
真实性·深度·闯禁区·构思	关于文学本性的思考
我为"阳刚"鼓与呼	用"这一个"眼光看世界
地球村·审父·自剖	说潮
片叶冥思录	宽松：一种配套意识
作家与读者	中国作家与当代世界
十年琐忆	他在吃蜗牛
"复调小说"和"怪味小说"	一阕森林交响曲
让孩子的眼睛善于发现	池塘生春草
有个戴鸭舌帽的人	魅力所在，令人信服
碧海青天夜夜心	在"新、奇、怪"面前
尝鼎一脔话性格	淤水浊，流水清
一时要一百首也有	《无主题变奏》序
《安岳石刻艺术》序	乐于适度的自嘲
却嫌脂粉污颜色	江声浩荡
今夏卧游首选	寄望于新一代思考者与行动者
二十一集电视连续剧《曹雪芹》阅读感想	野葫芦的梦
一读钟情的文字	意识到我是自己
镜头朝阳	难得意趣真
李黎系列序	无悔与悯人
哲思的榆钱	真话直说
回头觅岸	抹不掉的王朔
让心湖活水满盈	失父：一种生存困境

悬崖树·豌豆花

瑞红女士的金陵十二钗

谁有不忍之心?

林斤澜的价值

敬畏之心不可无

《旧信重温》吓人一跳

东德文学的命运

这回真的要走近

读《人生的滋味》

对出墙红杏的裁定

有的珍爱只能轻抱

《城市战车》值得一读

从韦老太的新书说起

读《往事知多少》

一个多面多棱旋转柱

在北京看《薪传》

建立中国的"西方学"

是多大就多大

我们自己的批评语境

铃铛作钟鸣

谋杀艰涩枯燥

采得杂花酿蜜糖

我的文学边缘化

中国作家,你扮演着什么样的社会角色

《我心我身》序

春风又绿江南岸

如同理财那样理慧

深海不弃涓流

一斛珍珠生趣盎然

难得有一点点不同

投湖入海

陈独秀的小说观

火晶心的叙述

风急天高

这面筛子挺好的

朝霞中的蓝印花布

"随笔热"中的卞毓方

好故事,好心情

滴水可知海味

读《周妆昌红学精品集》

燃着蓝焰的青春心

《文化探秘丛书》总序

健全的美

《千年来文学备忘录》序

与生命共时空的文字

丢失的父亲

男辫还是女辫?

读《百家姓》

在多元文学格局中寻找定位

面对文体革命

读《土地》三部曲

绕

一支笔，一叠纸，这还不够……	与林斤澜书
艺术个性问题浅谈	绿窗明月在
请读《死水微澜》	红布里的金莲
话说"严雅纯"	夜行者的呼唤
重读《钢铁是怎样炼成的》	"泛东方"想象
文学三岔口	因忧伤而高贵
造塔成焰为哪般	熏出一颗诗心
《金瓶梅》札记	《封神演义》浅说

刘心武张颐武对话录

《刘心武张颐武对话录》序言

第一章　全球化与民族主义

（1）"冷战"后的文化思考

福山《历史的终结和最后一个人》——亨廷顿《文明的冲突？》——崔之元、昂格"制度创新"说——俄克拉荷马大爆炸与奥姆真理教

（2）"后殖民"、殖民、文化选择

赛义德的"东方主义"——斯皮瓦克、荷米·巴巴——张戎《鸿》——寻找中国"本体"——"鲁迅是谁？"——"躲避崇高"与"直面俗世"

第二章　商品化与消费化

（1）商品化社会的文化形态

张炜《古船》——"三陪"——乔姆斯基——《红楼梦》——福柯《何谓作者》——写作是否是一种职业？

（2）文人在市场中

"泡沫文学"、"大花猫文学"——田汉《十三陵水库畅想曲》——针尖与针鼻

第三章　市民社会的成长

（1）市民阶层的兴起

《金瓶梅》——"暴发户"等于"破落户"——俗世"共享繁华"——Internet 全球网络——西直门花鸟鱼虫市

（2）市民文化的特色

北京精品店的诞生——"公共空间"展拓——《东方时空》、《焦点访谈》

（3）分层的发展与沟通的诉求

老太太扭秧歌——麻原彰晃——造桥还是筑墙？

第四章　媒体的兴盛及其功能

（1）媒体在九十年代

《人民电影》、《大众电影》——《中流》、《真理的追求》、《当代思潮》——无处不在的广告

（2）媒体、知识分子、大众

白领丽刊——雅俗的分流——文化市场

第五章　"位置"的再寻求

（1）"新时期"之初的"启蒙"

李泽厚《现代思想史论》——无法定位的观察者——加法与减法

（2）"新时期"启蒙的盲点及文化转变

《黄金·绿叶·黑墙》——"报告大文学"

（3）新的道路的展现：寻找沟通

雷蒙德·威廉斯——散文随笔热——"同心圆"与"自在圆"

第六章　人文精神　宗教情怀　理想

（1）漫说"人文精神"

《旷野上的废墟》——"新神学"——丛生的植物群落——索要国外版税——薄伽丘《十日谈》

（2）神学话语兴起的反思

"平凡而伟大"——"圣战"

（3）我们需要什么样的理想

德里达:"解放欲望"——周瘦鹃——沟通与交通

第七章 "后国学"与中国本质

（1）国学复兴与传统的再生

"三十年河东,三十年河西"——章士钊《柳文指要》——马王堆——马一浮

（2）人类共有文明或创生文化

《疆界Z》——罗比·威尔森、阿尔夫·德里克——"黄皮书"、"白皮书"、"蓝皮书"——"开心果女郎"——宇文所安《全球影响的焦虑:何谓世界诗歌》——主流文化·传统文化·创生文化

（3）寻觅价值的艰难:国学的意义与出路

章太炎·王国维·陈寅恪——西方汉学的文化半成品——人格资源

第八章 雅／俗的分立与融合

（1）雅／俗之争与当代文化史

"贵族文学"·"平民文学"——"大众化"——《青春之歌》《林海雪原》、"三红一创"——赵树理——高行健《现代小说技巧初探》——阳雨《失去轰动效应以后》——"为二十一世纪的观众创作"

（2）雅／俗新格局的兴起

豪华笔会——《我是你爸爸》获首届上海优秀长中篇小说大奖——金庸:三联珍藏本——费斯克的妙喻

（3）心平气和看雅／俗

散文随笔集的重复出版——扫"黄"与扫"暴"——鲁迅状告北新书局——"我是流氓我怕谁"与"人字的结构就是相互支撑"——"女性小说"——库恩说"韧性"

第九章 "新时期"文学的回望

（1）从"史"的眼光看

"蜜月时期"——《性格组合论》:四十万册——软性刊物崛起——索尔兹伯里《长征:前所未闻的故事》

（2）王蒙评说

《组织部新来的年轻人》中的"暧昧片断"——超越"少年布尔什维克"情怀——《活动变人形》：灵魂的追问——"语言瀑布"——寻找对话的"点"

（3）"夹缝"作家的历程

谌容·张洁——《三寸金莲》——"边缘化"促进"个性化"

（4）"知青作家"面面观

"红卫兵"符码的发明者："原红旨"情结——哲合忍耶沙沟派——王安忆：职业写作者——史铁生：爱的宗教——梁晓声：平民情结——韩少功《世界》

第十章 九十年代：写作的新发展

（1）王朔与贾平凹

王朔的调侃——"此时此地，此身此意"——《废都》的"废"——朱苏进的提问

（2）实验小说与"新写实"

马原：暂停于《中国文学梦》——苏童、叶兆言："历史幻想小说"——余华：告别先锋——刘恒、刘震云：还原生活——纷纷推出文集：乱象还是佳境？

（3）小说诸"新"形态

"新状态"——"新体验"——"新市民"

（4）抽样分析：何顿与邱华栋

何顿：生活无罪——邱华栋：当代中国的拉斯蒂涅——为何取"后现代"的视角

【附论】宽容与大悲悯：后世纪的思索

一片绿叶对你说

"专栏热"析   争鸣规则

也谈文学观念   世界在哪里

你知道米雪尔·傅柯吗   重打鼓另开张

爱死星夜远	锁孔与隧道
吃活鱼	知名度递让律
禁果效应	"解放脚"
说想说的话	"看孩子"和"孩子看"
关于"表现落后"	越过镜面
"中学生的作文"	求异存同
读《厚黑学》有感	"令誉"之误
另起炉灶	"他们太快活了"
另一株红高粱	还有另一个走向
只读自己的作品	《锁麟囊》与《读者文摘》
"元内从严元外从宽"	题材公有
结构私有	"梅耶荷德情结"
你有渺小感吗	来一回咬文嚼字
散文地位	小说寓言化
淡淡哀愁今何价	作为艺术的建筑
一次"盖洛普测验"	

刘心武文存 **39**

谈《第四十一》	小喇叭
椅子坏啦	送给妈妈的礼物
修楼房	决心
一封寄给姐姐的信	多么好的阳光
妹妹	阿姨
小敏的信	芳芳打电报

丁香花开   "螺旋桨有什么用处？"

二敏和大敏   园园的新衣裳

给胖妞妞看病   "玩具大夫"

给韩梅梅的信   出于污泥而不染

唤起看影片的欲望   寓言二则

气度轩昂与柔情一露   小小图画展览会

从独木成林说起   回声及其他

窗影   冬夜

水仙成灾之类   赏梅迎春

直率的批评   和邮票交朋友

邮包的故事   "预言家"和钱袋

桂花飘香   不如鸡狗

播种   银锭观山

笑从片头起   孩子在读哪些书

给大院写历史   幻灯晚会

听完奶奶讲的故事   鲜花与牛粪

抬头与低头   上弦

京剧不宜表现最当前的现实生活   无形的角色

收听兴趣   反对死背书

眼睛属于谁   不磨不尖

为谁"争气"   根除思想中的"二亩地"

出题   巧埋伏

真的无篓可背吗？   布机声声抒悲愤

备课必须从学生实际出发   身临其境同歌舞

及时·准确   结尾应有这杆枪

该不该抓学习？　　　　　　　评影片《女跳水队员》

教师必须向学生学习　　　　　老树新花烂漫开

一锹一镐为革命　　　　　　　西南的三出小戏

是爱不是害　　　　　　　　　爸爸买了四张票

不熄的火炬　　　　　　　　　盖红印章的考卷

睁大你的眼睛　　　　　　　　清水湖的孩子

第一次思索　　　　　　　　　果实累累

"黑枣"和"炸药包"的故事　　我不希望被放到单一的视角里面去观察

刘心武文存 `40`

自序：是的，这就是我　　　　我是个最平常不过的人

祖父、父亲和我——挣不脱的链环　炸出一个我

父亲脊背上的痱子　　　　　　能够善良

免费午餐　　　　　　　　　　远去了，母亲放飞的手

神圣的沉静　　　　　　　　　美丽的藩篱

归来时，已万家灯火矣　　　　隆福寺的回忆

楸树花　　　　　　　　　　　跟陌生人说话

我的元记忆　　　　　　　　　童年：火的记忆

小颗颗　　　　　　　　　　　硬木棍

瓜菜代·小球藻　　　　　　　我是一个"新北京"

哄堂大笑中的领悟　　　　　　白石的乳汁

面对二十岁　　　　　　　　　恐怖

少年的心，天上的云　　　　　从"豆腐块"开始

我为什么写作　　　　　　　　我的处女作

我的写作导师　　　　　　关于《班主任》的回忆

风正一帆悬　　　　　　　人生不能缺此情

姐弟读书乐　　　　　　　妻子晓歌

与妻子重游北海　　　　　看儿子慢慢长大

五十自戒　　　　　　　　我的平民朋友

惜别老罗　　　　　　　　我爱夜凝珠

我的生命消费方式　　　　消化自卑

不应忘记的人　　　　　　凌乱一点才是家

我的"绿宝石"　　　　　　这里叶子常绿

90年代的"边缘生活"　　　《红楼梦》系列讲座的自白

附：关于《红楼梦》的问答　我看《金瓶梅》

感念茅盾　　　　　　　　我与古典文学

外国文学对我的影响　　　我是怎样一个瓶子

我的鼻子　　　　　　　　我的功夫

我爱看旧照片　　　　　　我有一段软心肠

我的读书习惯　　　　　　狼·蟒·牛·猫

只求随缘而处　　　　　　羞涩

一件亏心事　　　　　　　有时何妨保守

走进私人空间　　　　　　渴望平静